SOBRE/VIVER

ED RENÉ KIVITZ

SOBRE/VIVER

365 fragmentos de sabedoria dos Provérbios

mundocristão
São Paulo

Publicado por Editora Mundo Cristão

Os textos das referências bíblicas foram extraídos da *Nova Versão Transformadora* (NVT), da Editora Mundo Cristão (usado com permissão da Tyndale House Publishers, Inc.), salvo indicação específica.

CIP-Brasil. Catalogação na Publicação
Sindicato Nacional dos Editores de Livros, RJ

K68s

Kivitz, Ed René
Sobre/viver: 365 fragmentos de sabedoria dos provérbios / Ed René Kivitz. - 1. ed. - São Paulo: Mundo Cristão, 2017.
384 p.; 15 cm.

ISBN 978-65-86027-68-6

1. Cristianismo. 2. Vida cristã. I. Título.

17-44960 CDD: 248.4
CDU: 248.4

Categoria: Espiritualidade

Publicado no Brasil com todos os direitos reservados por:
Editora Mundo Cristão
Rua Antônio Carlos Tacconi, 69, São Paulo, SP, Brasil, CEP 04810-020
Telefone: (11) 2127-4147
www.mundocristao.com.br

1ª edição: novembro de 2017
1ª edição (nova capa): setembro de 2020
Impressão digital sob demanda

Introdução

A vida não vem com manual de instruções. A estrada da vida não tem placas de sinalização que indiquem a velocidade em que se deve andar, a direção em que se deve seguir e o sentido das curvas logo adiante. A vida é de repente. Inusitada, imprevisível e surpreendente. Viver é muito perigoso, já dizia Guimarães Rosa.

Tem gente que acredita no contrário. Pensa que o caminho de cada pessoa está escrito nas estrelas, que o que tem que ser será ou que Deus determinou um destino para cada uma das suas criaturas, como se Deus se ocupasse em fazer a microgestão do universo. Há também aqueles que acreditam que as leis morais de sua religião são suficientes para cada escolha ou dilema da vida. Mas o fato é que nossas grandes angústias não têm a ver com o certo e o errado, mas com escolher entre duas coisas certas ou duas coisas erradas. Por isso é que muita gente simplesmente protela suas escolhas e cruzam seus dias segundo o lema "deixa a vida me levar, vida leva eu". Essa é a mesma lógica dos que não sabem tomar decisões ou não têm coragem para isso e fazem o que os outros mandam, e depois colocam a culpa do que dá errado nas costas de alguém: de quem deu o conselho, da vida, do destino e de Deus.

Convivo com todas essas pessoas todos os dias há mais de trinta anos. Por causa do meu ofício pastoral tenho o privilégio de ouvir os dilemas da alma daqueles que me procuram em busca de aconselhamento e orientação espiritual. As pessoas buscam um pastor, um padre ou um sacerdote religioso no afã de conseguir algo mais do que o encontrado nos manuais de autoajuda, na clínica terapêutica e na sabedoria dos amigos e amigas. Elas sabem que por trás do bom senso do mundo existe uma dimensão mais elevada, que os místicos chamam de *mysterium*, o sagrado.

As tradições espirituais são de fato um acervo inesgotável de sabedoria. Uma sabedoria que extrapola a racionalidade humana e transcende os limites da observação sensata da realidade cotidiana. A tradição judaico-cristã chama de "sabedoria que vem do alto". Essa sabedoria está presente na Bíblia Sagrada, e de todos os livros que compõem a literatura sapiencial o livro de Provérbios é o mais privilegiado. Foi escrito para pessoas que desejam trilhar o bom caminho enquanto cruzam a existência.

Provérbios não é um livro de regras morais. Não é um manual de orientação para cada situação. Tampouco se trata de um texto mágico, como um oráculo. Provérbios é uma coletânea do discernimento espiritual a respeito das complexas relações da alma humana: trata dos encontros com os amigos e com os inimigos; dos afetos de pai e mãe, de irmãos e irmãs, e da vida em família; do poder do sexo, da política e do dinheiro; do enfrentamento das adversidades causadas pelo mundo natural, da chuva e da tempestade, da peste e da enfermidade; do trabalho, da riqueza e da pobreza; da preguiça; da opressão que sofrem os pobres e da generosidade que exige dos ricos; do destino dos maus e da bem-aventurança das pessoas justas; do homem, da mulher, do romance e do amor. Provérbios é um livro que trata da vida, da vida como ela é, e como pode ser.

Você tem em mãos reflexões baseadas nos provérbios bíblicos. Não são explicações, e nem mesmo interpretações. São *insights* que nasceram das minhas leituras e meditações nos conselhos dos sábios de Israel, coligidos pelo rei Salomão, considerado o homem mais sábio da Bíblia. Todas essas reflexões foram compartilhadas diariamente em formato de áudio durante o ano de 2017 pelas minhas redes sociais, e agora estão disponíveis em texto para facilitar ainda mais sua própria experiência de reflexão.

Meu desejo é que você também descubra que viver é mais que sobreviver.

001

Estes são os provérbios de Salomão, filho de Davi, rei de Israel.
Sua finalidade é ensinar uma vida [...] bem-sucedida.
Provérbios 1.1,3

Viver é uma arte que se aprende. E isso quer dizer basicamente duas coisas. A primeira é que, diferente dos animais, que aparentemente nascem com um *software* autoexecutável que faz que o gato seja gato, o ser humano precisa aprender a ser humano. Precisa ser ensinado, precisa ser educado, ser cuidado até que consiga andar com as próprias pernas. Viver segundo a própria consciência. Agir de maneira autônoma. Ninguém nasce sabendo ser gente. A gente vai se tornando humano. Vai se fazendo gente, enquanto a gente vive.

A segunda coisa é que assim como não está determinado que tipo de gente você será quando crescer, também não está definido de antemão o caminho que você percorrerá ao longo dos seus dias.

É bem verdade que os acontecimentos, e muitos fatos da sua vida, não dependem de você. Mas também é verdade que todos os dias você precisa fazer escolhas, tomar decisões, e essa é uma responsabilidade e um privilégio seu.

Então, você precisa aprender a ser gente, e precisa aprender a tomar decisões. É isso que Salomão está chamando de uma vida bem-sucedida. É isso que ele se propõe a ensinar.

E é nisto que consiste a nossa liberdade: nossa prerrogativa de decidir que tipo de gente queremos ser quando crescermos, e decidir que caminho vamos percorrer enquanto trilhamos a nossa saga pela vida.

Viver é uma arte que se aprende.

Estes são os provérbios de Salomão, filho de Davi, rei de Israel. Sua finalidade é ensinar sabedoria.
PROVÉRBIOS 1.1-2

Vivemos entre o necessário e o contingente. Necessário é aquilo que é inevitável. Por exemplo, o fato de que vamos envelhecer, o fato de que nós, seres humanos, não temos asas e não voamos, que estamos sujeitos à lei da gravidade. Isso é necessário, isso está dentro da cláusula de necessidade, na filosofia.

Contingente é aquilo que não faz diferença se é ou se não é, se acontece ou não acontece. Por exemplo, quantas pessoas ficarão gripadas no inverno, ou para que lado cai uma árvore quando ela é partida por um raio. Não é possível saber; foge ao nosso controle.

Entre o necessário e o contingente está a ética. Entre as coisas que acontecerão independentemente da nossa vontade e as coisas que podem ou não acontecer mas que escapam ao nosso controle está esse espaço onde somos chamados a fazer escolhas e tomar decisões. E é justamente para viver nesse espaço, habitar esse espaço entre o necessário e o contingente que precisamos de sabedoria.

Os provérbios de Salomão têm como finalidade nos ensinar sabedoria. Quem deseja uma vida bem-sucedida deve buscar a sabedoria, deve desenvolver a arte de fazer escolhas e tomar decisões.

003

Estas são as palavras sábias de Salomão, filho de Davi, rei de Israel, escritas para nos ensinar a viver de modo bom e justo, para entendermos o verdadeiro sentido da vida. É um manual para a vida, para aprendermos o que é certo, justo e honesto; para ensinar aos inexperientes como a vida é, e dar aos jovens uma compreensão da realidade. Há aqui também lições até para quem é vivido, e ensino para os mais experientes — mais sabedoria para examinar e compreender profundamente a própria vida, provérbios e palavras sábias.
PROVÉRBIOS 1.1-6, A MENSAGEM

O problema do ser humano não é morrer. É morrer sem saber por que viveu. Da mesma forma que o nosso problema não é sofrer, é sofrer sem saber por que estamos sofrendo, é sofrer sem sentido.

Viver exige desvendar mistérios. Para quem quer mais do que meramente sobreviver, a sabedoria é essencial.

O livro de Provérbios é um livro de sabedoria, escrito para quem quer aprender a desvendar os mistérios da vida e para quem quer encontrar sentido para sua caminhada debaixo do sol.

Viver implica desvendar mistérios.

Estes são os provérbios de Salomão,
filho de Davi, rei de Israel.
PROVÉRBIOS 1.1

A Bíblia não caiu pronta do céu. Ela não foi ditada por Deus para pessoas que, enquanto estavam em transe, transcreviam suas palavras.

A Bíblia foi, primeiro, tradição oral, histórias contadas de pais para filhos, de geração em geração. Depois, essas histórias se tornaram textos, para o que foram necessários muitos critérios, muita avaliação e muito discernimento até serem considerados sagrados. Eles passaram pelo crivo intelectual de muita gente até ganhar crédito de um livro que pudesse ser chamado de Palavra de Deus. Foram necessários mais de dois mil anos para que a Bíblia fosse escrita, e mais de quarenta autores participaram da produção desse texto sagrado.

A Bíblia não cai num vazio. A Palavra de Deus foi revelada na história humana, na cultura, no desenrolar da civilização de um povo, de uma tradição.

A Bíblia Sagrada não é um livro mágico. Ela tem inteligência, tem história. A Bíblia Sagrada é a Palavra de Deus a partir da inteligência humana, ou a inteligência humana inspirada pelo Deus que no texto e na história se revela.

Por isso é que está identificado aqui que Salomão é rei em Israel, é filho de Davi, escreveu mais de três mil provérbios e colecionou da sua época e da sua cultura tudo isso que temos aqui como sabedoria.

005

Estes provérbios darão juízo aos ingênuos e conhecimento e discernimento aos jovens. O sábio que os ouvir se tornará ainda mais sábio. Quem tem entendimento receberá orientação, ao examinar o significado destes provérbios e parábolas, das palavras dos sábios e seus enigmas.
PROVÉRBIOS 1.4-6

Um livro de sabedoria é diferente de um livro de conselhos. Sabedoria é a capacidade de pensar. É a capacidade de entender. É o resultado ou a síntese do que foi pensado e entendido, discernido. Sabedoria é a capacidade de ler as pessoas, ler o mundo, ler as situações, ler as circunstâncias, ler a vida, e então fazer as melhores escolhas e tomar as melhores decisões.

Crer é também pensar. O caminho espiritual da sabedoria é também um caminho de inteligência. Mais do que alguém que lhe diga o que deve fazer, como deve viver, você precisa aprender a pensar. A espiritualidade saudável é aquela que o conduz à autonomia, que o faz andar com as próprias pernas, que lhe dá entendimento.

Você não precisa de alguém que lhe diga o que deve fazer ou como deve viver. Você precisa é de sabedoria. Sabedoria que Deus pode lhe dar.

O temor do Senhor *é o princípio do conhecimento,*
mas os tolos desprezam a sabedoria.
Provérbios 1.7

A Bíblia Sagrada não é um livro de autoajuda. É claro que a Bíblia nos ensina a pensar, a discernir, a tomar decisões sábias, a fazer escolhas acertadas. A Bíblia desenvolve o nosso raciocínio, nos ajuda a esclarecer a realidade da vida. A Bíblia Sagrada é um livro para iluminar o nosso entendimento. É um livro cheio de lucidez. Mas não é um livro de autoajuda. Porque a Bíblia Sagrada não fala de uma sabedoria nos limites da racionalidade humana.

O temor do Senhor é o princípio do conhecimento. A sabedoria da Bíblia Sagrada é a sabedoria espiritual, é a sabedoria que o Novo Testamento diz que vem do alto. A sabedoria que vem do alto, a sabedoria que vem de Deus, é o temor do Senhor.

Não se trata de mera coletânea do bom senso humano. Não se trata de bom senso organizado, mas de discernimento espiritual a respeito da vida.

A Bíblia Sagrada vai além do que o ser humano seria capaz de enxergar, conhecer, discernir e descobrir se ficasse limitado à própria razão.

007

Os tolos desprezam a sabedoria.
PROVÉRBIOS 1.7

"Let it be", "deixa a vida me levar", "o acaso vai me proteger enquanto eu andar distraído". Eu aprecio muito essa cultura popular, gosto muito dessas canções, mas elas estão no caminho oposto da sabedoria. Os tolos desprezam a sabedoria. Quem deseja mais do que meramente sobreviver, e quer viver, não pode e não deve abrir mão de sua prerrogativa de decidir e fazer escolhas.

Não devemos e não podemos jogar fora esse direito sagrado, inalienável, essa responsabilidade maravilhosa que temos de ser os protagonistas de nossa própria história, de escolher o tipo de pessoa que vamos ser e que vamos nos tornando. De escolher os caminhos pelos quais vamos desfrutando os nossos dias debaixo do sol.

Somente os tolos desprezam a sabedoria. Somente os tolos se deixam levar pela correnteza.

Estes são os provérbios de Salomão [...]. Sua finalidade é ensinar sabedoria.
PROVÉRBIOS 1.1-2

São pelo menos nove as palavras hebraicas traduzidas para a língua portuguesa como sabedoria. A principal delas é *hokmah*, que tem a ver com saber viver, aplicar o conhecimento, o entendimento, em todas as áreas da vida e em todas as circunstâncias.

Mas o conceito de sabedoria também abrange ideias como experiência vivencial, aprendizado prático, instrução, treinamento, entendimento, critério, discernimento, bom senso, prudência, cuidado, zelo, capacidade de planejar, capacidade de se posicionar dentro de determinada realidade, ideia de correção e repreensão, de vida disciplinada, tanto no sentido de organização como de capacidade de evoluir a partir dos erros, dos equívocos.

O conceito de sabedoria implica um conjunto de saberes da mente e do coração, da consciência mais profunda, inclusive da nossa dimensão espiritual.

A sabedoria é aquele repertório objetivo e subjetivo, do qual brotam os *insights* que nos permitem agir, falar a coisa certa, da maneira certa, na hora certa, pela razão certa.

A pessoa sábia é aquela que sabe viver.

009

Meu filho, preste atenção à correção de seu pai e não deixe de lado a instrução de sua mãe. O que aprender com eles será coroa de graça em sua cabeça e colar de honra em seu pescoço.
PROVÉRBIOS 1.8-9

Honrar pai e mãe é um dos mandamentos do decálogo: "Honre seu pai e sua mãe. Assim você terá vida longa e plena na terra que o SENHOR, seu Deus, lhe dá" (Êx 20.12).

O Deus de Israel é um Deus que se revela na história, é um Deus que se revela na tradição oral. Conhecer a Deus e conhecer a vontade de Deus implica não apenas conhecer a tradição do seu povo, as verdades transmitidas dos pais aos filhos, mas também respeitar e guardar essa tradição.

O caminho da sabedoria é um caminho de respeito aos antepassados. Honrar pai e mãe traz esse significado, o significado de abraçar a fé daqueles que conheceram a Deus antes de nós, que nos deram testemunho de Deus, que nos falaram de Deus.

Nikolai Berdiaev, cristão ortodoxo e russo, disse que a tradição é a fé viva dos que já morreram, e o tradicionalismo é a fé morta dos que ainda vivem.

Pessoas sábias têm tradição.

Meu filho, preste atenção à correção de seu pai e
não deixe de lado a instrução de sua mãe.
Provérbios 1.8

A pessoa sábia anda com as próprias pernas. Mas ninguém nasce sabendo andar. Aprendemos a andar. Andar com as próprias pernas significa ter autonomia, ter a lei em si mesmo, ter a consciência bem formada. Saímos da anomia, que é a completa ausência de lei, a submissão à lei que nos vem de fora ou de uma autoridade exterior; passamos pela antinomia, que é a oposição a toda e qualquer lei, toda e qualquer autoridade que não o próprio pensamento, a própria consciência; até chegarmos à autonomia, que é a consciência bem formada, a existência da lei dentro da própria consciência, o andar com as próprias pernas.

Paul Tillich fala da teonomia, dessa lei que vem de Deus. Se o princípio da sabedoria é o temor do Senhor, a pessoa verdadeiramente sábia é aquela cuja consciência é formada sob a influência da sua relação com Deus ou no contexto da sua relação com Deus.

Antes de aprendermos a ouvir a voz de Deus, temos que ouvir a voz da própria consciência. E, antes de ouvir e aprender a ouvir a voz da própria consciência, temos que aprender a ouvir a voz das consciências mais sábias, e amorosas, representadas aqui pelos pais.

Honrar pai e mãe é um caminho de sabedoria, e um caminho de desenvolvimento da autonomia e da teonomia.

011

Amigo, se as más companhias são uma tentação, caia fora enquanto é tempo.
Provérbios 1.10, A Mensagem

A sabedoria nos ajuda a desenvolver relacionamentos. Especialmente com aquelas pessoas que eu chamo de "as pessoas mais perigosas do mundo". Você talvez pense que a pessoa mais perigosa do mundo é aquele sujeito mau-caráter. Mas não é verdade, porque você sabe que ele é mau-caráter, e vai fugir dele.

Há aquela pessoa que não é boa companhia. Mas você também vai fugir dela, porque você não gosta de estar com ela, porque, pelo menos na sua opinião, ela não é uma companhia agradável.

Assim, você acaba evitando tanto o mau-caráter como a pessoa que não é boa companhia.

O grande problema é a pessoa mau-caráter, ou que tem uma vida enrolada, e se mostra uma ótima companhia, uma boa companhia. Essa é a pessoa mais perigosa do mundo.

Quando você estiver andando muito perto de gente mau-caráter e agradável, quando estiver andando muito perto de gente que é ótima companhia, mas tem a vida enrolada, fique atento. Isso pode ser um caminho de tentação. Caia fora enquanto é tempo.

Esse é o caminho da sabedoria.

Talvez lhe digam: "Venha conosco! Vamos nos esconder e matar alguém. Armaremos emboscada contra inocentes, só para passar o tempo".
PROVÉRBIOS 1.11

Atentar contra um inocente é crime hediondo. Descaso pelos pobres, pelos vulneráveis, pelos indefesos, pelos "sem voz" ofende os céus.

Essa maldade gratuita — vamos armar emboscada para passar o tempo, vamos nos divertir fazendo maldades, vamos prejudicar pessoas fazendo-lhes o mal —, sem razão alguma, embora jamais exista razão que justifique o mal e a maldade, mas essa maldade por passatempo, por divertimento, revela essa podridão que existe dentro do coração humano e que as mentes e as consciências mais politicamente corretas têm vergonha de admitir.

A raça humana tem dentro de si, na alma, algo de podre que leva a esse despropósito e a essa banalização da maldade.

Isso ofende os céus. Não é um caminho de sabedoria. Merece a nossa rejeição, o nosso repúdio. É iniquidade. O sadismo é iniquidade da pior espécie. Afaste-se disso! Afaste-se de gente assim.

Meu filho, não vá com eles! Afaste-se de seus caminhos. Eles correm para fazer o mal; apressam-se em derramar sangue. Se um pássaro vê alguém montar a armadilha, sabe que não deve se aproximar. Eles, porém, armam emboscadas para si mesmos; tentam acabar com a própria vida. Esse é o destino de todos os gananciosos; sua própria cobiça os destrói.

PROVÉRBIOS 1.15-19

Os homens maus cavam a própria cova. Os crimes que cometem transformam-se em armadilhas contra si mesmos. O mal praticado volta como bumerangue e arrebenta a cara do criminoso. É uma questão de tempo. Como diz aquela máxima atribuída a Abraham Lincoln, você pode enganar todo mundo por algum tempo, pode enganar alguns o tempo todo, mas não consegue enganar todo mundo o tempo todo.

Um dia a casa cai, um dia a máscara cai do rosto, e a verdadeira face é mostrada. Nesse dia, quando contempla a cara horrorosa diante do espelho, o homem mau tem a oportunidade de refazer o seu caminho.

A sabedoria nos ajuda a enxergar a verdadeira face dos homens maus, escondida atrás de máscaras bonitas e palavras agradáveis.

Afaste-se do caminho dos homens maus. Eles estão armando armadilhas contra si mesmos, e numa dessas você acaba caindo na arapuca, junto com eles.

A Sabedoria grita nas ruas e levanta a voz na praça pública. Sim, proclama nas avenidas e anuncia em frente à porta da cidade.
PROVÉRBIOS 1.20-21

A voz de Deus, a sabedoria, manifesta-se nas ruas, nas vilas, nas vielas onde crianças brincam, nas avenidas, nos espaços urbanos coletivos, na praça, no mercado, no comércio, na porta da cidade, entre os juízes, entre a elite. A sabedoria penetra todas as áreas da sociedade.

Deus tem voz em todos os cantos ocupados pelo ser humano. Porque Deus tem os seus sábios espalhados pelo mundo revelando a sua sabedoria para todos, o tempo todo, a toda hora.

Os sábios espirituais deveriam ser mais ouvidos, como *players* na arena pública. A sabedoria espiritual merece lugar de honra na construção de uma sociedade. Todas as forças de todos os saberes constroem uma sociedade justa e pacífica.

A espiritualidade, a voz da sabedoria espiritual é uma das grandes fontes de saúde, não apenas para a caminhada individual, mas também para a construção de uma sociedade de justiça e paz.

015

Até quando vocês, ingênuos, insistirão em sua ingenuidade?
PROVÉRBIOS 1.22a

Esses ingênuos a que Salomão se refere no livro de Provérbios são aqueles que não conhecem a Torá, que não conhecem a vontade revelada de Deus, isto é, que não receberam o conteúdo que ajuda a formar a boa consciência que conduz o ser humano à autonomia, ou à teonomia, essa consciência formada no contexto do temor de Deus.

Portanto eles não têm uma lei dentro da própria consciência. Não têm critérios de julgamento, não têm referências para escolher e decidir. Isso faz que eles sejam identificados como pessoas ingênuas, inexperientes ou ignorantes. Não pensam por conta própria, são facilmente manipuladas, usadas por outros. Porque não têm critérios, não têm repertório, dependem de outras influências para formar opiniões e para obter orientação no momento de fazer escolhas e tomar decisões.

Nessas horas é que surgem as más companhias, os aproveitadores, os oportunistas de plantão. A ingenuidade, a inexperiência, a ignorância não são caminhos de sabedoria.

Pessoas sábias buscam aprender, pessoas sábias pensam por conta própria, pessoas sábias têm autonomia, andam com as próprias pernas.

Até quando vocês, zombadores,
terão prazer na zombaria?
PROVÉRBIOS 1.22b

Quem acata somente o que é racionalmente demonstrável e trata a sabedoria espiritual como coisa de gente ignorante, fraca e burra, na verdade está andando pelo caminho da tolice. Existem verdades que escapam à razão, existem verdades que não são demonstradas pelo critério da racionalidade científica.

Quando estamos discutindo ciência, vamos para o laboratório. Mas, quando falamos de amor, afetos e das relações profundas do coração, aí estamos num campo em que a racionalidade científica deve se calar. Como disse Guerra Junqueiro: "Deus! Ó terrível dilema! Quando a ciência aqui chega, ou emudece ou blasfema".

O sábio não blasfema, o sábio não zomba, ele sabe que há alguma coisa além da própria racionalidade, da própria inteligência.

Abandone a zombaria. Abra a consciência para a sabedoria.

017

Até quando vocês, tolos,
desprezarão o conhecimento?
Provérbios 1.22c

Os tolos são aqueles que têm conhecimento, mas o desprezam. A esses Jesus se refere dizendo que odiavam a luz e não queriam vir para luz, porque seus caminhos eram maus. Eles temiam que, uma vez iluminados pela verdade ou estando sob a luz da verdade, os seus pecados fossem expostos.

Os tolos são aqueles que sabem estar andando na escuridão, mas se recusam a vir para a luz. Têm conhecimento da verdade, mas a desprezam. Acreditam que conseguirão contornar as consequências inevitáveis dos maus caminhos, mas estão enganados, e é por isso que são tolos.

Salomão está dizendo que a sabedoria clama por eles. É isto o que a sabedoria lhes diz: "Abandonem o caminho tolo, o andar na escuridão, venham para a verdade, admitam a verdade que conhecem, submetam a consciência à verdade que já discerniram, deem o braço a torcer, deixem de ser cabeças-duras, rendam-se, convertam-se, coloquem os pés no caminho da justiça, arrependam-se, trilhem um bom caminho, deixem de ser tolos".

Venham e ouçam minhas advertências; abrirei meu coração para vocês e os tornarei sábios.
PROVÉRBIOS 1.23

Salomão, em seus Provérbios, fala de diferentes tipos de pessoas. As ingênuas, as inocentes e as inexperientes não têm a consciência formada, não conhecem a Torá e, portanto, não pensam por si. Elas são manipuladas, estão na mão dos oportunistas de plantão, são jogadas de um lado para o outro, conforme as opiniões alheias, conforme quem fala mais alto, quem tem mais poder, quem tem mais carisma, mais manipula um conhecimento ou um pseudoconhecimento.

Depois Salomão fala dos cínicos, dos zombadores, daqueles que desprezam o conhecimento e não estão abertos à sabedoria espiritual, à voz da sabedoria.

Ele fala também dos tolos, daqueles que conhecem a verdade, que conhecem a Torá, que conhecem a lei de Deus, que já ouviram a voz de Deus, mas se recusam a andar nos caminhos de Deus.

A todos eles a sabedoria está dizendo: "Venham! Ouçam o que tenho a dizer, vou abrir o meu coração e vou transformar vocês em pessoas sábias, não mais ingênuas, não mais cínicas e zombadoras, e não mais tolas e estúpidas, mas sábias".

Ouça a voz da sabedoria.

Venham e ouçam minhas advertências; abrirei meu coração para vocês e os tornarei sábios.
PROVÉRBIOS 1.23

Metanoia é uma palavra grega. Embora estejamos aqui num texto da sabedoria judaica, texto hebreu, metanoia é uma palavra que cabe muito bem nesse convite da sabedoria.

Aqueles que estão andando no caminho mau são chamados pela sabedoria para que mergulhem no coração dela e se tornem sábios. Isso significa uma completa transformação do entendimento, uma completa transformação da consciência. Não se trata apenas de mudar de opinião, mas de mudar o jeito de pensar. Não se trata apenas de substituir informação, nem de apenas adquirir mais conhecimento, mas sim de um *insight*, de uma mudança de consciência, de uma mudança de postura interior. É como receber uma revelação: você não apenas muda de ideia, você muda. Essa é a ideia da metanoia, a mente que vai além, a luz que vai além. Essa é a melhor tradução que encontrei da palavra grega composta: *nous*, que significa "mente", e *meta*, "aquilo que vai além". Metanoia é a mente que se expandiu, é a expansão da consciência.

A sabedoria diz: "Venha! Ouça minha voz, você passará por uma metanoia, você será completamente transformado".

Muitas vezes eu os chamei, mas não quiseram vir;
estendi-lhes a mão, mas não me deram atenção.
PROVÉRBIOS 1.24

Antes da queda, sempre vem uma advertência. A casa dá sinais de que está caindo: é um conselho, a palavra de um amigo, uma advertência, uma observação, uma sugestão de alguém que lhe quer bem, uma reclamação da mulher, do marido, dos pais, uma observação dos filhos. Ou, então, é algo que você mesmo diz diante de um acontecimento: "Uau, essa foi por pouco", ou diante de uma situação em que bate o desespero: "Deus, se o Senhor me livrar dessa, eu prometo que nunca mais faço isso".

Sempre há uma advertência. A sabedoria vem e sopra em seu ouvido: "Saia desse caminho, esse caminho é mau. Saia desse caminho, você está andando na escuridão".

O Espírito de Deus sopra sobre você. Deus coloca a mão em seu ombro e chama você para o caminho bom, para sair da escuridão e andar na luz. Mas a questão é que negamos, acreditando que somos capazes de administrar a situação. Dizemos: "Não, eu vou conseguir contornar, no fim vai dar tudo certo".

A sabedoria está dizendo a você: "Depois não diga que eu não avisei".

Faça a coisa certa, enquanto é tempo. O tempo de fazer o que é certo é agora.

Desprezaram meu conselho e rejeitaram minha repreensão. Por isso, rirei quando estiverem em dificuldades; zombarei quando estiverem em apuros, quando a calamidade lhes sobrevier como a tempestade, e a desgraça os envolver como o furacão, e a angústia e a aflição os dominarem. Quando clamarem por socorro, não responderei; ainda que me procurem, não me encontrarão. Porque detestaram o conhecimento e escolheram não temer o SENHOR.

PROVÉRBIOS 1.25-29

Quem ouve esse desabafo da sabedoria pensa numa velha senhora melindrosa que diz: "Já que vocês não seguiram os meus conselhos, vou destruir sua vida", ou, então, pensa em Deus como um velho rabugento que castiga todos aqueles que contrariam sua vontade.

Mas não é isso o que a revelação das Escrituras Sagradas nos traz. Há um ditado rabínico que diz que o grande castigo de um pecado é estar mais próximo de cometê-lo novamente.

Mas também podemos dizer que o grande castigo do pecado é a consequência que ele traz. Não se trata de que Deus puna o pecador, nem de que a sabedoria destrua a vida daqueles que não trilham seus caminhos. É uma questão de consequências.

Quem semeia vento colhe tempestade, diz o profeta Oseias (8.7).

Rejeitaram meu conselho e ignoraram minha repreensão. Portanto, comerão os frutos amargos de seu estilo de vida e engasgarão em suas próprias intrigas. Pois os ingênuos se afastam de mim e rumam para a morte; os tolos são destruídos por sua própria acomodação. Os que me ouvem, porém, viverão em paz, tranquilos e sem temer o mal.
PROVÉRBIOS 1.30-33

É uma ingenuidade acreditar que sempre que fazemos a coisa certa dá certo, e sempre que fazemos a coisa errada dá errado. De vez em quando fazemos a coisa certa e dá errado, e às vezes fazemos a coisa errada e dá certo. Mas a questão não é essa.

A sabedoria não tem a ver com a fotografia do momento. A coisa certa ou errada que você fez agora, hoje, um ato, uma decisão, uma escolha, isso tem a ver com um instante da sua vida. Quando a sabedoria promete que os que ouvem a sua voz viverão em paz, tranquilos e sem temer o mal, ela está falando do resultado de um estilo de vida, o estilo de vida que leva à justiça e à paz.

O caminho da sabedoria é isso, é um caminho, não é um momento, não é uma decisão, não é uma escolha, não é um ato. É um caminho.

Andar no caminho da sabedoria, ter um estilo de vida sábio. Isso é o que nos garante os frutos doces da boa vida.

Os que me ouvem, porém, viverão em paz,
tranquilos e sem temer o mal.
Provérbios 1.33

Quem anda no caminho da sabedoria, quem se mantém distante do caminho dos maus, quem ouve os conselhos do pai e da mãe, quem segue uma tradição espiritual, não precisa temer o mal e pode dormir em paz.

Isso pode soar para você como a história do chapeuzinho vermelho: faça o que a mamãe mandar e o lobo mau não vai pegar você. Pode soar como uma palavra de domesticação da consciência. Mas, na verdade, as recomendações da sabedoria são para nós como um seguro contra o inferno, especialmente o inferno da alma. Se não é verdade que as coisas sempre dão certo para quem faz as coisas certas, parece ser muito bem verdadeiro que "quem não deve não teme".

As pessoas que andam pelo caminho da sabedoria não vivem assombradas, amedrontadas, não estão o tempo todo esperando o pior acontecer. Há uma grande diferença entre o mal que nos sobrevêm como contingência, coisas de que ninguém está isento, e o mal que nos sobrevêm como consequência do mal que nós mesmos semeamos contra nós.

Deitar e dormir em paz, o que a Bíblia Sagrada chama de sono do justo, isso não tem preço e é uma promessa para os que andam no caminho da sabedoria. Uma vida tranquila e em paz, sem temer o mal.

Meu filho, preste atenção às minhas palavras e guarde meus mandamentos como um tesouro. Dê ouvidos à sabedoria e concentre o coração no entendimento. Clame por inteligência e peça entendimento. Busque-os como a prata, procure-os como a tesouros escondidos.
PROVÉRBIOS 2.1-4

Virtude é aquilo que não nos é natural e não é comum na maioria das pessoas. Admiramos as pessoas corajosas, generosas, perseverantes porque essas pessoas se destacam da maioria. Nesse sentido a sabedoria é uma virtude, pois não encontramos pessoas sábias em cada esquina.

É por isso que Salomão recomenda buscarmos a sabedoria, aplicarmos o coração na busca da sabedoria, do entendimento, do conhecimento, e fazermos isso como quem busca um tesouro.

A ênfase do conselho está no buscar, no aplicar o coração. Envelhecer é diferente de amadurecer, ter conhecimento é diferente de ser sábio. Para se tornar sábio, você precisa aprender a ouvir.

"Dê ouvidos às minhas palavras, preste atenção às minhas palavras", diz a sabedoria.

Busque-os [sabedoria, entendimento e conhecimento] como a prata, procure-os como a tesouros escondidos. Então entenderá o que é o temor do Senhor *e obterá o conhecimento de Deus.*
Provérbios 2.4-5

A sabedoria, o entendimento, o conhecimento são como tesouros que, quando encontrados, nos surpreendem pelo valor além do imaginado. É como encontrar um tesouro e descobrir um valor escondido, oculto. É perceber que, misturado às coisas valiosas que você encontrou, existe algo cujo valor extrapola o valor do tesouro completo.

Assim é a sabedoria. Existe algo por traz da sabedoria, além da sabedoria, e Salomão diz que é o conhecimento de Deus. Aquele que se torna sábio, aquele que alcança a sabedoria, conhece o próprio Deus.

O oposto é verdadeiro. Sem Deus ninguém se torna sábio. O apóstolo Paulo disse que em Cristo Jesus "estão escondidos todos os tesouros de sabedoria e conhecimento" (Cl 2.3).

O máximo da sabedoria é o conhecimento de Deus.

PARCEIROS

Busque-os [sabedoria, entendimento e conhecimento] como a prata, procure-os como a tesouros escondidos. Então entenderá o que é o temor do Senhor *e obterá o conhecimento de Deus.*
Provérbios 2.4-5

O temor do Senhor e o conhecimento do Senhor andam de mãos dadas, são parceiros. A reverência diante de Deus é um pré-requisito para o discernimento da própria pessoa de Deus. Deus não é óbvio e, perdoe-me a expressão, Deus também não é "bandeiroso". Deus não se confia a quem não o busca, Deus não se confia a quem não está interessado nele.

O profeta nos recomenda buscar a Deus de todo o coração, e então poderemos achá-lo. Isto é, Deus dá, àqueles que o procuram, um meio de encontrá-lo. O temor do Senhor, essa reverência diante de Deus, é um pré-requisito, uma condição para o conhecimento do Senhor.

O caminho da sabedoria é um caminho de reverência, um caminho de temor, de respeito, é um solo onde se pisa sem sapatos. O caminho da sabedoria é um chão sagrado. O temor do Senhor e o conhecimento de Deus estão no fim dessa estrada.

Pois o Senhor concede sabedoria; de sua boca vêm conhecimento e entendimento.
Provérbios 2.6

Embora a busca pela sabedoria seja uma recomendação de Salomão, ao dizer que devemos buscar a sabedoria como quem busca um tesouro, é igualmente verdadeiro que a sabedoria não é uma conquista humana, mas uma dádiva divina. Não estamos falando de conhecimento racional e científico, fruto de estudo, de pesquisa, acessível por dedução, por discernimento, por verificação, algo que está nos limites da racionalidade humana. Estamos falando de uma dimensão espiritual, da sabedoria do alto, da sabedoria que vem como resultado do temor do Senhor e da vida reverente diante de Deus.

O argumento inteligente ajuda, sempre ajuda, mas não é suficiente para discernir o mundo espiritual. O apóstolo Paulo diz que discernimos as coisas espirituais espiritualmente, por isso ele afirma que as pessoas espirituais têm a mente de Cristo.

Jó, o homem que sofreu sem perder a razão, sem perder o bom senso, sem perder a lucidez, chegou a afirmar que a sabedoria não é encontrada entre os mortais. A sabedoria é dádiva divina.

[O Senhor] reserva bom senso aos honestos e é escudo para os íntegros. Guarda os caminhos dos justos e protege seus fiéis por onde andam.
Provérbios 2.7-8

Já sabemos que é infantil a crença de que tudo dá certo para quem vive da maneira certa, ou que tudo dá certo para quem faz as coisas certas. Mas uma coisa é verdadeira: quando pensamos nas probabilidades e no resultado final oriundos da escolha de um caminho, de uma forma de viver e de um estilo de vida, isso parece que realmente confere com a realidade. Faz sentido.

Quando a Bíblia diz que Deus protege o caminho dos fiéis e que é um escudo para os honestos, para os justos e para os íntegros, parece que faz muito sentido dizer que a sabedoria protege o caminho daqueles que andam no temor do Senhor.

Quem anda na luz tropeça menos. Gente que vive de maneira íntegra, justa, honesta, fazendo o bem, em busca do bem e com o coração alinhado com o coração de Deus pode ser poupada de muitas dores e de muitos sofrimentos.

Deus é um escudo, e quem anda no temor do Senhor anda abrigado e protegido. Quem anda no caminho da sabedoria anda por uma estrada aplainada, onde a possibilidade de tropeçar é mais remota.

Então você entenderá o que é certo, justo e imparcial e saberá o bom caminho a seguir. Pois a sabedoria entrará em seu coração, e o conhecimento o encherá de alegria.
Provérbios 2.9-11

Não somos perfeitos. Vivemos num mundo que não é perfeito, numa sociedade que não é perfeita, rodeados de pessoas que não são perfeitas. A possibilidade de sermos afetados por toda essa imperfeição que acaba cruzando nosso caminho aqui e ali, de maneira tão aleatória e imprevisível, nos leva à constatação de que viver é realmente muito perigoso.

Mas também é verdadeiro que existe um bom caminho a seguir. Quando a sabedoria encontra o nosso coração, enchendo-o e habilitando-nos a fazer escolhas sábias, isso nos poupa de muita dificuldade, de muito sofrimento. É nesse sentido que a sabedoria nos protege e que as nossas escolhas nos guardam.

Na estrada sinuosa da vida, há um caminho de segurança: o caminho da sabedoria. Não se trata de um caminho de isenção, mas de um caminho onde podemos colher muito mais alegria do que tristeza.

Quando a sabedoria enche o nosso coração, a alegria colore os nossos dias.

A sabedoria o livrará das ações dos maus, daqueles cujas palavras são perversas. Eles se afastam do rumo certo e andam por caminhos sombrios. Têm prazer em praticar o mal e aplaudem a maldade dos perversos. Suas ações são desonestas, e seus caminhos, tortuosos.
PROVÉRBIOS 2.12-15

A sabedoria nos protege de pessoas más, nos ajuda a discernir quem é do bem e quem é do mal. A sabedoria não nos protege de ações realizadas contra nós, mas nos protege de nos tornarmos malvados. A sabedoria nos protege do grande mal que os malvados podem fazer contra nós. O maior mal que o malvado pode fazer contra nós é nos tornar malvados. Quando temos o discernimento e a sabedoria para identificar as pessoas más, nós nos afastamos delas.

E quem são as pessoas más? São aquelas que aplaudem a maldade, que têm prazer em praticar o mal. As pessoas "normais" — sempre entre aspas — se sentem agredidas diante do mal. As consciências "normais" se sentem agredidas quando contemplam o mal que é praticado.

As pessoas más, pelo contrário, aplaudem, têm prazer.

Afaste-se das pessoas más. É um conselho da sabedoria.

A sabedoria o livrará da mulher imoral, das palavras sedutoras da promíscua. Ela abandona o marido, o companheiro de sua juventude, e ignora a aliança que fez diante de Deus. Entrar na casa dela leva à morte; é a estrada para a sepultura. O homem que a visita está perdido; jamais alcançará os caminhos da vida.
PROVÉRBIOS 2.16-19

A sabedoria nos ajuda a manter compromissos, manter promessas, manter a fidelidade, honrar as alianças que fizemos. A mulher imoral, ou adúltera, como é denominada em outras traduções bíblicas, é uma mulher estranha, e, aqui no livro de Provérbios, ela é uma referência ao abandono da Torá. Seria mais ou menos um paralelo da heresia. A mulher imoral, adúltera, é a heresia.

Aquele que abandona o conselho de Deus e abraça outros conselhos adultera contra Deus, pratica o pecado da idolatria. A casa da heresia é o caminho do abismo. Abandonar a vontade de Deus, a recomendação de Deus, os conselhos de Deus, a palavra da sabedoria é pisar numa estrada que conduz à morte.

O adultério espiritual, o adultério fraternal, o adultério conjugal não são caminhos de sabedoria. São caminhos de morte. Morte dos afetos, dos amores e das relações.

Portanto, siga os passos dos bons e permaneça nos caminhos dos justos. Pois os retos viverão na terra, e os íntegros nela permanecerão. Os perversos, porém, serão eliminados da terra, e os desleais, arrancados dela.
PROVÉRBIOS 2.20-22

A lógica religiosa funciona mais ou menos como promessa de recompensas e maldições. E, geralmente, aplica-se à vida pós-morte. Aqueles que fazem o bem são do bem, andam na luz, temem a Deus, estão do lado de Deus. Os filhos e as filhas de Deus terão uma recompensa pós-morte, irão para o céu. Aqueles que são ímpios, que são maus e que desprezaram a Deus serão amaldiçoados e irão para o inferno.

Parece bem razoável essa compreensão, mas está muito longe do que Salomão está falando no livro de Provérbios. Ele está se referindo à vida sustentável. Ele não está necessariamente falando daquilo que acontece com você após a morte. Está falando do que acontece com você enquanto está vivo. Está dizendo que as pessoas que andam pelos caminhos da maldade e desprezam os passos dos bons serão arrancados da terra.

As pessoas que desprezam a sabedoria vão, aos poucos, perdendo os alicerces da própria vida, vão perdendo sustentação. Elas implodem, ficam sem chão, desabam sobre si mesmas.

O caminho da sabedoria é um caminho sustentável. Embora existam céu e inferno pós-morte, Salomão está realmente preocupado e ocupado com o céu e o inferno que você pode trazer para a sua vida, aqui e agora.

Meu filho, não se esqueça de minhas instruções; guarde meus mandamentos em seu coração. Se assim fizer, viverá muitos anos, e sua vida será cheia de paz.
PROVÉRBIOS 3.1-2

Vida longa e sem sobressaltos. Diz o ditado popular que ninguém morre de véspera, ou então que quem morre de véspera é o peru de Natal. Mas esses ditados populares não são verdadeiros. Muita gente morre de véspera, sim. Muita gente abrevia os seus dias porque os vive de maneira equivocada, e, se não abrevia em tempo, certamente abrevia em qualidade.

Há muita gente viva, mas que por dentro está morta. São as doenças do corpo mas também, e principalmente, as doenças da alma, a solidão, o ódio, a amargura, o ressentimento, todas essas enfermidades das emoções que, se não nos roubam tempo e dias de vida, roubam qualidade, roubam colorido, roubam afetos.

Tem muita gente que já morreu, e já morreu porque vive de maneira insensata. Por isso a recomendação da sabedoria promete também vida cheia de paz, vida longa sem sobressaltos.

Não permita que a bondade e a lealdade o abandonem; prenda-as ao redor do pescoço e escreva-as no fundo do coração. Então você conseguirá favor e boa reputação, diante de Deus e das pessoas.
PROVÉRBIOS 3.3-4

A recomendação de prender a bondade e a lealdade ao pescoço tem a ver com a garganta, com o falar. A recomendação é mais ou menos a seguinte: fale da bondade, fale da verdade até que a bondade, a verdade e a lealdade se tornem parte da sua estrutura mental.

Escrever na tábua do coração, escrever na lousa do coração significa gravar a verdade, a bondade e a lealdade dentro de seu centro psíquico-emocional. Escreva essas coisas dentro de você até que elas fiquem impregnadas em você, fale dessas coisas, pense nessas coisas, viva no ambiente dessas realidades próprias do mundo da sabedoria até que você se torne tudo isso.

A sabedoria não é apenas uma questão das coisas que você faz e das coisas que você sabe. A sabedoria é, principalmente, a pessoa que você é, e a pessoa que você é explica a sua boa reputação diante de Deus e diante das pessoas.

As coisas que você faz e as coisas que você fala no máximo viram notícia. Somente a pessoa que você é dá consistência à reputação.

Confie no Senhor *de todo o coração; não dependa de seu próprio entendimento. Busque a vontade dele em tudo que fizer, e ele lhe mostrará o caminho que deve seguir.*
Provérbios 3.5-6

Existem pessoas que são infantis, não conseguem tomar decisões nem pensar por si mesmas, dependem sempre de que alguém lhes diga o que fazer e no que acreditar. Essas pessoas são, geralmente, guiadas ou manipuladas por outras pessoas.

Existem também pessoas arrogantes e vaidosas que pensam saber tudo e, por isso, são incapazes de ouvir o contraditório, não aprendem com os outros e não crescem com opiniões diferentes e divergentes.

E existem, também, pessoas com maturidade suficiente para assumir a responsabilidade por suas decisões e escolhas e por suas opiniões, mas nem por isso vivem fechadas em si mesmas. Elas são humildes e estão abertas para outras vozes, vozes que vêm de fora da própria consciência. Inclusive, e principalmente, a voz de Deus. Por isso, essas pessoas alcançam a sabedoria e se tornam incapazes de discernir se o que pensam é a voz da consciência ou é a voz de Deus, mas isso já não faz a menor diferença para elas.

Não se impressione com sua própria sabedoria;
tema o Senhor *e afaste-se do mal. Então você terá*
saúde para o corpo e força para os ossos.
Provérbios 3.7-8

A Bíblia Sagrada ensina que Deus fez o ser humano do pó da terra, soprou nele o fôlego da vida e ele se tornou alma vivente. Alma é o nome que se dá à unidade corpo e espírito. Portanto, esse conjunto, corpo e espírito, é denominado alma vivente. Esse conjunto corpo e espírito é uma unidade indivisível. O ser humano é isso: corpo e espírito. O corpo sem espírito é defunto; o espírito sem corpo é o que conhecemos como fantasma.

O ser humano é corpo e espírito, uma unidade indivisível. A separação corpo e espírito é chamada de morte. O corpo volta ao pó, e o espírito volta a Deus. Enquanto somos humanos, vivendo neste mundo, somos essa unidade: corpo e espírito. Por isso o caminho da sabedoria resulta não apenas em saúde mental, psicoemocional, espiritual, mas também em saúde física, para o corpo e para os ossos.

Nessa dança chamada saúde, o espírito afeta o corpo, e o corpo afeta o espírito.

037

Honre o SENHOR *com suas riquezas e com a melhor parte de tudo que produzir. Então seus celeiros se encherão de cereais, e seus tonéis transbordarão de vinho.*
PROVÉRBIOS 3.9-10

Dar a Deus é, na prática, dar aos pobres. Honrar a Deus com as riquezas não é outra coisa senão doar para quem tem necessidade. O dinheiro que você não gasta consigo e usa para abençoar pessoas incapazes de restituir-lhe e de trazer-lhe vantagens é o dinheiro que você dá a Deus. É sua oferta a Deus.

Deus não precisa do seu dinheiro, mas os pobres precisam. A maneira de ofertar a Deus é dar aos pobres. Jesus disse que o que fazemos a um pequenino, na verdade fazemos a ele.

Quando priorizamos a solidariedade, a generosidade, isto é, quando honramos a Deus com as primícias dos nossos recursos, estamos revelando três coisas: primeiro, que sabemos de onde vêm as nossas riquezas, a saber, de Deus; segundo, que temos um coração agradecido, pois só quem confia no favor de Deus reparte o que tem; e, terceiro, que sabemos qual é a finalidade das riquezas, isto é, o bem comum.

Riqueza não é para uso pessoal e particular. Riqueza é sempre para abençoar o maior número possível de pessoas, ou seja, para promover o bem comum.

Honre a Deus com as primícias das suas riquezas, abençoe pessoas, doe generosa e solidariamente aos pobres.

Meu filho, não rejeite a disciplina do SENHOR; *não desanime quando ele o corrigir. Pois o* SENHOR *corrige quem ele ama, assim como o pai corrige o filho a quem ele quer bem.*
PROVÉRBIOS 3.11-12

Evitamos confrontos porque queremos que as pessoas gostem de nós. Evitamos conflitos porque queremos que as pessoas nos achem legais. Mas Deus não tem problema de autoimagem e muito menos essa carência de afeto que o obrigue a mimar seus filhos e suas filhas.

Relações em que não existem confrontos, choques de opiniões, conflitos de interesses, divergências de vontade adoecem ou já estão adoecidas, pois uma das partes foi engolida ou anulada pela outra. Quando você sempre concorda com a pessoa com quem convive, quando seus interesses e suas ideias não chocam com os dela, das duas uma: ou você já engoliu a vontade dela ou foi engolido por ela.

Com Deus acontece diferente. Ele não nos mima, em vez disso nos corrige, repreende e, de vez em quando, derruba os nossos castelos. Quando disciplinamos, corrigimos, repreendemos, confrontamos as pessoas que amamos, demonstramos preocupação com elas. Nós as ajudamos a crescer, a amadurecer, a assumir responsabilidades. Por isso, cresça! Aprenda a amar quem ama você o suficiente para criar caso quando você está agindo incorretamente ou andando por caminhos maus.

Feliz é a pessoa que encontra sabedoria, aquela que adquire entendimento. Pois a sabedoria dá mais lucro que a prata e rende mais que o ouro. A sabedoria vale muito mais que rubis; nada do que você deseja se compara a ela. Com a mão direita, ela oferece vida longa; com a esquerda, riqueza e honra. Ela o guiará por estradas agradáveis; todos os seus caminhos levam a uma vida de paz. A sabedoria é árvore de vida para quem dela toma posse; felizes os que se apegam a ela com firmeza.

PROVÉRBIOS 3.13-18

A sabedoria dá mais lucro que a prata, o ouro, as pérolas, os rubis. A sabedoria vale mais que qualquer riqueza que você possa imaginar, qualquer tesouro que possa encontrar. A sabedoria vale mais que qualquer coisa que você imagine com relação a posses.

É interessante notar que Salomão sabe exatamente do que está falando, porque a Bíblia Sagrada conta que, logo no início do seu reinado em Jerusalém, Deus lhe disse: "Peça o que quiser, e eu lhe darei" (2Cr 1.7). E Salomão, então, pediu sabedoria.

Conhecemos muitas pessoas que tiveram posses, que tiveram riquezas, mas, porque não possuíam sabedoria, perderam tudo. Outras, porém, não acumularam tantas posses, mas, por possuírem sabedoria, tiveram uma vida boa, honrada, trilharam um caminho de paz, uma estrada longa.

Isto é tão límpido e claro como o sol do meio-dia: a sabedoria dá mais lucro que qualquer outra riqueza.

Meu filho, não perca de vista o bom senso e o discernimento; apegue-se a eles, pois darão vigor à sua alma e serão como joias em seu pescoço. Eles o manterão seguro em seu caminho, e seus pés não tropeçarão. Quando for dormir, não sentirá medo; quando se deitar, terá sono tranquilo. Não precisará temer o desastre repentino, nem a destruição que vem sobre os perversos. Pois o S*ENHOR será sua segurança; não permitirá que seu pé fique preso numa armadilha.*
PROVÉRBIOS 3.21-26

Há pelo menos dois tipos de sofrimento aos quais todos estamos sujeitos. O primeiro tipo é aquele que vem das contingências da vida. As coisas ruins que acontecem a todas as pessoas, boas e não tão boas. Ninguém está imune ao sofrimento. Ele faz parte do direito de viver.

Mas há um segundo tipo, aquele sofrimento fruto das inadequações, dos pecados, das escolhas erradas, das más decisões, das condutas incorretas.

Desse sofrimento, que nós mesmos causamos e que nos sobrevém quando somos nossos principais adversários, é que somos poupados ao escolher um caminho de bom senso, de discernimento e sabedoria. É desse sofrimento que somos guardados por Deus. Dormimos o sono tranquilo, não tememos a destruição que vem sobre os perversos, pois não existe nenhuma bomba de tempo cujo pavio, aceso por nós mesmos, venha a explodir o nosso mundo ou derrubar a nossa casa.

Quem anda com bom senso e sabedoria está livre de muito sofrimento.

Não deixe de fazer o bem àqueles que precisarem,
sempre que isso estiver ao seu alcance.
PROVÉRBIOS 3.27

Você não vai resolver todos os problemas do mundo, mas pode resolver algum problema. Quem não pode fazer tudo que deve pelo menos deve fazer tudo que pode.

Jesus nos ensinou que o próximo é aquele que está em nosso caminho. De vez em quando, nos assustamos com a complexidade, a abrangência e a realidade sistêmica dos problemas do mundo e achamos que eles não têm solução. Mas não fomos chamados para resolver o problema do mundo. A Bíblia Sagrada nos diz que podemos abençoar as pessoas que estão em nosso horizonte de influência, que estão no contexto das nossas relações, que estão ao alcance das nossas mãos.

Na Bíblia A Mensagem, Eugene Peterson traduziu esse texto de Provérbios de maneira maravilhosa: "Não deixe de ajudar alguém que precisa: suas mãos são como as mãos *de Deus* para aquela pessoa".

Não deixe de ajudar aqueles que precisarem quando isso estiver ao seu alcance.

Se você pode ajudar seu próximo agora, não lhe diga: "Volte amanhã, e lhe darei algo".
PROVÉRBIOS 3.28

Essa é a versão bíblica do ditado popular "não deixe para amanhã o que pode fazer hoje". Se você pode ajudar o próximo agora, não mande que ele volte amanhã. Postergar ajuda é não ajudar. Prometer ajudar no futuro é negar-se a ajudar, quando a ajuda se faz necessária. Ou você ajuda, ou não ajuda. Havendo condição, opte por ajudar.

É isso que o caminho da sabedoria ensina. Se você tem dinheiro na carteira, não mande que o necessitado volte amanhã.

Eu me lembro do Betinho, um dos precursores de um grande movimento de combate à pobreza e à fome no Brasil, dizendo que "quem tem fome, tem pressa". Não deixe de ajudar o próximo agora e, havendo condições de ajudá-lo hoje, não lhe diga "volte amanhã".

Quem tem fome, tem pressa.

Não planeje o mal contra seu próximo, pois
quem mora por perto confia em você.
PROVÉRBIOS 3.29

A violência urbana é um dos grandes males da sociedade contemporânea. Essa maldade que nos espreita pelas esquinas e aleatoriamente vai fazendo vítimas é de fato assustadora. Mas existe uma outra violência ainda muito mais perigosa, aquela que acontece no ambiente das nossas relações de confiança, mais especificamente no contexto familiar, no ambiente profissional, nas redes de amizades e nos círculos próximos de convivência.

Devemos proteger essas microcomunidades onde convivemos. Praticar o mal em casa, contra o próximo, um amigo, um vizinho, enfim, fazer o mal a quem está próximo, significa fazer o mal a si mesmo. Quando você pratica o mal contra alguém que confia em você, destrói a rede de proteção da sua própria casa e da sua própria vida.

Cuide bem de quem está perto. Ainda que você não perceba ou não acredite, são essas pessoas próximas que cuidam de você.

Não procure motivos para brigar, se ninguém lhe fez mal.
PROVÉRBIOS 3.30

Esse provérbio de Salomão encontra paralelo na recomendação do apóstolo Paulo: "No que depender de vocês, vivam em paz com todos" (Rm 12.18).

Nem sempre é possível viver em paz com todo mundo, assim como nem sempre é possível evitar uma briga. Às vezes, é preciso entrar na briga para demarcar o limite do respeito e defender nossa dignidade e integridade. Quando as pessoas nos fazem mal, somos obrigados a resguardar o nosso espaço sagrado. Isso quer dizer que você não pode passar por cima de mim sem que eu ofereça resistência, e eu tampouco posso viver em paz com você a qualquer custo. Existem posturas, comportamentos, atitudes inadmissíveis e intoleráveis nas relações de afeto e de amizade.

Há pessoas que insistem em criar confusão, intrigas, conflitos, e isso revela que, muito provavelmente, seu próprio mundo interior está em conflito. Quem não cuida bem das próprias dores e feridas acaba ferindo e causando dor. Pessoas sábias estão atentas aos movimentos do coração e cuidam para que as questões mal resolvidas não trasbordem a ponto de ferir quem está por perto.

Portanto, se necessário, entre na briga, para que o lixo dos outros não seja amontoado em seu coração. Se não o fizer, aos poucos perderá o respeito próprio. E, se você não se respeita, ninguém o respeitará. Então cuide para que o seu coração esteja sempre em paz, e assim você será um pacificador, uma pacificadora.

Não tenha inveja dos violentos, nem imite sua conduta.
Provérbios 3.31

Somos treinados desde a infância a competir. Quando pequenos, competimos pelos brinquedos e pelos afetos. Na adolescência, competimos por aceitação e pela amizade das pessoas que julgamos legais. Na juventude, competimos por uma vaga na universidade e por uma posição no mercado de trabalho. Competimos para ter o que comer e para conquistar um lugar ao sol e, especialmente, um espaço no coração das pessoas que admiramos e amamos.

Numa sociedade darwinista, somente os mais fortes sobrevivem, e a competição é a marca do nosso tempo, porque parece mesmo que vivemos num mundo onde quem pode mais chora menos. É por isso que somos tentados a invejar os poderosos e a imitar os seus métodos e o seu modelo de sucesso. No entanto, devemos acreditar que não se constrói uma sociedade justa a preço de cadáveres. O caminho da sabedoria é colaborativo, as palavras de ordem do mundo que desejamos são solidariedade, generosidade, cooperação.

Qualquer pessoa que chega ao sucesso às custas de deixar pelo caminho outras tantas feridas é, na verdade, uma grande fracassada. Bem-sucedidas são as pessoas que promovem a justiça e a paz, sem que ninguém fique de fora da festa.

[Os] perversos são detestáveis para o SENHOR,
mas aos justos ele oferece sua amizade.
PROVÉRBIOS 3.32

Numa sociedade darwinista, em que apenas os mais fortes sobrevivem e quem pode mais chora menos, somos tentados a fazer o que estiver ao alcance para conquistar isso que se chama sucesso.

Essa cultura se sustenta em pelo menos três aspectos: primeiro, a mentalidade de escassez, que deseja nos fazer acreditar não haver recursos para todos; segundo, a lógica do mercado, que mente ao dizer que tudo tem preço, que o melhor é mais caro e, por isso, nem todos podem pagar por ele; e, terceiro, nossas próprias carências interiores.

A questão é que, de tão envolvidos nessa corrida pelo sucesso, corremos o risco de ficar insensíveis em relação ao próximo e, quando nos damos conta, estamos lá, fazendo perversidades e sendo contados entre os perversos.

Por trás desse processo funesto, existe um erro que também cometemos sem perceber: agimos assim porque corremos atrás do aplauso das pessoas erradas. Pessoas sábias vivem em busca do aplauso do público que se resume a um: seu desejo é a amizade com Deus. Por esse motivo, não vivem segundo o critério de sucesso pessoal e particular a qualquer preço; em vez disso buscam o sucesso coletivo, isto é, a justiça.

Pessoas sábias sabem que Deus detesta os perversos, mas oferece sua amizade aos que buscam a justiça.

O Senhor *amaldiçoa a casa dos perversos, mas abençoa o lar dos justos. O* Senhor *zomba dos zombadores, mas concede graça aos humildes.*
Provérbios 3.33-34

Esses provérbios de Salomão revelam duas coisas que ferem o senso comum e destroem a ideia de um Deus bonzinho. A afirmação de que Deus amaldiçoa a casa dos perversos e abençoa a casa dos justos revela que Deus tem lado. A ideia de que Deus é imparcial, não faz acepção de pessoas, trata todo mundo igual, cai por terra. É verdade que Deus faz chover sobre bons e maus, como Jesus ensinou, mas isso é uma parte da história.

Deus detesta quem tem prazer em fazer o mal. Deus abomina quem pratica crueldades. Na linguagem dos profetas bíblicos, Deus está do lado do órfão, da viúva e do estrangeiro. Deus está sempre do lado das vítimas e dos que estão em situação de vulnerabilidade. É por isso que na América Latina se diz que Deus fez a opção preferencial pelos pobres.

A afirmação de que Deus amaldiçoa a casa dos perversos e abençoa a casa dos justos revela também que Deus faz justiça na história. Nos tribunais celestiais, as coisas não acabam em *pizza*. Impunidade é coisa de tribunal em que juízes estão à venda, mas Deus ninguém consegue comprar.

Os sábios recebem honra como herança,
mas os tolos são envergonhados em público.
PROVÉRBIOS 3.35

Pode não ser agora, pode não ser hoje, pode ser, inclusive, que você não esteja aqui para ver, mas uma coisa é certa: pessoas sábias recebem honra como herança enquanto os tolos são envergonhados publicamente.

A vergonha é um dos maiores castigos. A história registra centenas de exemplos de pessoas que cometeram suicídio quando foram envergonhadas publicamente. Perder a honra lhes foi sinônimo de perder o direito de viver. A morte foi uma dor menor do que a vergonha.

Mas a vergonha pública pode também ser vista como evidência da possibilidade de restauração de uma história, uma biografia, um nome. Somente os psicopatas não se envergonham dos seus atos cruéis e das suas maldades. Por isso Salomão não contrapõe os sábios aos perversos. Ele contrapõe os sábios aos tolos, pois existem muitas pessoas que, embora não sejam perversas, nem cruéis, nem tenham má índole, são tolas e, cedo ou tarde, acabam expostas por cometer tolices ou por viver de maneira tola.

Quando expostas publicamente por sua tolice, as pessoas tolas se veem cara a cara com a vergonha, e algumas escolhem a morte, enquanto outras escolhem mudar de vida. Que seja este o melhor caminho para quem foi exposto publicamente: mudar de vida, em vez de perder a vida.

APRENDIZ

Quando eu era filho de meu pai, filho único, amado por minha mãe, meu pai me ensinava...
PROVÉRBIOS 4.3-4

Para ensinar, você tem que ser aprendiz. Quem perde a capacidade de aprender desqualifica sua arte de ensinar. Isso vale para o pai que acha que sempre saberá mais que o filho, e para o filho que acha que superou o pai e hoje sabe mais do que o pai. Sem a humildade e a submissão mútua a tradição não evolui. Quando a tradição é imposta e vem apenas de cima para baixo, apodrece, caduca, se torna obsoleta. E, quando a tradição é descartada pelos mais novos, implica um grande desperdício.

A cooperação geracional é o segredo da evolução. Quando deixamos de ser meninos, meninas, paramos de disputar quem sabe mais e quem sabe menos e passamos a conviver com tipos e formas diferentes de saber.

O pai sabe coisas que o filho não sabe, a mãe sabe coisas que a filha não sabe, mas o filho também sabe coisas que o pai não sabe e a filha sabe coisas que a mãe não sabe. Quando isso acontece e pai, mãe, filho e filha começam a cooperar entre si, um aprende enquanto ensina, e o outro ensina enquanto aprende. Isso é sabedoria.

Adquirir sabedoria é a coisa mais sábia que você pode fazer.
PROVÉRBIOS 4.7

Se adquirir sabedoria é a coisa mais sábia que você pode fazer, você precisa de sabedoria para desejar ter sabedoria. Mas, se você já tem sabedoria para desejar sabedoria, não precisa desejar sabedoria porque já a possui. E, se você não tem sabedoria a ponto de desejar sabedoria, não vai desejá-la porque não tem sabedoria para desejar sabedoria.

A sabedoria é valorizada somente por pessoas sábias.

Embora esse provérbio pareça uma grande contradição, há pelo menos duas formas de eliminá-la. A primeira é acreditar que todo mundo tem um pouco de sabedoria, e o provérbio está sugerindo que devemos usar o pouco de sabedoria que possuímos para adquirir mais. A segunda é acreditar que algumas coisas que fazemos da vida não as fazemos porque somos sábios, mas porque confiamos no conselho de alguém que consideramos sábio.

Portanto, use a pouca sabedoria que você tem para adquirir mais sabedoria. Trata-se de um conselho sábio. Acate o conselho dos sábios. Porque sábia mesmo é a pessoa que ouve os conselhos de outras pessoas sábias.

051

Eu lhe ensinarei o caminho da sabedoria e
o conduzirei por uma estrada reta.
PROVÉRBIOS 4.11

Na vida não existem estradas retas, por isso eu prefiro a tradução da Bíblia judaica, que diz que somos guiados no caminho da sabedoria à medida que transitamos pelas estradas tortuosas da retidão. Mas como podem ser tortuosas e retas ao mesmo tempo?

Na verdade o que está sendo dito é que existe um caminho de retidão nas estradas tortuosas. Isso nos ajuda a compreender um pouco mais o caminho da sabedoria.

A sabedoria é a capacidade de escolher entre duas coisas certas, ou melhor, a capacidade de escolher entre duas coisas erradas, ou melhor ainda, a sabedoria é também e principalmente a capacidade de atravessar a zona cinzenta, aquele terreno em que o certo e o errado se confundem. Sabedoria é a capacidade de escapar dos becos onde as únicas possibilidades são perder ou perder. Sabedoria é a capacidade de discernir o caminho reto enquanto atravessamos as estradas sinuosas e tortuosas, complexas e paradoxais da existência.

Parafraseando o maestro Tom Jobim, a sabedoria não é para principiantes.

Apegue-se às minhas instruções e não as solte; guarde-as bem, pois são a chave da vida. Não imite a conduta dos perversos, nem siga pelos caminhos dos maus. Nem pense nisso, não vá por esse caminho; desvie-se dele e siga adiante.
PROVÉRBIOS 4.13-15

O ditado "dize-me com quem andas e te direi quem és" é falso. Para Jesus não valeu. Jesus foi muito criticado por andar cercado de pecadores, mas era um homem puro, justo e santo, e não pecador como aqueles que se sentavam à sua mesa.

No entanto, podemos fazer uma adaptação ao ditado: "dize-me com quem andas e te direi quem provavelmente te tornarás".

Antes de colocar os pés na estrada da autodestruição, pegar a trilha da morte e andar pelo caminho dos pecadores, geralmente as pessoas começam a ouvir os conselhos dos perversos e a frequentar a roda dos zombadores.

O caminho da sabedoria tem tudo a ver com a arte dos relacionamentos, das amizades e das alianças. Na hora de escolher parceiros e parceiras para a vida, faça-o entre as pessoas que andam pelos caminhos da sabedoria. Fuja dos maus, nem pense em andar com eles. Siga adiante, não pare na roda dos escarnecedores, siga o caminho da vida.

Pois os perversos não dormem enquanto não praticam o mal.
PROVÉRBIOS 4.16

Você sabe que está viciado em alguma coisa quando não consegue dormir antes de ter um contato com ela. Os perversos não dormem enquanto não praticam o mal. É como se não tivessem direito ao sono e ao descanso.

Isso é a definição exata de escravidão: a privação da autonomia. O escravo não é senhor do seu destino, o escravo não é protagonista da sua história.

Jesus nos ensinou a orar dizendo "não nos deixes cair em tentação, mas livra-nos do mal", o que pode ser entendido como "não permitas que nos tornemos escravos do maligno", isto é, viciados em maldades, o que na verdade significa "não permitas que nos tornemos malvados".

"Livre" não é quem faz o que quer, livre mesmo é quem não faz o mal que não quer fazer.

O caminho dos justos é como a primeira luz do amanhecer, que brilha cada vez mais até o dia pleno clarear. O caminho dos perversos é como a mais absoluta escuridão; nem sequer sabem o que os faz tropeçar.
PROVÉRBIOS 4.18-19

Luz e escuridão representam consciência e alienação. Os justos caminham na medida da luz que possuem ou recebem, e por isso discernem o caminho à frente, isto é, sabem onde pisam. Já os perversos e os maus caminham na escuridão e nem sequer sabem em que tropeçam.

Isso significa que os justos, que estão na luz da consciência, fazem escolhas e tomam decisões, são protagonistas de sua vida e história. Os perversos, que estão na escuridão e na alienação, são empurrados e controlados pelos instintos, pelos apetites, pelo senso comum. São alienados de si mesmos e coadjuvantes da própria biografia.

Ao meio-dia, quando o dia é pleno, os justos se veem no caminho de retidão, das escolhas e das decisões que tomaram, senhores que são de sua consciência. Os perversos, em contrapartida, se encontram esparramados no chão, sem sequer saber como chegaram lá.

É melhor andar na luz, por isso a lucidez é uma dádiva que não canso de pedir a Deus.

055

Acima de todas as coisas, guarde seu coração,
pois ele dirige o rumo de sua vida.
PROVÉRBIOS 4.23

O coração representa o nível mais profundo de consciência, o centro que governa a vida. Quando o coração está bem, está bem guardado, os tropeços e os erros são eventuais, são superficiais, permitem correções rápidas de rota, retorno ao equilíbrio com o mínimo esforço. Mas, quando o coração está ferido, com lixo acumulado, com pensamentos e sentimentos tóxicos, os erros e os tropeços conduzem a descaminhos, que afastam você cada vez mais da estrada da retidão, do caminho da justiça. Os erros se tornam hábitos, as consequências causam dores e perdas mais significativas, o caminho de volta é muito custoso e muito sacrificial.

Jesus recomendou que seus discípulos cuidassem para que seu coração não ficasse sobrecarregado com as consequências das orgias, bebedeiras e ansiedades da vida. Corações avariados, feridos, machucados são perigosos, conduzem geralmente a decisões equivocadas, escolhas insensatas e padrões de comportamento destrutivos.

Cuide bem do seu coração. Ele dirige o rumo da sua vida. Quando o coração está ferido, embora você pense que está no controle da sua vida, é o coração ferido, é a dor, é a mágoa, é o ressentimento, é a cobiça, é a inveja, é o lixo tóxico que estão decidindo que caminho você vai seguir. Então, cuide bem do seu coração, cuide bem da sua consciência, pois é o coração que dirige o rumo da sua vida.

Evite toda conversa maldosa;
afaste-se das palavras perversas.
PROVÉRBIOS 4.24

Jesus ensinou que existe uma profunda relação entre o conteúdo de suas palavras e o conteúdo de seu coração. A boca fala do que está cheio o coração. O apóstolo Paulo também advertiu que devemos evitar conversas tolas e profanas, que se espalham como câncer e promovem comportamento mundano.

É por meio das palavras que formamos a consciência. Nossas conversas, nossas narrativas, nossa descrição do mundo, das coisas, das pessoas, dos fatos aos poucos vão formando o capital de valores e crenças que formatam nosso estilo de vida.

Palavras recorrentes e universos mentais constantemente visitados criam padrões de pensamento, sentimento e ação. Por isso devemos nos afastar de conversas maldosas, perversas e tolas, para guardar o coração, o centro que governa a nossa vida. Devemos ter cuidado com as palavras e as conversas.

Acredite, há poder em suas palavras. As rodas de conversa são lugares sagrados.

057

Estabeleça um caminho reto para seus pés; permaneça na estrada segura. Não se desvie nem para a direita nem para a esquerda; não permita que seus pés sigam o mal.
Provérbios 4.26-27

Estabeleça um caminho, isto é, pese a trilha do pé. Faça contas, analise as vantagens e desvantagens, o que você tem a perder e a ganhar em cada um dos caminhos disponíveis, então escolha o caminho da sabedoria e não saia mais dessa estrada.

Viver exige reflexão, agir sem pensar é coisa de gente tola, agir sem medir consequência é estupidez. Isso não significa que você deve evitar riscos ou agir somente quando a conta tiver saldo positivo, até porque não temos controle nem certeza das consequências das nossas escolhas e decisões. Mas podemos ter consciência das possibilidades e probabilidades.

O que você não deve fazer é andar de modo irrefletido, inconsciente, irresponsável, sem saber por onde está andando e aonde vai chegar, ou pode chegar. E, principalmente, ao fazer as contas na hora de tomar decisões, deve escolher pisar nos limites morais estabelecidos pelo que é justo e bom, isto é, afastar os pés do mal.

Se viver é perigoso quando andamos pelo caminho do bem, imagine quando seguimos pelos caminhos maus.

Olhe sempre para frente; mantenha os olhos fixos no que está diante de você. Estabeleça um caminho reto para seus pés; permaneça na estrada segura. Não se desvie nem para a direita nem para a esquerda; não permita que seus pés sigam o mal.
PROVÉRBIOS 4.25-27

Olhar para a frente e manter o foco no caminho da justiça, não se desviar, nem para a direita, nem para a esquerda, significa não negociar, não fazer concessões, evitar o mal a todo custo, não andar pelos caminhos maus, não se comprometer com o mal, com a maldade, com os malvados, com os maldosos.

Quando você encontra bons motivos para transgredir e julga que a transgressão é necessária, quando você começa a justificar as suas transgressões, as suas escapadas, para a direita e para a esquerda, para os caminhos maus, quando você começa a racionalizar e tentar explicar e afirmar que você tem razão em se desviar do caminho da justiça, você começa a perder a sensibilidade espiritual.

Quando você julga a transgressão necessária e justificada, não demora muito para perder a capacidade de diferenciar o mal necessário do mal conveniente. E, quando você chega a esse ponto, está muito perto de se tornar malvado, perverso.

Por isso, não se desvie, não coloque os pés no caminho da maldade, evite o mal a todo custo.

Meu filho, dê atenção à minha sabedoria, incline os ouvidos para perceber o meu discernimento. Assim você manterá o bom senso, e os seus lábios guardarão o conhecimento.
PROVÉRBIOS 5.1-2, NVI

Sabedoria, entendimento, discernimento, conhecimento são formas de saber. Os sábios sabem. Os sábios têm informações sobre as coisas. Os sábios sabem das coisas. Os sábios sabem as coisas.

Os sábios sabem que uma coisa é muita coisa, dependendo de como é tratada, manuseada, manipulada.

Os sábios sabem que as coisas dificilmente são o que aparentam ser, sabem que, na verdade, as coisas são muito mais do que aparentam ser.

Os sábios sabem que as informações sobre a coisa não são a coisa. Os sábios sabem que as coisas mudam quando entram em contato com outras coisas.

Os sábios sabem que nenhuma coisa é simples.

Sabedoria é saber que, além das coisas que a gente sabe e pensa que sabe sobre as coisas, há muita coisa que a gente não sabe.

É por isso que os sábios também sabem que controle é ilusão. As coisas não estão sob nosso controle. Primeiro porque não sabemos tudo sobre as coisas. Também porque não sabemos como serão as coisas amanhã ou depois de amanhã. Não sabemos as mudanças que estão acontecendo na coisa enquanto nos relacionamos com ela. Nem mesmo as mudanças que estão acontecendo em nós enquanto nos relacionamos com as coisas.

Justamente porque há muita coisa que a gente não sabe sobre as coisas, a gente deve ter cuidado com tudo quanto é coisa. Prudência é uma expressão de sabedoria. E livra a gente de muita confusão.

Mantenha distância dessa mulher [imoral];
não se aproxime da porta de sua casa!
PROVÉRBIOS 5.8

A mulher imoral, em outras traduções adúltera ou estranha, representa o que está fora dos critérios da sabedoria. No livro de Provérbios representa também a heresia. A casa da mulher imoral é a casa das ideias tolas. É a casa errada.

A casa da mulher imoral não é o seu lugar. E por isso o sábio recomenda que você nem mesmo passe perto da porta dessa casa, a casa errada.

Há um motivo: antes de entrar na casa errada, você passa na porta, uma, duas, três, várias vezes. Na primeira vez, a vizinhança é estranha, você não se reconhece ali e não reconhece aquele lugar como seu. Mas, aos poucos, de tanto passar naquela porta e frequentar o bairro, você vai se familiarizando e vai se sentindo parte daquela rua, ficando cada vez mais à vontade naquele lugar.

Esse paralelo com o mal é sutil. Quanto mais familiarizado com o mal, menos ofensivo e destrutivo ele parece.

Não fique muito perto da imoralidade. Você acaba se acostumando.

Aquilo que no início é uma agressão à sua moral, à sua consciência, começa a ser tolerado, dali a pouco é aceitável, e quando menos percebe você cruzou a porta e está na sala errada, com a pessoa errada no colo. Ou no colo da pessoa errada. Ou nas mãos da pessoa errada, o que é pior. Pois nesse momento, a sua vida não é mais sua. E dá muito trabalho, custa muito caro, exige superar muito sofrimento e muitas dores tomar a vida de volta.

Fique longe do que é imoral.

Nem passe na porta da casa da imoralidade.

Pois os lábios da mulher imoral são doces como mel [...].
No fim, porém, ela é amarga como veneno.
PROVÉRBIOS 5.3-4

Prazeres que matam.

Veneno com gosto de mel.

Prazeres que derrubam casas, destroem famílias, causam danos quase irreparáveis em pessoas inocentes, põem a perder coisas de valor inestimável.

A mulher imoral, adúltera, estranha é um prazer que mata.

O homem imoral, adúltero, estranho é um prazer que mata.

Relacionamentos transgressivos que implicam traição e negação de compromissos e responsabilidades podem até apresentar excitação e prazer quando encapsulados, num quarto, num fim de semana, num lapso de tempo ou num canto de mundo.

Mas esse tipo de relacionamento e esse tipo de prazer são venenos para a vida real, são letais para a teia dos afetos que compõem nosso mundo e nossa vida.

Nem todo prazer é para ser desfrutado. Dizer não para alguns prazeres possíveis é uma expressão de sabedoria. Especialmente para os prazeres que têm o poder de matar.

Quem abre mão de um prazer que mata não está perdendo o mel. Está se livrando do veneno.

Seus pés descem para a morte; seus passos conduzem direto à sepultura. Pois ela não se interessa pelo caminho da vida; não se dá conta de que anda sem rumo por uma trilha tortuosa.
PROVÉRBIOS 5.5-6

A mulher imoral e o homem imoral podem ser uma fonte de prazer enquanto dura sua caminhada. Mas a mulher imoral caminha para a morte, o homem imoral caminha para a sepultura.

Tem gente que fica tão encantada com a companhia que nem pergunta para onde está indo.

Pensamos que as pessoas capazes de destruir a nossa vida são aquelas facilmente reconhecidas como mal-intencionadas ou as que têm a própria vida destruída. Mas não é verdade. As pessoas que vivem de maneira destrutiva e autodestrutiva não são necessariamente insuportáveis, pesadas, visivelmente derrotadas, explicitamente mal-intencionadas e maldosas.

Os caminhos rumo à morte e à sepultura são cheios de gente muito agradável, o tipo de pessoas que nos ajudam a suportar a dureza do dia a dia.

A pergunta não é se a pessoa é boa companhia. Ou se é fonte de prazer.

A pergunta certa é para onde ela está nos levando.

Mantenha distância dessa mulher; não se aproxime da porta de sua casa! Se o fizer, perderá sua honra e entregará a homens impiedosos tudo que conquistou. Estranhos consumirão sua riqueza, e outros desfrutarão o fruto de seu trabalho.
PROVÉRBIOS 5.8-10

A mulher imoral, ou a mulher estranha, representa aquilo que não faz parte do seu mundo. Ela representa os prazeres ilegítimos.

Prazeres ilegítimos consomem suas riquezas, não apenas no presente, mas também no futuro.

A relação com a mulher imoral, ou com o homem imoral, isto é, o relacionamento indevido, implica transferir as riquezas do seu mundo para um mundo que não é seu. E, no mundo que não é seu, você perde o controle e o acesso ao que de fato lhe pertence, como:

- A sua honra (ou glória), isto é, sua identidade, seu nome, sua reputação. Você fica sem lugar no mundo.
- A sua força, sua energia, sua capacidade produtiva.
- Os frutos do seu trabalho, as recompensas do seu esforço, aquilo que você levou tempo para construir e conquistar.

Não se envolva em relações estranhas, imorais. Não faça aliança com pessoas que não combinam com você, com seus valores, suas crenças, sua natureza, sua essência, sua identidade mais profunda.

Se você fizer isso, correrá o risco não apenas de perder o que você tem, mas também de se perder, perder a si mesmo, a si mesma.

Mantenha distância dessa mulher; não se aproxime da porta de sua casa! Se o fizer, perderá sua honra e entregará a homens impiedosos tudo que conquistou.
PROVÉRBIOS 5.8-9

A mulher imoral ou a mulher estranha representa aquilo que não pertence ao seu mundo. Representa pessoas que não fazem parte de suas relações legítimas. Pessoas que não pertencem a você, e você não pertence a elas. Mas as pessoas que não pertencem ao seu mundo pertencem ao mundo de alguém.

A infidelidade afeta e desequilibra outros mundos. O mundo da pessoa que você está traindo. O mundo da pessoa com quem você está traindo. O mundo da pessoa que está sendo traída pela pessoa com quem você está traindo.

Esse ofensa aos outros mundos, essa usurpação dos outros mundos, esse pecado contra as pessoas afetadas pela sua infidelidade têm consequências. Uma delas é a retaliação dos traídos.

As pessoas feridas e agredidas pela sua infidelidade, que sofreram perdas, estão absolutamente fora do seu controle. Podem ser homens impiedosos e cruéis, e mulheres impiedosas e cruéis.

As pessoas feridas têm grande poder de ferir. E acreditam que ferem para fazer justiça.

Cuidado com as portas que você atravessa e os mundos que você acessa em busca de prazer. Preste atenção nos relacionamentos e nas pessoas com quem você estabelece relações de intimidade.

Cuide para não despertar monstros que se voltarão contra você.

Mantenha distância dessa mulher; não se aproxime da porta de sua casa! Se o fizer, [...] No final, você gemerá de angústia, quando a doença lhe consumir o corpo.
Provérbios 5.8-11

Existem experiências arrebatadoras. Vivemos coisas que tiram nossos pés do chão.

O problema com as experiências arrebatadoras é que elas são maravilhosas, mas não apenas maravilhosas. Na verdade, existem pelo menos dois tipos de arrebatamentos: aqueles que nos devolvem para o chão melhores, enriquecidos, turbinados e mais capacitados para viver, e aqueles que esgotam, empobrecem, adoecem e exaurem nossa capacidade física, emocional, psíquica e espiritual.

E, quando voltamos para o chão, estamos um lixo.

Os relacionamentos também são assim. Alguns nos tornam mais plenos, curando-nos e dando-nos a sensação de que neles somos completos. Mas também existem aqueles que nos adoecem, nos roubam todas as energias do corpo, da mente e do coração.

A mulher e o homem imoral são do segundo tipo. O tipo de relacionamento de prazer que no longo prazo resulta em angústia, doença e esgotamento da alma. Quando a fatura chega, é quase tarde demais; você está exaurido. Olhará para trás e verá as coisas que perdeu pelo caminho. Enxergará sua alma desfigurada, ao longe, numa curva de rio.

Que você encontre, ou receba de Deus, forças para fazer o caminho da volta.

Mantenha distância dessa mulher; não se aproxime da porta de sua casa! Se o fizer, [...] No final [...] Dirá: "Como odiei a disciplina! Se ao menos não tivesse desprezado as advertências! Por que não ouvi meus mestres? Por que não dei atenção aos que me instruíam?"
PROVÉRBIOS 5.8-13

O teimoso é cheio de certezas. "E sua maior certeza diz respeito a si mesmo.

A pessoa teimosa diz: "Eu sei o que estou fazendo. Eu conheço esse caminho. Eu estou no controle. Não se preocupe, eu vou dar um jeito. Fique tranquilo, amanhã eu resolvo. Deixe comigo, vai dar tudo certo".

O teimoso não apenas tem certeza de que sabe, como também tem certeza de que sabe mais e, aliás, tem certeza de que os outros nem mesmo sabem. Despreza os mestres, despreza a sabedoria, despreza a Torá e se guia apenas pela própria cabeça.

O teimoso é o tolo. É o que caminha na escuridão e não sabe onde tropeça. Mas, como sabemos, tem sempre o dia em que a casa cai. Esse é o dia do lamento. Mas é também o dia do arrependimento.

A melhor coisa que pode acontecer ao teimoso é tropeçar rápido, assim não dá tempo de perder muito, causar muito estrago, se machucar feio. Quando você vir a casa do teimoso cair, fique feliz, pois ele poderá se levantar e colocar a vida em ordem.

Se a sua casa caiu, levante a mão para o céu: chegou o seu dia de começar de novo. E passar a andar na luz.

Mantenha distância dessa mulher; não se aproxime da porta de sua casa! Se o fizer, [...] No final [...] Dirá: "[...] Por que não ouvi meus mestres? Por que não dei atenção aos que me instruíam?"
PROVÉRBIOS 5.8-13

Existem pelo menos duas maneiras de ensinar: explicar e demonstrar. Isso significa que há duas maneiras de aprender.

Há duas maneiras pelas quais você se apropria da sabedoria: por meio de palavras e por meio de imagens.

O mestre ensina com as palavras: informa, descreve, explica.

O instrutor ensina com o exemplo: demonstra, faz que você veja a coisa acontecer, mostra o fato e coloca você diante da realidade.

As pessoas teimosas desprezam as palavras do conhecimento. E desprezam também as evidências dos fatos. São néscias, às vezes. São tolas mesmo.

Você fala, fala, e elas não ouvem.

Você desenha, ilustra, mostra os fatos, apresenta uma lista de exemplos, e elas dizem que você está enganado, exagerando, e que com elas será diferente.

Não seja tolo. Não seja tola.

A sabedoria nos chega por meio de palavras e imagens.

Abra bem os ouvidos.

Abra também os olhos.

Mantenha distância dessa mulher; não se aproxime da porta de sua casa! Se o fizer, [...] No final, [...] Dirá: "[...] Cheguei à beira da ruína total, e agora todos saberão de minha vergonha!".
PROVÉRBIOS 5.8-14

"Cheguei à beira da ruína total" pode significar "cheguei perto da ruína total", isto é, "quase cheguei à ruína total", "faltou pouco para eu chegar à ruína total", "quase perdi tudo".

Quem está à beira (da ruína total) ainda não caiu no abismo. Dá tempo de voltar. Dá tempo de dar passos para trás e começar o caminho de volta.

Na beira do abismo, a gente se movimenta cautelosa e cuidadosamente, e bem devagar para não cair no barranco.

Quem foi longe demais no caminho da escuridão precisa voltar com cuidado. Mover-se com cautela. Tomar decisões ponderadas, sem pressa. Mexer cuidadosamente com o que foi destruído e/ou danificado no tempo da escuridão. Tratar com gentileza e paciência as pessoas feridas, prejudicadas e mesmo destruídas enquanto estava tudo escuro.

Quem chegou à beira da ruína total já perdeu muita coisa. Não perdeu tudo, mas perdeu quase tudo. Precisa ter muito cuidado com o pouco que lhe resta. O caminho da volta exige sabedoria. Mas Deus é bom e dá sabedoria a quem pede.

Peça a Deus, ele ajudará você a sair da beira de abismo.

Peça a Deus, ele ajudará você a ficar longe dos abismos.

Mantenha distância dessa mulher; não se aproxime da porta de sua casa! Se o fizer, [...] No final, [...] Dirá: "[...] Cheguei à beira da ruína total, e agora todos saberão de minha vergonha".

PROVÉRBIOS 5.8-14

"Cheguei à beira da ruína total" pode significar "por pouco perdi quase tudo" ou "perdi quase tudo em troca de tão pouco".

O que nos leva a fazer isto: trocar tudo por tão pouco?

Uma explicação é a paixão: esse sequestro da consciência.

Isso se chama tentação: aquele momento em que você é capturado por um desejo e perde o controle sobre a vontade, as emoções, perde a noção do perigo, e sua mente fica embotada e incapaz de pensar com lucidez. Tudo que você vê é o objeto do seu desejo. Parece que nada mais fará sentido se não possuir ou conquistar aquilo. Parece que sem aquilo a vida não vale a pena. Todo o seu corpo pede aquilo. Todos os seus argumentos dizem que aquilo vale qualquer preço. Toda a sua vontade está canalizada naquela direção. A tentação é o momento em que você está possuído pelo seu objeto de desejo.

O problema disso é que quando você só consegue enxergar uma coisa, por óbvio, você não enxerga mais nada. Tudo o mais que você tem fica no seu ponto cego. A tentação é o momento em que você deseja tanto o que não tem, que perde o desejo pelo que tem. O momento que você só enxerga o que não tem e perde de vista o que tem.

Mas a paixão não dura para sempre. E, quando você acorda, percebe que trocou tudo por tão pouco.

Por isso, oremos: "Pai nosso que estás nos céus, não nos deixes entrar em tentação".

Mantenha distância dessa mulher; não se aproxime da porta de sua casa! Se o fizer, [...] No final, [...] Dirá: "[...] Cheguei à beira da ruína total, e agora todos saberão de minha vergonha!".
PROVÉRBIOS 5.8-14

Vergonha é o sentimento que nos revela nossa finitude, nossa pequenez, que não somos tudo aquilo que julgávamos ser, que somos menos do que é aceitável ser. A vergonha nos mostra também que fizemos algo que não deveríamos ter feito.

É a vergonha que nos faz esconder o rosto e nos faz querer sumir, porque sabemos que as pessoas nos reprovam, nos rejeitam, nos condenam, nos desprezam e não nos querem por perto, não querem a nossa companhia, não nos querem mais em sua casa, em sua mesa. Por isso algumas pessoas preferem morrer a encarar o dia da vergonha.

Mas o dia da vergonha pode e deve ser o dia do arrependimento, o dia de dar meia-volta, de dar passos para trás e começar a recuar da beira do abismo, ou o dia de escalar o barranco e voltar à vida depois do abismo.

O dia da vergonha pode ser também o dia de nascer de novo. Porque no dia da vergonha você experimenta a depuração completa: tudo que era superficial, falso e não tinha valor é levado pelo vento. Só fica o que tem valor de fato, só fica o que realmente vale a pena.

Quem supera o dia da vergonha e nasce de novo tem a oportunidade de experimentar uma nova vida, mais autêntica, mais verdadeira, mais real, uma vida com muito mais valor.

Por que derramar pelas ruas a água de suas fontes, ao ter sexo com qualquer mulher?
PROVÉRBIOS 5.16

Deus é o nome que damos à unidade de amor entre as três pessoas eternas: o Pai, o Filho e o Espírito Santo.

Deus é plural. Mas é somente um. Uma unidade de amor.

Criados à imagem e semelhança de Deus, nós, seres humanos, também somos destinados a experimentar a unidade de amor.

O sexo é a maior densidade de intimidade entre dois seres humanos.

O sexo é símbolo, expressão e a própria experiência da unidade no amor.

Não é o casamento que faz a unidade, que nos torna um só, mas a relação sexual. O apóstolo Paulo diz que quem faz sexo com uma prostituta se faz um só com ela. Quem faz sexo com um prostituto se faz um só com ele (1Co 6.16).

O sexo é mais do que uma relação de corpos. O sexo é um mistério que carrega consigo a realidade da unidade do amor.

Sexo é sagrado.

Reserve essa água apenas para vocês;
não a reparta com estranhos.
PROVÉRBIOS 5.17

Promiscuidade significa mistura indiscriminada, mistura confusa. Existem muitas relações a dois povoadas por um sem-número de pessoas. Quando se deitam, muitos casais levam consigo estranhos para a mesma cama. São apenas dois corpos, mas uma mistura de muitas almas e subjetividades.

Cada mistura altera as partes que se misturam. Nas misturas indiscriminadas, acabamos por perder nossa identidade. E, quando nos perdemos de nós mesmos, também nos perdemos um do outro: eu e meu par já não sabemos quem somos, e já não sabemos o casal que formamos. E, portanto, já não sabemos o que é o amor.

A promiscuidade, a mistura indiscriminada e confusa de almas e afetos, sabota a relação a dois.

Fidelidade e exclusividade são requisitos para a unidade do amor.

Quem quer viver a unidade do amor não leva estranhos para a cama.

Beba das águas da sua cisterna, das águas
que brotam do seu próprio poço.
PROVÉRBIOS 5.15, NVI

A NVT traduz assim a segunda metade do versículo: "compartilhe seu amor somente com sua esposa". Essa versão sugere os dois pilares de um relacionamento amoroso: fidelidade (sua) e exclusividade (somente a sua).

Quem faz a opção por um relacionamento baseado na fidelidade e na exclusividade também se compromete a:

- Investir no relacionamento, para que seja protegido e encontre o ambiente onde possa alcançar o máximo potencial.
- Cuidar da relação, para que não se deteriore, não se contamine.
- Explorar a relação, para extrair dela mais riquezas e melhores prazeres.
- Dedicar-se à relação, pois tudo que é deixado à própria sorte tende ao caos; relacionamento saudável dá trabalho, não dá certo no piloto automático.
- Restaurar a relação, isto é, fazer reparos imediatos, para que não acumulem lixo e toxinas ao redor.

Quem tem uma só fonte se entrega totalmente a ela. Infidelidade e promiscuidade matam as relações de afeto e amor. Fidelidade e exclusividade potencializam as relações de amor.

Seja abençoada a sua fonte! Alegre-se com a mulher de sua juventude! [...] que os seios de sua esposa o satisfaçam sempre e você seja cativado por seu amor todo o tempo!
PROVÉRBIOS 5.18-19

Nunca ache que o amor está garantido para sempre. Em vez disso, conquiste a mesma mulher todos os dias.

Tem gente que acredita que o sexo sustenta o relacionamento. Se o sexo é bom, o relacionamento sobrevive. Mas parece que exatamente o contrário é mais verdadeiro: o relacionamento é que sustenta o sexo.

O desejo e o prazer respiram o oxigênio da parceria, da cumplicidade, da amizade e se renovam no perdão e nos reencontros.

Quando duas pessoas já não se ocupam de conquistar uma à outra, em pouco tempo se tornarão indiferentes e, depois, perderão o interesse e o prazer uma na outra.

O afastamento dos corpos é precedido pelo distanciamento das almas. A reconquista do afeto e o reencontro das almas traz de volta o fogo da paixão.

Conquiste todos os dias as pessoas que você ama.

Por que, meu filho, se deixar cativar pela mulher imoral, ou acariciar os seios da promíscua?
PROVÉRBIOS 5.20

Por que trocar intimidade verdadeira por prazer momentâneo com uma prostituta?

Ao levantar as razões para a promiscuidade sexual, a sabedoria nos coloca diante de dois tipos de relacionamentos: o relacionamento baseado na exclusividade e fidelidade como caminho para a unidade de amor e o relacionamento baseado na promiscuidade como caminho para o prazer. O relacionamento em que o sexo é uma fonte de prazer no contexto da intimidade verdadeira e o relacionamento em que o sexo é um prazer em si mesmo. Sexo pelo sexo.

Cada um com o seu custo, o seu preço e o seu valor.

A sabedoria recomenda escolher a intimidade verdadeira, isto é, os relacionamentos que caminham na direção do amor, e não do prazer.

Porque o prazer vicia. Mas não sacia.

Pois o Senhor *vê com clareza o que o homem faz e examina todos os seus caminhos.*
Provérbios 5.21

Deus vê. Deus enxerga. Aos olhos de Deus nada escapa.

Isso pode ser bom. E pode ser ruim. Depende de como você percebe Deus.

Salomão, por exemplo, acreditava que os olhos de Deus eram olhos de um juiz. Como se Deus estivesse fazendo um dossiê para usar contra nós no juízo final. Termina seu livro de Eclesiastes dizendo que devemos temer a Deus porque vamos dar de cara com ele um dia, no tribunal.

Davi, seu pai, acreditava que os olhos de Deus eram olhos de um bom pastor, que cuida de suas ovelhas e está vigilante para protegê-las, ajudá-las, guiá-las e conduzi-las a pastos verdes e águas frescas. Em um de seus mais belos salmos, Davi diz que não consegue se esconder de Deus, pois para Deus escuridão e luz são o mesmo. Mas diz também que, onde quer que esteja, estará na verdade, sob os cuidados das mãos de Deus (Sl 139).

O certo é que nada escapa aos olhos de Deus. Cada pessoa decide se isso é bom ou ruim. Deus está olhando para você. Acompanhando cada passo da sua caminhada.

Receba isso como uma boa notícia. Ele não está esperando você tropeçar para imediatamente castigá-lo. Ele está atento aos seus tropeços para rapidamente ajudá-lo a se levantar.

Pois o Senhor *vê com clareza o que o homem faz e examina todos os seus caminhos.*
Provérbios 5.21

Já ouvi muita gente arrependida me dizer: "Não sei onde estava com a cabeça; agi sem pensar".

Quem pensa que agiu sem pensar realmente não sabia onde estava com a cabeça. Porque na verdade ninguém age sem pensar. Aquilo que fazemos num momento reflete o que pensamos a vida inteira ou já nos ocupava a mente e o coração havia muito tempo.

O momento em que fazemos algo é apenas aquele em que as coisas que estavam dentro de nós, em nossos pensamentos e sentimentos, emergem para o mundo concreto, deixam a subjetividade e nascem em nossa história.

Deus enxerga não apenas o que fazemos em determinado momento. Ele enxerga todo o processo que nos levou até aquele momento. Deus não vê apenas as coisas que fazemos e depois nos arrependemos. Ele acompanha todo o caminho que nos levou a fazer aquilo de que mais tarde vamos nos arrepender.

Não saber onde está com a cabeça, isto é, desconhecer os movimentos dos próprios sentimentos e pensamentos é muito perigoso. Por isso o poeta bíblico faz a sua oração, dizendo: "Examina-me, ó Deus, e conhece meu coração; prova-me e vê meus pensamentos [...] e conduze-me pelo caminho eterno" (Sl 139.23-24).

Quem quer andar no caminho eterno precisa olhar não apenas por onde pisa, mas também e principalmente para onde o coração está querendo ir.

O perverso é cativo dos próprios pecados;
são cordas que o apanham e o prendem.
PROVÉRBIOS 5.22

O perverso está amarrado. Os atos maus têm consequências ruins, destrutivas e destruidoras.

A pessoa malvada vive tentando escapar das más consequências de seus atos de maldade. E para escapar comete mais malvadezas. E vai se enrolando cada dia mais. Uma mentira atrás da outra. Um suborno atrás do outro. E vai fazendo vítimas pelo caminho. Vai ferindo a justiça e desequilibrando todo o universo ao seu redor.

O mundo das pessoas perversas em pouco tempo fica sem sustentação. O chão começa a desabar da extremidade para o centro. O universo ao seu redor, desequilibrado pelas suas maldades, começa a exigir reparações, e a pessoa perversa vai ficando sem chão.

Tentando se equilibrar, vai se agarrando às cordas que a prendem. Até que o chão desaba de vez. E ela fica pendurada, enforcada nos próprios pecados.

Mas esse final trágico pode ser evitado. Deus tem poder suficiente para arrebentar as cordas que mantêm o perverso escravo de seu caminho mau. Deus tem amor mais que suficiente para reparar a injustiça com sua misericórdia e graça.

Quem está pendurado numa corda maldita pode ser resgatado, restaurado e sustentado pela boa mão de Deus. E isso pode acontecer agora. Exatamente agora. Basta estender a mão. Deus está bem aqui.

[O perverso] morrerá por falta de disciplina.
PROVÉRBIOS 5.23

Nelson Mandela disse que "ninguém nasce odiando uma pessoa pela cor da pele, pela origem ou ainda pela religião. Para odiar, as pessoas precisam aprender e, se podem aprender a odiar, elas podem ser ensinadas a amar".

Temos a falsa ideia de que disciplinar é repreender, castigar, punir. Mas, na verdade, disciplinar é educar, ensinar, instruir.

Salomão diz que as pessoas perversas morrem por falta de disciplina. Morrem por falta de ensino, educação, instrução.

Isso sugere duas possibilidades. A primeira é que alguém deixou de cumprir sua responsabilidade: nós, seres humanos, não nascemos sabendo; alguém deve nos ensinar o caminho da vida, da sabedoria, do amor. Muitas pessoas morrem porque lhes foi negada a oportunidade de aprender a viver.

A segunda possibilidade é que o perverso teve, sim, a oportunidade de aprender; não lhe faltou instrução nem educação. O perverso se rebelou e/ou se recusou a aprender o que lhe foi ensinado. Ou acreditou que conseguiria ter mais sucesso, conquistar mais e realizar mais desejos andando por caminhos alternativos.

Em ambos os casos, o fato é que, triste e infelizmente, aqueles que não aprendem o caminho da vida acabam se encontrando mais cedo com a morte.

[O perverso] morrerá por falta de disciplina e se perderá por sua grande insensatez.
PROVÉRBIOS 5.23

Salomão diz que antes de morrer a pessoa perversa se perde.

É como deixar a festa da família para aprontar alguma no meio da floresta. Você dá um passo de cada vez sempre olhando para trás, na tentativa de não perder as referências para o caminho da volta. Por entre as árvores e as plantas e os arbustos você enxerga o movimento da festa. E assim vai entrando um pouco mais, na certeza de que sabe o que está fazendo, e que está tudo sob controle. Daí a pouco, já não consegue ver os carros e o pessoal, mas ouve o barulho das crianças e da música que anima a festa. Você está certo de que sabe voltar. Alguns passos mais adiante, já não vê nem escuta nada da festa. E passa a caminhar seguindo apenas sua memória, seu senso de direção e seus instintos. E em pouco tempo você está perdido.

Ao perdido restam opções. Mandar sinais de SOS e receber ajuda. Ou correr o risco de morrer tentando, sozinho, encontrar o caminho de saída da escuridão em que se tornou sua exótica floresta.

O perverso se perde porque é insensato, e morre porque se recusa a receber o conselho da sabedoria. Antes de morrer, a pessoa perversa se perde.

Felizes as pessoas que se dão conta de estar perdidas e se abrem para a necessidade de disciplina e instrução. Essas têm a oportunidade de trilhar novos caminhos. Caminhos que as levam de volta para a festa.

Meu filho, se você aceitou ser fiador de seu amigo ou
se concordou em garantir a dívida de um estranho,
[...] siga meu conselho e livre-se dessa obrigação.
Provérbios 6.1-3

Fiador é quem se compromete com as dívidas e os compromissos financeiros de terceiros. É quem empenha a palavra em favor de alguém: se ele não pagar, eu pago; pode confiar nele, se ele decepcionar você, eu assumo o prejuízo.

A recomendação do sábio é que você não seja fiador de ninguém, pois o fiador se torna escravo daquele a quem afiança. Isso não é mandamento, mas recomendação de prudência. Você só deve ser fiador se estiver disposto a perder o valor empenhado ou tiver condições de perdê-lo. Isto é, não seja fiador por mera formalidade, pensando tratar-se apenas de burocracia, ou de que nunca terá de arcar com o prejuízo de fato.

Certamente, há poucas pessoas por quem você estaria disposto a perder dinheiro, credibilidade, reputação. O oposto é verdadeiro: poucos estão dispostos a empenhar recursos e o nome em seu favor.

Se você não está disposto a correr riscos por ninguém, ou não há ninguém disposto a correr riscos por você, o problema em sua vida não tem nada a ver com ser ou não fiador, mas com a fragilidade e a superficialidade de seus relacionamentos.

Nesse caso, o problema não está em possuir um horizonte de negócios restrito, mas em não ter amigos de verdade e em não ser amigo de ninguém.

Então, é melhor começar a avaliar o que vale mais: dinheiro no banco ou amigos na praça.

Meu filho, se você aceitou ser fiador de seu amigo ou se concordou em garantir a dívida de um estranho, [...] siga meu conselho e livre-se dessa obrigação.
PROVÉRBIOS 6.1-3

Com estranhos a gente não desenvolve relações de confiança e faz negócios de maneira prudente. Esse provérbio faz uma advertência às pessoas ingênuas e inocentes que acreditam que "todo mundo é amigo". Pessoas que acreditam na possibilidade de construir grandes amizades em uma semana. Tem gente que chama todo mundo de amigo, mesmo as pessoas que acabaram de conhecer:

— Pode confiar nesse cara, ele é ponta firme, vai por mim.

— Mas há quanto tempo você o conhece?

— Conheci num jantar, na semana passada.

É esse tipo de gente que se torna fiadora de estranhos.

Dizem que amigos de verdade são aqueles com quem comemos um quilo de sal. E você demora muito tempo para comer um quilo de sal com alguém.

Assim se formam as amizades: relações de longo prazo. Tempo suficiente para colecionar exemplos de honestidade e integridade, observar valores e prioridades, e ter experiências que demonstram que a pessoa é mesmo digna da sua confiança.

Confiança é algo que conquistamos com o tempo. E para isso, é preciso muito mais que histórias excitantes e uma boa conversa num jantar ou numa festa. Mesmo os amigos podem nos surpreender e nos desapontar. Imagine do que são capazes as pessoas estranhas!

Não confie em estranhos. É um clichê que faz sentido.

Meu filho, se você aceitou ser fiador de seu amigo ou se concordou em garantir a dívida de um estranho, se caiu numa armadilha por causa do acordo feito e se está preso por suas palavras, siga meu conselho e livre-se dessa obrigação.
PROVÉRBIOS 6.1-3

Temos a nostalgia de crer que nossos avós eram homens mais honrados: faziam contratos baseados no fio do bigode. Por trás dessa memória está a sabedoria que diz que o maior compromisso moral de alguém é com a sua consciência. A pessoa realmente íntegra e honesta "está presa a suas palavras".

Você pode celebrar contratos, assinar documentos e guardá-los na gaveta. Mas isso não significa que está 100% seguro. Quanta gente não honra contrato, seja por falta de condições, seja por falta de caráter mesmo.

As pessoas realmente confiáveis sabem que seu maior patrimônio não é o valor financeiro comprometido na negociação. O maior patrimônio de um homem é o seu nome. Uma mulher digna de confiança sabe que o que está em jogo é o seu caráter.

O que você acha mais fácil de encontrar: pessoas que preferem perder amigos a perder dinheiro, ou pessoas que perdem dinheiro para preservar amigos? Pessoas dispostas a arcar com prejuízos para zelar por seu nome, ou pessoas que sacrificam o próprio nome em troca de benefícios convenientes?

Pessoas dignas de confiança são aquelas cujo maior compromisso é com a própria consciência, e para manter seu caráter irrepreensível e seu nome limpo estão dispostas a qualquer sacrifício.

Meu filho, se você aceitou ser fiador de seu amigo [...],
siga meu conselho e livre-se dessa obrigação.
PROVÉRBIOS 6.1,3

Tenho pra mim que "amigo não diz não". E por isso mesmo "amigo que é amigo sabe o que pede".

Amigo é aquele que, quando coloca o outro numa saia justa, é porque está mesmo no desespero. Palavras como "se não fosse realmente necessário eu não pediria" e "se eu tivesse outra saída não estaria falando com você" devem ser acompanhadas de "eu sei as implicações do que estou pedindo" e "eu compreendo se você não puder fazer isso por mim".

Amigos sabem discernir o que está sendo sacrificado ou colocado em risco para que um pedido seja atendido.

Dinheiro é o menor valor em jogo numa relação de amizade, ou pelo menos deveria ser.

Quando eu peço que você comprometa sua integridade, cometa um crime, sacrifique um vínculo de afeto, abra mão de sua identidade, isto é, faça algo que não combina com você para resolver um problema meu, então não estou sendo seu amigo.

Quando você me obriga a escolher ser leal a você ou à minha esposa, ajudá-lo ou obedecer à minha consciência, resolver seu problema ou honrar meus compromissos, então você não está sendo meu amigo.

Quando eu cobro a sua lealdade pedindo a você algo constrangedor, é justo que você cobre a minha lealdade pedindo que eu não o coloque nessa situação.

Pense bem naquilo que você está disposto a colocar em risco ou sacrificar para atender a pedidos.

Pense bem no que pede a seus amigos.

Amizade é sagrada.

085

Meu filho, se você aceitou ser fiador de seu amigo [...],
siga meu conselho e livre-se dessa obrigação, pois
você se colocou nas mãos de seu amigo.
PROVÉRBIOS 6.1,3

Ser fiador significa empenhar palavra e recursos para garantir o empreendimento de outra pessoa. Ao fazer isso, o fiador se coloca nas mãos daquele a quem prometeu fiança, e as duas vidas ficam ligadas: o fiador fica atrelado não apenas ao empreendimento em si, mas à própria vida do afiançado.

O fiador fica vulnerável às consequências das decisões do afiançado. Cada pessoa tem sua hierarquia de valores, sua ordem de prioridades, um estilo de vida peculiar e uma rede de relacionamentos que exige lealdade em diferentes níveis. O fiador fica à mercê do que sustenta a vida do afiançado.

O fiador também fica à mercê das contingências da vida do afiançado: um acidente, uma enfermidade, um divórcio, um deslize ou um desvio de caráter.

Todos os contratempos possíveis na vida do afiançado transbordam para a vida do fiador. Todas as escolhas do afiançado direta ou indiretamente afetam a vida do fiador.

De fato, o fiador está nas mãos do afiançado.

Portanto, se você tem um fiador ou uma fiadora, ligue agora para essa pessoa e expresse sua mais profunda gratidão. Considere a possibilidade de enviar flores ou chocolate.

Se você é fiador ou fiadora de alguém, avalie bem todas as implicações dessa situação e, principalmente, seu vínculo com aqueles que dependem de sua fiança. Pare, pense, peça a Deus sabedoria e coragem. E então tome uma decisão consciente. Sua vida e seu futuro estão em jogo nessa decisão.

Meu filho, se você aceitou ser fiador de seu amigo [...], siga meu conselho e livre-se dessa obrigação, pois você se colocou nas mãos de seu amigo. Procure-o, humilhe-se e insista com ele. Não deixe para amanhã; não descanse enquanto não resolver essa situação.
PROVÉRBIOS 6.1-4

Dizem que não devemos deixar para amanhã o que podemos fazer hoje. Isso significa que há coisas que podemos deixar para amanhã. Mas também significa que há coisas que não podemos deixar para amanhã, ou melhor, não *devemos* deixar para amanhã. Exigem decisões urgentes, providências imediatas.

Pessoas sábias sabem fazer essa distinção. Sabem quais decisões podem ser adiadas, quais providências podem ser tomadas no futuro. Pessoas sábias avaliam probabilidades e correm riscos calculados.

Mas pessoas sábias também sabem que há coisas com as quais não se brinca, que determinados riscos não valem a pena. Sabem que algumas coisas tendem a piorar, alguns prejuízos crescem a cada dia, e que determinadas sangrias devem ser estancadas de imediato.

Quanto mais valiosas as coisas em risco ou que podem vir a ser sacrificadas, mais urgentes os cuidados que devemos ter.

Se a sua vida está presa à de outro, atenção. Certifique-se de ter tomado os cuidados para atenuar os riscos e proteger o que é valioso para você, ou vocês.

Mais que não deixar para amanhã o que pode fazer hoje é não deixar para amanhã o que deve fazer hoje.

087

Meu filho, se você aceitou ser fiador de seu amigo [...], siga meu conselho e livre-se dessa obrigação, pois você se colocou nas mãos de seu amigo. Procure-o, humilhe-se e insista com ele. Não deixe para amanhã; não descanse enquanto não resolver essa situação.

PROVÉRBIOS 6.1-4

Existe grande diferença entre ser humilde e ser humilhado. A pessoa humilhada não apenas foi tratada como se não tivesse valor, mas também acreditou nessa mentira. Acreditou não ter valor e merecer o tratamento indigno.

Mas, quando estamos seguros do próprio valor, o máximo que as pessoas podem fazer é tentar nos humilhar. E não conseguirão, porque estamos conscientes do nosso valor.

A pessoa humilde é diferente. Ela é capaz de se auto-humilhar. Isto é, ela escolhe se colocar em posição inferior, aceita ser tratada de maneira indigna, aceita abrir mão do valor que sabe possuir.

A auto-humilhação se justifica na pessoa humilde porque ela sabe o que tem valor e, portanto, deve ser protegido e preservado.

Jesus é o exemplo que devemos seguir. Ele era absolutamente consciente do seu valor e da sua dignidade divina, mas se humilhou e se sujeitou à morte, e morte de cruz.

Só pessoas muito seguras de si são capazes da auto-humilhação. Só pessoas sábias sabem discernir o que deve ser preservado e protegido às custas da auto-humilhação.

Quando você estiver vivendo um conflito de relacionamento, tire o ego do caminho. E, se preciso, humilhe-se, para preservar o que realmente tem valor.

Meu filho, se você aceitou ser fiador de seu amigo [...], siga meu conselho e livre-se dessa obrigação, pois você se colocou nas mãos de seu amigo. Procure-o, humilhe-se e insista com ele. Não deixe para amanhã; não descanse enquanto não resolver essa situação.
PROVÉRBIOS 6.1-4

Jesus contou a história da mulher que importunou um juiz até que ele julgou sua causa, e do homem que recebeu um hóspede inesperado e foi bater na porta do vizinho pedindo três pães para oferecer ao viajante que o visitava (Lc 18.1-8; 11.5-8).

Jesus estava ensinando que Deus não tem má vontade em atender aqueles que o buscam. Não é como um juiz que não se preocupa com as viúvas, nem como vizinhos indiferentes às necessidades urgentes dos amigos. Com Deus você não precisa insistir.

Mas o mundo está cheio de gente que não se importa de causar prejuízos a outros, postergar providências e com isso causar danos a quem não têm nada a ver com a situação, e vive dando desculpas e pedindo mais tempo, mais paciência. Com essas pessoas você tem que insistir para solucionar o problema.

O sábio recomenda que, se você estiver amarrado a gente assim, não descanse, nem pegue no sono até se livrar do enrosco.

O sábio está lhe dizendo: "Não pare até que tudo esteja resolvido, não dê tréguas, ligue todo dia, bata na porta da casa, mande mensagem, enfim, insista até resolver a situação".

Não permita que o seu futuro dependa do que os outros têm que fazer por você ou para você. Assuma o controle da sua vida. Seja o protagonista da sua história.

"ALÍVRIO"

Meu filho, se você aceitou ser fiador de seu amigo [...], siga meu conselho e livre-se dessa obrigação [...]. Livre-se como a gazela que escapa do caçador, como o pássaro que foge da rede.
PROVÉRBIOS 6.1-5

Ter a vida nas mãos de alguém é como estar preso numa armadilha. É estar como um animal embaraçado na rede.

Uma das situações mais complicadas da vida é quando você tem que pagar contas de outros, assumir consequências dos erros alheios, limpar a sujeira que alguém fez.

Isso traz um monte de prejuízos. E perder dinheiro é o mínimo. Às vezes tem que abrir mão de sonhos, oportunidades. Sente sua vida estacionar porque está resolvendo problemas de outros, assumindo consequências da irresponsabilidade alheia ou sofrendo porque as pessoas a quem sua vida está atrelada atravessam dificuldades.

Isso também traz sentimentos como raiva, vontade de chutar tudo para o alto, além da culpa. Você se julga egoísta e se condena por não querer ajudar a pessoa.

A sabedoria recomenda que você se dedique a resolver essa situação. Não se permita ficar preso a essa armadilha anos a fio. Deixar como está para ver como fica não é a melhor decisão. Seja proativo. Busque uma solução. Lute pela sua liberdade.

O bicho que escapa do caçador e o passarinho que escapa da armadilha se sentem aliviados. E se sentem livres. Como diz Manoel de Barros: "alivriados".

Aprenda com a formiga, preguiçoso!
PROVÉRBIOS 6.6

A preguiça é um dos sete pecados capitais, que são: orgulho (vaidade), ira, luxúria, gula, avareza, inveja e ela, a preguiça.

Preguiça ou acídia é um estado de prostração, apatia, indolência. Preguiça é mais que um estado de ociosidade física. É uma condição de desânimo. O preguiçoso não é apenas aquele que está no sofá porque está sem ânimo para trabalhar. É principalmente aquele que desistiu da vida. A preguiça é aquele estado em que já não se busca nada, não se espera nada. Ou pior: o preguiçoso vive no modo "tanto faz", "você que sabe", "qualquer coisa serve", "o que você fizer tá bom".

Preguiça é mais do que fazer nada. Preguiça é querer nada.

Cuidado para não confundir preguiça com depressão. A depressão também se caracteriza por essa perda de apetite pela vida e pelo estado de prostração. Mas a depressão é uma doença. Primeiro precisa ser clinicamente diagnosticada, e depois deve ser tratada com medicação e acompanhamento terapêutico.

Preguiça é pecado. Pertence à categoria moral. Não se resolve com remédio. Se resolve com vergonha na cara. Ou tranco da vida.

091

Aprenda com a formiga, preguiçoso!
PROVÉRBIOS 6.6

As decisões são a matéria-prima com que construímos o futuro. É claro que nem tudo que acontece na vida é resultado das nossas escolhas. Mas somos responsáveis pelas escolhas que fazemos com relação aos acontecimentos que independem de nós. Se você não escolheu o tipo de vida que leva, escolha o que fará a respeito, porque boa parte do seu futuro depende disto: suas escolhas, suas decisões.

A pessoa preguiçosa não é apenas a que não se mexe. É a que não quer se mexer, e fica esperando alguém se mexer por ela. A pessoa preguiçosa não toma decisões a respeito da sua vida. A pessoa preguiçosa abre mão da sagrada prerrogativa de ser protagonista da sua história. Começa deixando ao acaso ou a terceiros as pequenas decisões do dia a dia. Aos poucos, vai se tornando coadjuvante da própria biografia. Quando menos espera, como diz Lulu Santos, a vida ficou "alguma coisa que alguém inventou, e a gente não se reconhece ali". O preguiçoso se torna estranho dentro da própria vida. E passa a lamentar a má sorte.

Isso me faz lembrar de *Invictus*, o poema de William Ernest Henley que inspirou Nelson Mandela nos dias em que estava privado de sua liberdade: "Não importa quão estreito seja o portão e quão repleta de castigos seja a sentença, eu sou o dono do meu destino, eu sou o capitão da minha alma".

Aprenda com a formiga, preguiçoso!
PROVÉRBIOS 6.6

A formiga é um inseto pequeno. Sobe pelas pernas. Caminha em fila pelo meio-fio. Ocupa a mesa ao redor dos doces. O tampo da pia. E geralmente a esmagamos com um passar de mãos, a eliminamos com um pouco de água ou pisamos nela sem querer. Enfim, tratamos a formiga como algo insignificante.

Mas no universo nada é insignificante. Nada é inútil. Tudo no universo se presta a um propósito. No universo tudo ensina. Todos os seres vivos ensinam. Todos os seres vivos revelam os mistérios da vida.

O mundo natural é um imenso mosaico com milhares e milhares de pequenas peças, como de um quebra-cabeças, e contém informações e sabedoria que iluminam os passos de quem é humilde, diligente e paciente o suficiente para observar sem pressa, coligir, catalogar, classificar, decodificar, decifrar e aprender.

As formigas nascem sabendo ser formigas. Elas vêm com um "*chip*" de fábrica que contém todas as coisas de que ela precisa para "formigar".

Nós, seres humanos, somos diferentes. Precisamos aprender a ser humanos. Aprender o tempo todo. Aprender com tudo. Com todo mundo. Inclusive com a formiga.

093

Aprenda com a formiga, preguiçoso! Observe como ela age e seja sábio. Embora não tenha príncipe, nem autoridade, nem governante, ela trabalha duro durante todo o verão, juntando comida para o inverno.
PROVÉRBIOS 6.6-8

A respeito do trabalho, o pior erro que você pode cometer é acreditar que trabalha para alguém: para sua empresa, para seu patrão, para seu cliente. É verdade, você trabalha para eles também. Mas, antes de trabalhar para eles, você trabalha para você mesmo.

Cliff Hakim, no livro *We Are All Self-Employed*, que significa algo como "somos todos empregados de nós mesmos", disse que todos nós temos dois empregos: o que paga o nosso salário e o de gestor da nossa própria carreira.

Tem gente que diz: "Minha empresa não me dá oportunidades, estou aqui marcando passo, esse emprego não vai me levar a lugar algum meu chefe não reconhece meu valor". A pergunta é: por que você ainda está aí?

As formigas não têm chefe nem patrão, e sabem o que fazer. Claro, elas nascem sabendo, nascem com um "*chip*" que vem de fábrica, com o *software* formiga. Nós temos que aprender. E uma das coisas que temos que aprender é que não devemos ficar esperando que alguém nos diga o que fazer da vida; não devemos esperar que alguém resolva nosso futuro.

A sabedoria recomenda que você seja o chefe de você mesmo, que você seja autogovernado. Não espere alguém mandar; levante e faça o que sabe que tem que fazer. E, se não sabe o que tem que fazer, levante e vá procurar saber.

Observe a formiga, preguiçoso, reflita nos caminhos dela e seja sábio! Ela não tem nem chefe, nem supervisor, nem governante, e ainda assim armazena as suas provisões no verão e na época da colheita ajunta o seu alimento.
PROVÉRBIOS 6.6-8, NVI

Chefe, supervisor e governante, três metáforas que mostram os estágios para formar pessoas responsáveis.

O chefe é a autoridade imediata, que manda, e quem tem juízo obedece. Diz o que e como fazer.

O supervisor diz o que, mas não diz como. Observa e acompanha a execução para garantir o resultado.

O governante, por sua vez, não diz nem o que nem como. Oferece as leis que devem servir de horizonte e limite das liberdades individuais.

As três metáforas parecem indicar um processo rumo à maturidade. As crianças precisam de quem lhes diga o que e como fazer. Os adolescentes e jovens já sabem boa parte do que devem fazer e precisam de apoio e disciplina. Os adultos, cuja base ética e moral está formada, não carecem de nada além da própria consciência. Ou pelo menos é o que se espera deles.

A pergunta por trás das metáforas é: em que estágio você está? Você é do tipo infantil, que precisa de rédeas curtas e depende de quem lhe diga o que e como fazer? Ou você é do tipo que sabe o que deve fazer, mas se ninguém estiver por perto vacila, procrastina, protela, enrola? Ou já se tornou adulto, assumiu sua responsabilidade na vida e, numa boa, faz o que deve ser feito? Isto é, você é uma pessoa em quem se pode confiar?

Dê uma olhada nas formigas. Pode ajudar você a responder.

Observe a formiga, preguiçoso, reflita nos caminhos dela e seja sábio! Ela não tem nem chefe, nem supervisor, nem governante, e ainda assim armazena as suas provisões no verão e na época da colheita ajunta o seu alimento.
PROVÉRBIOS 6.6-8, NVI

Há uma diferença entre poupança e provisão. Poupança é o que você guarda como garantia para o caso de vir a precisar. É o dinheiro ou o recurso que você não usa, imaginando que um dia precisará usar. A provisão é o dinheiro ou o recurso que você não usa hoje porque sabe que precisará dele no futuro.

O dinheiro comprometido com uma necessidade ou projeto futuro (provisão) não pertence a hoje. Se não pertence a hoje, ele não existe hoje. E por isso mesmo não pode ser usado hoje. Dinheiro que você tem hoje mas está comprometido com uma despesa de amanhã é dinheiro que você não tem hoje, isto é, você deve tratá-lo como se ele não existisse.

A maioria de nós usa todo o dinheiro que tem hoje para suprir necessidades de hoje. E para muitos de nós o dinheiro de hoje não é suficiente nem mesmo para hoje.

Mas a sabedoria recomenda que, tendo condições, você se antecipe às necessidades e faça provisões.

Como naquela história do rapaz que procurou o dr. Tancredo Neves, famoso político mineiro, pedindo ajuda: "Dr. Tancredo, minha esposa está prestes a dar à luz e estou desprevenido". Ao que Tancredo teria respondido: "Se você, que sabe há nove meses, está desprevenido, imagine eu, que estou sabendo agora".

Seja prevenido: prepare no verão o que sabe que precisará no inverno.

Observe a formiga, preguiçoso, reflita nos caminhos dela e seja sábio! Ela não tem nem chefe, nem supervisor, nem governante, e ainda assim armazena as suas provisões no verão e na época da colheita ajunta o seu alimento.
PROVÉRBIOS 6.6-8, NVI

Existe "época da colheita". O que significa que existe época de não colheita. Época em que não há o que colher. Não há o que colher porque é época de arar a terra, época de plantar, época de aguardar a chuva, época de deixar o fruto amadurecer. Até chegar a época da colheita.

As pessoas sábias obedecem tranquila e serenamente aos ciclos naturais da vida. Sabem o que fazer em cada estação da vida, em cada época. Sabem se locomover dentro do tempo.

As pessoas sábias sabem alternar atividade e descanso, trabalho árduo e pausas recreativas, dedicação intensa e sabáticos restauradores.

As pessoas sábias sabem que há tempo para todo propósito debaixo do sol. O tempo certo para a coisa certa é chamado *kairós*, que significa tempo qualificado, época propícia para, estação de, período adequado, momento oportuno.

Pare por um instante, respire fundo e preste atenção nos ciclos da vida. Identifique o momento atual de sua vida: em que época você está? Perceba os movimentos do seu coração. Busque discernir que tempo é esse. Esse é um tempo que exige que tipo de resposta? Que oportunidade está pairando no ar?

097

Mas você, preguiçoso, até quando dormirá?
Quando sairá da cama?
Provérbios 6.9

As perguntas têm o poder de fazer despertar. Despertar a consciência adormecida, anestesiada, entorpecida numa zona de conforto. "Até quando?", pergunta o sábio.

A pergunta é um chamado à análise das circunstâncias, dos fatos e da situação concreta.

À análise das consequências, do que pode acontecer se você não fizer nada a respeito e do que pode acontecer se fizer "a" ou se fizer "b".

À análise da plausibilidade das coisas que você espera acontecer. Da confiabilidade das pessoas de quem você espera ajuda ou resposta.

À análise das suas razões, motivações, ou seja, dos motivos para a ação e dos motivos para a omissão.

À análise das suas desculpas para não se mexer. Você está com medo do que, de quem? Você está paralisado por que, por causa de quem? Você está fugindo de que, de quem?

Fazer perguntas é como olhar pela janela: você fica diante de um horizonte de possibilidades.

Muita gente tem medo das perguntas porque, na verdade, tem medo das respostas.

Quando você se perceber paralisado, quando estiver postergando providências, adiando enfrentamentos, procrastinando decisões e soluções, comece fazendo perguntas a si mesmo. Comece dando nomes ao que habita em seu mundo interior e mantém você imobilizado.

Tenha coragem para fazer perguntas. O pior que pode acontecer é encontrar respostas.

Mas você, preguiçoso, até quando dormirá? Quando sairá da cama? Um pouco mais de sono, mais um cochilo, mais um descanso com os braços cruzados, e a pobreza o assaltará como um bandido; a escassez o atacará como um ladrão armado.
PROVÉRBIOS 6.9-11

Esses são os três estágios do afastamento da atividade: o sono, o cochilo e o descanso de braços cruzados.

O sono é necessário, imprescindível. A qualidade de vida depende muito do tempo e da qualidade do sono. Sono profundo é uma dádiva divina. Desde que a gente acorde e se levante.

Já o cochilo é aquele tapa no despertador, quando você escolhe ficar um pouco mais na cama. Só mais cinco minutinhos. O que é uma delícia. O problema é quando esses cinco minutinhos se multiplicam e viram duas horas e meia, e ao levantar você ouve as pessoas da casa dando boa tarde, em vez de bom dia.

Há também o descanso de braços cruzados, a sonolência durante o dia. A vida em câmera lenta, arrastada, sem energia, sem pique, sem gana, sem paixão. Viver em estado perene de má vontade, falta de apetite e indiferença.

Não precisamos falar muito dos males do estresse, da correria louca e dos perigos de ser *workaholic*, mas o oposto também é verdadeiro: viver o ciclo interminável de sono profundo, cochilos e sonolência constante também mata, atrofia a alma, mata de tédio. E mata de fome.

Levante, tome uma ducha gelada e viva.

099

Mas você, preguiçoso, até quando dormirá? Quando sairá da cama? Um pouco mais de sono, mais um cochilo, mais um descanso com os braços cruzados, e a pobreza o assaltará como um bandido; a escassez o atacará como um ladrão armado.

PROVÉRBIOS 6.9-11

A pobreza e a escassez são consequências da preguiça. Embora nem toda pobreza e nem toda escassez sejam consequências da preguiça, muita pobreza e muita escassez são resultados de preguiça, mesmo.

A pobreza que se abate sobre a vida do preguiçoso chega de repente, como um assalto, como um ladrão. Chega subtraindo, levando embora o que o preguiçoso tinha nas mãos, seja pelo trabalho dele, por um esforço do passado, pelo trabalho de alguém, seja pelo fruto recebido de alguém. A pobreza rouba. A pobreza chega para levar embora o pouco que o preguiçoso tem.

A pobreza e a escassez chegam oprimindo, chegam de mão armada. O preguiçoso não reage não porque se recuse a reagir ou queira ficar dormindo, cochilando. Ele não reage porque perdeu a condição de agir, porque não consegue agir. Ele está subjugado, está oprimido.

Quem protela, procrastina, enrola, corre sérios riscos de colher frutos muito podres na época da colheita ou de não ter o que colher. Ficar sem frutos.

A Bíblia diz que Deus abençoa e faz prosperar o trabalho de nossas mãos, mas quando nossas mãos estão em sono profundo, cochilando e recolhidas nos braços cruzados, encolhidas na preguiça, não há o que Deus abençoar.

Quem não semeia não colhe, e quem não colhe vive na pobreza e na escassez.

Como são os desprezíveis e os perversos?
PROVÉRBIOS 6.12

A pessoa caracterizada como desprezível, perversa, inescrupulosa, mau-caráter é aquela "sem jugo", que jogou fora o jugo da Torá.

Jugo é uma peça feita de madeira para unir dois bois a fim de que andem no mesmo compasso enquanto puxam um arado ou uma carroça. É também chamada de canga ou junta de bois. Uma pessoa sem o jugo da Torá ou da sabedoria está desgovernada, anda movida pelos instintos e apetites maus. Caminha sem direção, sem propósito, sem proveito.

A pessoa que recusa se submeter a uma consciência externa, no caso a sabedoria da Torá, a revelação de Deus, a orientação ética e moral da palavra de Deus, é como um animal cuja força não está direcionada de maneira proveitosa e útil. Não apenas é inútil ou sem proveito, como também e principalmente é destrutiva e deletéria, pratica o mal com todo mundo, a todo momento.

Jesus disse que seu jugo é leve e convidou as pessoas a tomarem sobre si o seu jugo (Mt 11.28-30). Quem anda com Jesus tem senso de finalidade, propósito, razão para viver. Seu caminho promove o que é bom e colabora para o bem.

Como são os desprezíveis e os perversos? Eles vivem mentindo.
PROVÉRBIOS 6.12

A verdade é a base dos relacionamentos justos, de benefícios mútuos e duradouros.

É certo que a profundidade dos relacionamentos depende das verdades subjetivas, do tipo "a sua verdade e a minha verdade". Mas também é certo que sem as verdades objetivas, do tipo qual é o seu nome, qual é o seu endereço, onde você nasceu, nenhum relacionamento sobrevive.

Sejam subjetivas ou objetivas, você não deve esconder informações nem contar mentiras para o seu médico ou seu advogado. Você certamente não dormiria debaixo de um teto construído por arquitetos e engenheiros sabidamente mentirosos a respeito de cálculos e materiais usados na construção.

As pessoas perversas e inescrupulosas distorcem, manipulam e sonegam a verdade no sentido mais elementar. Mesmo para perguntas simples como "o que foi que ele disse?", "onde você foi ontem à noite?", "você tomou o remédio?".

As "pequenas verdades" são a base da credibilidade e da confiança.

As "pequenas mentiras" a respeito dos fatos mais corriqueiros sabotam os relacionamentos.

Quem vive mentindo fere pessoas e caminha a passos largos para a solidão.

Como são os desprezíveis e os perversos? Eles vivem mentindo: demonstram sua falsidade com um piscar de olho, com um movimento do pé ou por sinais com os dedos.
PROVÉRBIOS 6.12-13

Abraham Lincoln teria dito que é possível enganar a todos por algum tempo e alguns por todo o tempo, mas que não se pode enganar a todos todo o tempo.

As pessoas más sabotam a si mesmas inclusive sem perceber.

O corpo fala: os olhos, os gestos, os pés, os movimentos, enfim, as expressões mais sutis revelam as verdades mais profundas. Observando os pequenos detalhes podemos discernir a verdade em qualquer pessoa.

Você quer ficar livre dos perversos? Quer identificar rapidamente as pessoas que merecem sua confiança? Dou duas dicas. Primeiro, seja uma pessoa íntegra e confiável. Da mesma forma como os não fumantes identificam o fumante ou percebem rapidamente que um cigarro acabou de ser aceso na sala, as pessoas puras, íntegras, honestas e sinceras percebem fácil quem é mau-caráter e mal-intencionado. Para descobrir quem fuma, basta não fumar.

Em segundo lugar, preste atenção nos detalhes: brincadeiras, comentários aparentemente inocentes, pequenas decisões e comportamento natural das pessoas ao seu redor. Da mesma forma que as pessoas apaixonadas não conseguem esconder sua paixão, as pessoas más não conseguem disfarçar perfeitamente sua maldade. Elas se denunciam nos detalhes.

Como são os desprezíveis e os perversos? [...]
Seu coração pervertido trama a maldade, e
andam sempre criando problemas.
PROVÉRBIOS 6.12,14

As pessoas malvadas, perversas e inescrupulosas são trabalhadoras. E dão muito trabalho. Porque vivem tramando o mal, não dão tréguas nem descanso. Porque vivem causando problemas, não dão sossego a quem está em volta.

Quem vive perto de gente mentirosa, dissimulada, falsa e manipuladora não pode relaxar, não pode abaixar a guarda. Porque não pode confiar no outro, não pode descansar. Porque vive se protegendo e se defendendo das possíveis maldades, ou porque está remediando as consequências da última maldade de que foi alvo, jamais relaxa.

É extenuante viver num relacionamento em que não existe confiança. É cansativo conviver com pessoas falsas e mentirosas. A sucessão de confrontações, acareações, verificações e energia dispendida na vigilância criam um peso que em pouco tempo se torna insuportável.

Porque a pessoa má não para de arrumar problemas, quem está por perto não para de tentar evitar, resolver ou tentar resolver problemas.

Não admira que esse tipo de relacionamento não sobreviva muito tempo. E, quando o relacionamento sobrevive, as pessoas envolvidas é que não sobrevivem. Ou se desfiguram, ou se matam.

Exija sinceridade e verdade das pessoas com quem você convive muito de perto. Caso contrário, você nunca terá descanso. Se sobreviver.

Como são os desprezíveis e os perversos? Eles vivem mentindo: demonstram sua falsidade com um piscar de olho, com um movimento do pé ou por sinais com os dedos. Seu coração pervertido trama a maldade, e andam sempre criando problemas. Por isso, serão destruídos de repente, despedaçados num instante sem que possam se recuperar.
PROVÉRBIOS 6.12-15

A prepotência do perverso o faz acreditar que ele é capaz de dar um jeito em tudo, administrar as eventuais consequências de suas maldades e seus descaminhos. Ele semeia vento e acredita que poderá colher outra coisa que não tempestade. Ele acredita que pode resolver qualquer coisa, que tem poder para convencer, comprar ou coagir qualquer pessoa.

Seu hábito na prática da maldade fez dele um exímio administrador de dificuldades: ele mente, transfere responsabilidades, empurra os prejuízos para terceiros, põe a culpa em outros, inventa desculpas, prejudica pessoas, manipula e resolve à sua maneira. Já fez isso muitas vezes e acredita que conseguirá fazer para sempre. Até que chega o dia em que a casa cai.

O juízo vem sobre ele como um infarto fulminante. Num piscar de olhos, a justiça se estabelece, deixando-o sem saída para escapar das consequências trágicas do seu caminho mau.

Fique longe do perverso, do inescrupuloso. Primeiro, para evitar o risco de ser uma de suas vítimas. Mas, também, para não correr o risco de ser esmagado pelos escombros quando a casa dele cair. Porque, não tenha dúvida, um dia a casa cai.

Há seis coisas que o Senhor *odeia, ou melhor, sete coisas que ele considera detestáveis: olhos arrogantes, língua mentirosa, mãos que matam o inocente, coração que trama a maldade, pés que se apressam em fazer o mal, testemunha falsa que diz mentiras, e aquele que semeia desentendimento entre irmãos.*
Provérbios 6.16-19

Por que Deus odeia essas seis coisas e não tolera quem semeia desentendimento entre os irmãos?

A resposta parece simples. Deus nos criou à sua imagem e semelhança, isto é, uma unidade plural. Deus é três: Pai, Filho e Espírito Santo. A humanidade é também uma unidade entre iguais, e deve viver em harmonia. As relações de amor são sagradas porque constituem expressões do divino. Destruir relações de amor é ferir a própria imagem de Deus.

A origem de todos os conflitos de relacionamentos está nos "olhos arrogantes", isto é, no orgulho, na soberba, na vaidade. Nossos relacionamentos seriam bem melhores se todos pensássemos "primeiro você, depois eu", mas a verdade é que o mais comum é "primeiro eu, depois você", ou, na verdade, a regra geral parece ser "primeiro eu, depois eu e depois eu".

Na busca desesperada de afirmação do eu, praticamos maldades e destruímos pessoas. Numa sociedade em que todo mundo quer ser o vencedor, todos são perdedores. É por isso que Deus não tolera essas sete coisas.

Viver é também conviver.

Meu filho, obedeça aos mandamentos de seu pai e não deixe de lado a instrução de sua mãe. Guarde as palavras deles em seu coração e amarre-as em seu pescoço. Quando você andar, os conselhos de seus pais o guiarão; quando dormir, eles o protegerão; quando acordar, eles o orientarão.
PROVÉRBIOS 6.20-22

Os Provérbios contrapõem duas formas de viver. Podemos viver entregues aos apetites e instintos, fazendo o que dá vontade sem pensar nas consequências. Ou viver seguindo as orientações da sabedoria, o que implica colocar rédeas na cabeça e no coração, nos pensamentos e nos sentimentos.

As pessoas sábias e justas são descritas em Provérbios como capazes de se submeter a uma autoridade além da própria consciência. As pessoas tolas e perversas são aquelas que fazem apenas ou tudo o que querem.

A sabedoria oferece orientação, direção e proteção. As pessoas sábias têm mais repertório para subsidiar suas decisões, têm senso de finalidade e propósito, e por isso mesmo são poupadas de muitos sofrimentos. As pessoas tolas, que confiam apenas em si mesmas e vivem dizendo que sabem o que estão fazendo, têm conhecimento limitado, estão à mercê das incoerências e inconsistências dos seus desejos, e por isso mesmo se machucam e machucam mais.

O caminho da sabedoria implica colocar rédeas nesse coração selvagem que nos habita.

Pois o mandamento é lâmpada, e a instrução é luz; e as correções da disciplina são o caminho que conduz à vida.
PROVÉRBIOS 6.23

Mandamento, instrução e disciplina. Lâmpada, luz e caminho. Em outras palavras: quem ouve a voz da sabedoria caminha por uma estrada iluminada.

O problema é que não nos basta enxergar, saber, ter conhecimento e informação sobre a maneira mais sensata de viver. Aliás, está comprovado pela experiência que possuímos essa incrível capacidade de ter plena consciência da besteira que estamos fazendo e, apesar disso, fazê-la. Ou por escolha (vai explicar!) ou por falta ou perda do controle.

Uma vida sem erros, equívocos e pecados não é possível. O segredo é ter uma estrada: crenças, valores, prioridades. Uma vez na estrada, manter o farol aceso, isto é, não perder a consciência e a lucidez, não cair nas armadilhas da racionalização e do autoengano. E, finalmente, ter humildade suficiente para reconhecer os tropeços, os erros, e voltar atrás, refazer caminhos, começar de novo.

Quando sair da estrada e se embrenhar pela mata escura, não entre em pânico. Pare, respire fundo, faça uma oração, pense e volte para o caminho da vida. Sem desespero. Mas sem displicência. Essa é a diferença entre a vida e a morte.

Pois a prostituta o levará à pobreza, mas dormir com a esposa de outro homem lhe custará a vida.
PROVÉRBIOS 6.26

A sabedoria fala das consequências da imoralidade. E para isso usa duas figuras complexas e no mínimo curiosas: a prostituta e a mulher adúltera, que chama de promíscua, imoral e devassa.

A prostituta cobra um preço definido. A mulher adúltera não define preço, porque na verdade custa tudo. Em termos simplistas, o envolvimento com a prostituição custa principalmente dinheiro, mas o adultério pode custar a vida, pois o homem que dorme "com a esposa de outro" destrói a si mesmo.

Por trás dessas figuras existe uma compreensão que extrapola as relações sexuais ilícitas. Alguns prejuízos que causamos aos outros podem ser ressarcidos. Algumas pessoas podem ser indenizadas. Algumas perdas podem ser recuperadas. Mas há pecados e danos que causamos aos outros e a nós mesmos para os quais não existe nenhuma possibilidade de reparação.

Para esses, Deus nos disponibilizou o arrependimento e o perdão.

"Venha, vamos nos embriagar de amor até o amanhecer! Vamos desfrutar as carícias um do outro, pois meu marido não está em casa. Ele partiu numa longa viagem; levou consigo uma bolsa cheia de dinheiro e só voltará no fim do mês".
PROVÉRBIOS 7.18-20

A mulher que fala no capítulo 7 de Provérbios representa a heresia, a heresia com quem traímos a Torá e traímos o próprio Deus. Como a mulher em busca de prazer, a heresia seduz — beijos, carícias, embriaguez de amor — e seduz de maneira dissimulada, tanto no crepúsculo, no anoitecer como na escuridão profunda da noite.

A sedução é necessária porque ninguém aceita o convite quando sabe que o remetente é a morte. Por isso a morte promete prazeres, se disfarça de beleza, se fantasia de verdade, se finge de bondade. As pessoas tolas e sem juízo, incapazes de discernir o certo do errado, a verdade da mentira, o bem do mal, são presas fáceis, são facilmente seduzidas pelos poderes inescrupulosos, cuja única intenção é roubar, matar e destruir.

O problema é que toda pessoa seduzida acredita estar no controle da situação. Pensa que está fazendo o que escolheu voluntariamente. Mas na verdade está sendo manipulada e não tem nenhum domínio sobre suas faculdades mentais, emocionais e volitivas.

O antídoto contra essa sedução da maldade e da heresia é a sabedoria. Que devemos guardar como o mais precioso dos tesouros. E amar como a alguém da família.

Quem teme o SENHOR odeia o mal.
PROVÉRBIOS 8.13

Temer a Deus e odiar o mal são experiências inseparáveis. O mal aqui referido é o orgulho e a arrogância das pessoas que construíram sua moral particular e encontraram palavras cheias de mentiras e meias verdades para justificar seu estilo de vida.

Antes de ser uma questão de conhecimento, entendimento e compreensão, o caminho das pessoas sábias e justas é resultado de um tipo de coração. Tentar viver de acordo com a vontade de Deus sem ter o coração cativo a Deus é perda de tempo. Quem teme a Deus odeia o mal.

Isso me faz lembrar a história daquele homem que queria encontrar um lema para a sua vida. Depois de muito pensar, escolheu o lema "buscar a vontade de Deus". Viveu assim por algum tempo, mas continuou insatisfeito. Então, mudou o lema para "conhecer a vontade de Deus". Mas ainda assim continuou infeliz. Passou então para outro lema: "fazer a vontade de Deus". E não adiantou. Até que chegou ao lema definitivo: "amar a vontade de Deus".

Quem ama a Deus odeia o mal. Quem ama a Deus ama a sua vontade.

Esse, sim, é o caminho da sabedoria.

Amo os que me amam; os que me procuram
por certo me encontrarão.
Provérbios 8.17

Existe uma lenda judaica que diz que Deus criou cinquenta portões de entendimento e os espalhou pelo mundo. Cada um deles representa um tipo de conhecimento do mundo. Diz a lenda que todos os portões foram dados a Moisés, menos um: o portão que dá acesso ao conhecimento de Deus.

Outra tradução para o texto "amo os que me amam", como sendo uma fala da sabedoria, é "amarei os que amam a Torá", como se Deus estivesse falando.

Isso faz eco com as palavras de Jesus: "Aqueles que aceitam meus mandamentos e lhes obedecem são os que me amam. E, porque me amam, serão amados por meu Pai. E eu também os amarei, e me revelarei a cada um deles [...] Quem me ama faz o que eu ordeno. Meu Pai o amará, e nós viremos para morar nele" (Jo 14.21,23).

Deus ama quem ama a sua vontade. Quem ama a Deus e ama a vontade de Deus encontra o portão que dá acesso ao conhecimento de Deus. Não é sem razão que essas palavras apontam na direção de Jesus. É em Jesus que encontramos o conhecimento de Deus.

O Senhor *me estabeleceu desde o princípio, antes de criar qualquer outra coisa. Fui designada desde eras passadas, logo no início, antes de a terra existir.*
Provérbios 8.22-23

A sabedoria é antes de todas as coisas criadas.

A sabedoria é personificada como alguém que está com Deus enquanto ele cria o mundo, sendo a primeira de suas criaturas.

A sabedoria participou desde o primeiro momento da criação.

A sabedoria existe antes mesmo do primeiro punhado de terra, isto é, antes mesmo de Deus criar o homem.

A sabedoria sabe muito, porque existe desde sempre:

- Enquanto Deus criava, ela estava lá como arquiteta (8.30).
- Graças a ela, os reis governam (8.15).
- Com a sua ajuda, as autoridades lideram (8.16).
- Com os seus conselhos, os nobres julgam com justiça (8.16).

Considerando que a sabedoria esteve com Deus em seu trabalho criativo e todos os dias aconselha reis, governantes e juízes, é uma tolice, uma estupidez desprezar seus conselhos para a vida diária.

A sabedoria é antes do mundo e antes do tempo.

E por isso deve ser considerada *antes* de darmos qualquer passo.

Como me alegrei com o mundo que ele criou!
Como exultei com a humanidade!
PROVÉRBIOS 8.31

A sabedoria exultou com o mundo que Deus criou. A sabedoria exultou com a humanidade.

O mundo e a humanidade.

Rubem Alves disse que Deus ficou grávido da humanidade e preparou tudo para a chegada dos seus filhos. O mundo é o quarto que Deus preparou para a chegada do bebê.

O quarto para os filhos vem antes dos filhos. Quando os filhos vêm antes do quarto, a confusão se estabelece.

Quando a ordem da vida, dos ciclos naturais da existência se inverte, tudo fica fora do lugar, e dá muito trabalho retomar a sequência que favorece a harmonia e a fluidez da vida.

A sabedoria nos ajuda a viver sem sobressaltos, sem atropelos, sem precipitações ou, como diz o ditado, sem "colocar a carroça na frente dos bois".

Quando a humanidade foi criada, no sexto dia, o mundo estava pronto.

Primeiro o mundo, depois a humanidade.

Ando em retidão, nos caminhos da justiça.
PROVÉRBIOS 8.20

No livro de Provérbios, e especialmente no capítulo 8, no qual ela mesma faz seu discurso, a sabedoria tem a ver com prudência, bom senso, discernimento, conhecimento, instrução, conselho sensato e entendimento.

Mas a sabedoria também tem a ver com retidão e justiça. Seus lábios falam do que é certo. Sua boca fala a verdade, e a maldade causa repulsa aos seus lábios. Todas as suas palavras são justas; nenhuma delas é distorcida ou perversa.

A sabedoria ensina que temer ao Senhor é odiar o mal, e por isso ela odeia o orgulho e a arrogância, o mau comportamento e o falar perverso. A sabedoria anda pelo caminho da retidão e da justiça.

A sabedoria não tem a ver apenas com conceitos, ideias e conhecimento. A sabedoria tem a ver com retidão e justiça.

Sabedoria não é tanto o que você sabe. Sabedoria é como você vive.

Felizes os que me ouvem, que ficam à minha porta todos os dias, esperando por mim na entrada de minha casa! Pois quem me encontra, encontra vida e recebe o favor do Senhor. *Quem não me encontra, prejudica a si mesmo; todos que me odeiam amam a morte.*
Provérbios 8.34-36

A sabedoria é descrita como oculta atrás de portas fechadas. Aqueles que desejam encontrá-la devem esperar pacientemente, até que as portas sejam abertas.

Há um ditado rabínico que diz haver três pré-requisitos para alcançar a sabedoria: chegar cedo à casa de estudo, para entrar assim que as portas se abrem; permanecer na casa de estudo o dia inteiro, até que as portas se fechem; frequentar regularmente a casa de estudo.

A sabedoria é uma dádiva, uma revelação, algo a que se tem acesso apenas quando suas portas se abrem. Mas ela é também uma recompensa para aqueles que se dispõem a desejá-la e a buscá-la com diligência e perseverança.

A razão porque devemos perseverar na busca pela sabedoria é que sabedoria é uma questão de vida e morte. A sabedoria não é um fim em si mesmo. O fim é a vida. A vida depende do favor do Senhor. O favor do Senhor é concedido àqueles que o desejam e o buscam.

Os arrogantes, que desprezam a sabedoria, os indolentes, que não se dispõem a buscar a sabedoria, os tolos, que se recusam a ouvir a sabedoria, todos eles encontrarão a morte, isto é, no máximo sobreviverão, mas não chegarão a conhecer o que é a vida.

E quem não conhece o que é a vida está morto, ainda que esteja sobrevivendo.

A Sabedoria construiu sua casa e ergueu suas sete colunas. Preparou um grande banquete; misturou os vinhos e arrumou a mesa. Enviou suas servas para convidarem a todos; do ponto mais alto da cidade, ela clama: "Venham à minha casa todos os ingênuos", e aos que não têm juízo ela diz: "Venham, comam de meu banquete e bebam do vinho que misturei. Deixem sua ingenuidade para trás e vivam; andem pelo caminho do discernimento".
PROVÉRBIOS 9.1-6

Os ingênuos e os que não têm juízo foram convidados para o banquete oferecido pela sabedoria.

Os ingênuos são os desprovidos de consciência moral, crédulos, facilmente manipulados. São pessoas que quando fazem o bem não têm bondade e quando fazem o mal não têm maldade. São mais ignorantes que maldosas. E mais simplórias que virtuosas.

Os que não têm juízo são os que têm conhecimento da lei e consciência moral, são capazes de discernir o certo do errado, mas não têm autocontrole. São pessoas fracas; desejam cumprir a lei, mas não conseguem.

A sabedoria sopra consciência. Confere discernimento. Conduz à autonomia ("auto" = em si mesmo + do grego "nomos" = lei, ou seja, capacidade de ser guiado pela consciência).

A sabedoria também concede força moral, capacidade de autocontrole, condição de autogoverno. Pessoas que frequentam os banquetes da sabedoria, comem o seu pão e desfrutam o seu vinho têm acesso ao que precisam para saber o que fazer e força suficiente para fazer o que deve ser feito.

Discernimento espiritual e força moral são dois frutos da sabedoria.

Quem repreende o zombador recebe insulto como resposta; quem corrige o perverso prejudica a si mesmo. Não se dê o trabalho de repreender o zombador, pois ele o odiará; repreenda, porém, o sábio, e ele o amará. Instrua o sábio, e ele crescerá na sabedoria; ensine o justo, e ele aprenderá ainda mais.
PROVÉRBIOS 9.7-9

A sabedoria prepara o banquete e envia os serviçais para convidar as pessoas. Ninguém tem acesso direto à sabedoria, senão por seus serviçais, isto é, pelas pessoas que nos trazem palavras de sabedoria.

Os serviçais, entretanto, são instruídos a selecionar aqueles a quem entregar os convites para o banquete. O zombador e o perverso não devem ser abordados. Apenas os justos e os sábios devem ser convidados.

Jesus nos ensinou dizendo: "Não deem o que é santo aos cães, nem joguem pérolas aos porcos; pois os porcos pisotearão as pérolas, e os cães se voltarão contra vocês" (Mt 7.6).

Os zombadores não reconhecem valor na sabedoria.

Os perversos não admitem ser repreendidos nem contrariados.

Os sábios e justos, ao contrário, estão sempre abertos à sabedoria, pois têm consciência não apenas do seu valor, mas também de sua imensidão. O sábio está ciente de que sempre é possível aprofundar-se no conhecimento. O justo sabe que é sempre possível alcançar um patamar mais alto. Os tesouros da sabedoria são inesgotáveis. Os sábios e os justos querem sempre mais. Fique perto deles.

Escolha bem quem você chamará para o banquete da sabedoria.

O temor do SENHOR *é o princípio da sabedoria; o conhecimento do Santo resulta em discernimento.*
PROVÉRBIOS 9.10

Abraham Joshua Heschel, um dos meus rabinos prediletos, disse que os gregos estudavam para entender. O homem moderno estuda para manipular. Os hebreus estudavam e estudam para respeitar.

Quando falamos de sabedoria para viver, não estamos falando em conhecimento prático e cultura pragmática, para fazer o mundo funcionar e a vida dar certo, alcançar o sucesso e a prosperidade. A sabedoria bíblica não é um amontoado de dicas para quem deseja se dar bem. Deus não é um conselheiro do tipo que ensina truques para vencer na vida. Por isso o zombador e o perverso não estão interessados na sabedoria. Querem apenas o que pode lhes trazer vantagem imediata em termos de conforto e prazer.

A sabedoria é do Senhor, e o Senhor é santo. Por isso o temor do Senhor é o princípio da sabedoria. Quem recebe a sabedoria no contexto do temor do Senhor não apenas ganha entendimento e capacidade para se movimentar na dinâmica da existência. Ganha especialmente o senso de encantamento, maravilhamento e alumbramento com a sacralidade do universo criado e todas as suas criaturas, e especialmente a reverência diante da vida humana, que é igualmente santa, sagrada.

Esse respeito a Deus, ao mundo, aos seres vivos e à vida humana é o princípio da sabedoria, ou seja, é parte da sabedoria, é o seu primeiro fruto.

Sabedoria sem senso de sagrado, sem reverência, sem temor não passa de conversa fiada.

Se você se tornar sábio, o benefício será seu.
PROVÉRBIOS 9.12

A pessoa mais afetada pela sua maneira de viver é você mesmo. Suas ações, decisões e escolhas, os compromissos que assume, antes de afetar alguém, afetam primeiramente você. Não tenha dúvida: tudo o que faz para os outros ou com os outros, faz primeiramente para você e com você.

Por isso, já que, em última instância, o prejuízo é seu e o benefício é seu, sugiro que justifique suas ações ou decisões com as frases "porque eu quero" ou "porque eu escolhi". Por exemplo:

- Troque "estou fazendo isso porque meu marido quer" por "estou fazendo isso porque eu escolhi fazer o que meu marido quer".
- Troque "estou fazendo isso para salvar meu casamento" por "estou fazendo isso porque eu quero tentar salvar meu casamento".
- Troque "estou fazendo isso por causa dos meus filhos" por "estou fazendo isso porque eu escolhi dar prioridade aos meus filhos".
- Troque "estou fazendo isso porque meu chefe mandou" por "estou fazendo isso porque eu escolhi fazer o que meu chefe mandou" .
- Troque "estou fazendo isso porque Deus quer" por "estou fazendo isso porque eu quero fazer o que acredito que Deus quer que eu faça".

Assumir a responsabilidade pelas escolhas, decisões e ações é um caminho de sabedoria. Porque, na verdade, somos nós os mais beneficiados ou prejudicados pelo nosso jeito de viver.

A sabedoria multiplicará seus dias e tornará sua vida mais longa. Se você se tornar sábio, o benefício será seu; se desprezar a sabedoria, sofrerá as consequências.
PROVÉRBIOS 9.11-12

Fico intrigado com pessoas que desprezam a sabedoria, uma vez que as maiores beneficiadas ou prejudicadas são elas mesmas. Fico procurando explicações para isso. Mas, antes, duas considerações. A primeira é que algumas pessoas nem param para avaliar como vivem, apenas vivem. A segunda é que há outras compreensões diferentes das minhas sobre o que significa viver sabiamente. Alguém pode achar sábio o que acho estúpido. E vice-versa.

Mas acredito que algumas pessoas desprezam a sabedoria porque simplesmente não se importam com sofrer. Acreditam que isso é a vida. Querem experimentar de tudo, inclusive a loucura e a insensatez. E acreditam ser melhor se arrepender por ter feito que por ter deixado de fazer.

Outras desprezam a sabedoria porque querem ferir alguém. Elas não se importam com sofrer desde que seu sofrimento cause sofrimento igual ou maior em outro. Sofrem para punir alguém ou se vingar de quem lhes fez mal.

Outras, porque acham que merecem sofrer. Elas se autossabotam porque carregam culpa, consciente e/ou inconsciente, e mesmo sabendo que caminham para a destruição acham que merecem passar por isso.

Outras, porque estão fugindo de alguma dor muito profunda. Talvez porque sofreram algum trauma que as fez perder o apetite pela vida, estão se matando.

Devem existir outras razões. Mas, na minha opinião, nenhuma delas justifica desprezar a sabedoria.

A mulher chamada Insensatez é atrevida; é ignorante e nem se dá conta disso. Senta-se à porta de sua casa, no ponto mais alto da cidade. Clama aos que passam pelo caminho, ocupados com seus próprios assuntos: "Venham à minha casa todos os ingênuos", e aos que não têm juízo ela diz: "Água roubada é mais refrescante! Pão comido às escondidas é mais saboroso!"
PROVÉRBIOS 9.13-17

Assim como a sabedoria, a insensatez também convida os ingênuos e sem juízo para o seu banquete e abre as portas da sua casa, assentada no lugar mais alto da cidade.

A casa da sabedoria está assentada sobre sete colunas, que representam os sete dias da criação, inclusive o *shabat*. Representam a estrutura do universo criado. A sabedoria foi criada antes de tudo, se apresenta como arquiteta do universo e esteve com Deus em seu ato criador enquanto ele demarcava os alicerces da terra.

O *shabat* é o princípio de transcendência, a abertura para o miraculoso, o símbolo da presença de Deus na estrutura da criação. O fundamento central do universo é a relação entre Deus e sua criação. Como criação, o universo não é um sistema fechado. A sabedoria conhece os mistérios das colunas que o sustentam, e especialmente o *shabat*. O próprio Deus é anfitrião de toda a criação.

Somos chamados a escolher entre o convite da sabedoria para o banquete de Deus, e o convite da insensatez para seu banquete, sustentado na fantasia e na ilusão.

Ou aceitamos o convite da sabedoria e comemos o pão da vida, na mesa de Deus.

Ou aceitamos o convite da insensatez e comemos o pão roubado, na mesa da ilusão.

A mulher chamada Insensatez [...] clama aos que passam pelo caminho, [...]: "Venham à minha casa todos os ingênuos", e aos que não têm juízo ela diz: "Água roubada é mais refrescante! Pão comido às escondidas é mais saboroso!". Mal sabem, porém, que ali estão os mortos; seus convidados estão nas profundezas da sepultura.

PROVÉRBIOS 9.13-18

O argumento da insensatez para os ingênuos e sem juízo é que água roubada é mais fresca e pão comido às escondidas é mais saboroso. O banquete da insensatez é velado, enquanto o banquete da sabedoria é aberto.

Há coisas que você faz de maneira reservada para preservar sua intimidade. São coisas do seu mundo privado e íntimo que não podem ser vividas e expostas em público. Devem ser feitas e desfrutadas reservadamente. Mas, quando você precisa fazer alguma coisa de maneira velada, escondida, não porque queira proteger sua privacidade, mas para esconder sua vergonha ou varrer sua culpa para debaixo do tapete, então você sabe que está fazendo o que não deveria fazer.

Quando você está fazendo algo que teme vir a público, porque se vier a público receberá a condenação da sociedade, então você certamente está no banquete da insensatez.

Saia daí agora, porque esse é um caminho de morte.

A mulher chamada Insensatez é atrevida.
PROVÉRBIOS 9.13

Outras traduções dizem que essa mulher é devassa. A insensatez é uma mulher devassa, atrevida e sedutora.

Existe um mal que é recatado, tímido, quase envergonhado. A pessoa que pratica esse tipo de mal dessa maneira, que não é devassa, atrevida, faz o mal com uma mistura de culpa. Ela não consegue se entregar totalmente ao mal, mas o pratica com um senso de vergonha e não consegue ir a fundo, levando às últimas consequências nem a maldade nem o desfrute da maldade que pratica.

Mas existe também um mal descarado, debochado, despudorado, desavergonhado. Os tímidos, os que não têm juízo, os que são ingênuos, esses são chamados pela mulher devassa para o oculto de sua casa, para que comam o pão às escondidas.

A mulher devassa, a insensatez, é atrevida, desavergonhada, debochada, descarada. Perdeu completamente a noção do perigo, ou porque acredita que passará impune ou porque é arrogante o suficiente para acreditar que conseguirá administrar todas as consequências do mal quando ele se voltar contra ela mesma.

Pessoas debochadas, extravagantes, desavergonhadas, descaradas na prática do mal estão caminhando para um abismo, ou na verdade já caíram no abismo e nem sequer perceberam.

Fique longe dessas pessoas, fique longe do abismo.

A mulher chamada Insensatez é atrevida [...]. Senta-se à porta de sua casa, no ponto mais alto da cidade. Clama aos que passam pelo caminho [...]: "Venham à minha casa todos os ingênuos", e aos que não têm juízo ela diz: "Água roubada é mais refrescante! Pão comido às escondidas é mais saboroso!". Mal sabem, porém, que ali estão os mortos; seus convidados estão nas profundezas da sepultura.

PROVÉRBIOS 9.13-18

Os convidados da insensatez estão nas profundezas da sepultura. Ali se encontram ou porque morreram de fato ou porque desperdiçam a vida. Desperdiçam a vida porque desfrutam de prazeres menores, se não vazios.

No banquete da sabedoria há carne e vinho. No banquete da insensatez há pão e água, e ainda por cima água e pão roubados.

Essa é a diferença entre prazer e gratificação. Gratificação é prazer misturado com virtude. Prazer sem virtude é prazer vazio, nunca satisfaz, conduz, muitas vezes, ao tédio.

Aquele que chegou ao topo do Everest de helicóptero sente um prazer. Mas é diferente do prazer de quem chegou ao topo tendo escalado o monte.

Um chegou sem virtude, o outro chegou com virtude. Um sente prazer, o outro experimenta gratificação. Um come pão e água, roubou no jogo, o outro desfruta a mesa com carne e vinho.

Entre o prazer e a gratificação, escolha a gratificação.

O Senhor *não deixa o justo passar fome, mas se recusa a satisfazer o desejo dos perversos.*
Provérbios 10.3

Esse provérbio nos coloca diante das necessidades e dos desejos. Fala da fome que é saciada e dos desejos dos perversos que são frustrados.

O Senhor não permite que o justo passe fome, mas se recusa a satisfazer o desejo dos perversos. Deus não patrocina o estilo de vida de gente perversa, de gente má. Há pessoas que vivem para satisfazer seus desejos, e desejos egoístas. Tiago escreve que não recebemos o que pedimos a Deus porque pedimos com motivação egoísta, para gastar em nossos próprios deleites, prazeres, em vez de buscar o bem coletivo. Por isso nossos desejos egocêntricos são frustrados por Deus.

É interessante a comparação: o justo que não passa fome e o perverso que corre atrás de seus desejos. As necessidades legítimas e os prazeres perversos. É claro que não é preciso ater-se a essa polaridade. Existe muita coisa no meio do caminho. Há mais do que simplesmente o suprimento da necessidade e muito mais que prazeres egoístas. Se encontrarmos o meio-termo entre as necessidades supridas e os desejos legítimos, talvez encontremos um bom caminho de sabedoria.

O fato é que Deus não patrocina estilo de vida de gente ruim.

Busque o meio-termo: satisfazer as necessidades e os desejos legítimos, desejos que estão relacionados ao bem comum; não são egoístas nem egocêntricos.

[...] as palavras dos perversos ocultam violência.
Provérbios 10.6

Existem palavras maldosas que são explícitas. Mas existem as palavras cheias de maldade, palavras em que a maldade está oculta. Isso faz lembrar o artigo 171 do Código Penal: "Obter, para si ou para outrem, vantagem ilícita, em prejuízo alheio, induzindo ou mantendo alguém em erro, mediante artifício, ardil ou qualquer outro meio fraudulento".

O 171 é um crime sem armas. Ou melhor, um crime que transforma as palavras em armas. Palavras de argumentação e sedução. Palavras que apelam para alguma coisa que existe dentro de quem ouve a conversa fiada do 171. Por exemplo, a possibilidade de:

- Exercer uma virtude.
- Livrar-se de uma culpa.
- Superar um medo.
- Aproveitar uma oportunidade.
- Desfrutar um prazer.
- Satisfazer uma ganância.

O 171 sabe encontrar dentro do ouvinte alguma coisa que o torna vulnerável a uma argumentação ardilosa e sedutora. Cuidado! Cuidado quando as palavras oferecem facilidades, benefícios ilícitos ou mesmo quando despertam as coisas ruins que moram dentro de você.

Não se deixe enganar pelos 171. Nem se torne, você, um criminoso ou uma criminosa tipo 171.

Não transforme suas palavras em armas.

O justo deixa boas lembranças, mas o nome dos perversos apodrece.
PROVÉRBIOS 10.7

A Bíblia conta a história de Jeorão, o rei que morreu sem deixar saudades (2Cr 21.20). Existem mesmo pessoas que, ao morrer, suscitam comentários como: "Já vai tarde". Mas a Bíblia também conta a história da mulher chamada Dorcas (At 9.36-42). Ela abençoava tantas pessoas que, diante de sua morte, elas foram até Pedro para que ele a ressuscitasse. Dorca representa o tipo de pessoa que, ao morrer, levanta comentários do tipo: "Que pena". São mortes que lamentamos profundamente.

Como você acha que as pessoas reagirão à sua morte? Elas serão indiferentes? Dirão "já vai tarde" ou "que pena"? Lamentarão profundamente sua morte? Será que pediriam a Deus que ressuscitasse você ou diriam a Deus: "Que bom que o Senhor a levou"?

Você é o tipo de pessoa que, ao morrer, deixará saudades, um vazio? As pessoas lamentarão a sua ausência ou você é o tipo de pessoa cuja morte será motivo de agradecimento das pessoas a Deus? Você é alguém que anda fazendo o bem ou anda praticando o mal? É o tipo que abençoa pessoas ou a sua maldade representa um peso para elas? As pessoas reforçarão o seu túmulo ou pedirão a Deus que o ressuscite? Você, enfim, deixará saudade ou o seu nome apodrecerá também?

Pense nisso. A hora é agora, enquanto você está vivo.

[...] as palavras do insensato causam sua ruína.
PROVÉRBIOS 10.8

O sábio recebe mandamentos de bom grado. O sábio prospera pelo que ouve. O insensato morre pelo que fala. Já diz o ditado que o peixe morre pela boca.

Há muitas palavras que levam à morte, à ruína:

- Mentiras, calúnias, difamações.
- Acusações, julgamentos, condenações.
- Palavras arrogantes, que diminuem as pessoas.
- Reclamações, murmurações.
- Palavras pessimistas, desalentadoras.
- Provocações, intrigas, agressões.

Por que as palavras levam à morte? Porque nos empurram para a solidão. Porque afastam as pessoas de nós. Não por falta da parte delas; nossas palavras é que as afastam de nós. Usamos palavras de morte, e aos poucos matamos as pessoas ao nosso redor. E aí está a nossa ruína. A nossa solidão.

Cuide bem das suas palavras. Use palavras de vida. Para usar palavras de vida, faça como o sábio: receba as instruções da sabedoria de bom grado. Seja um bom ouvinte. Acolha o coração das pessoas e responda com palavras de vida.

Aí está o segredo do amor e da comunhão. O segredo da alegria da convivência.

Quem fecha os olhos para a maldade causa problemas,
mas a repreensão clara promove a paz.
PROVÉRBIOS 10.10

Amigos e casais que não "discutem a relação" para "não ter problemas" acabarão tendo lá na frente um problema ainda maior. Discutir a relação todo dia é insuportável. Mas nunca discuti-la é fatal.

Falar a verdade em amor é uma arte. Não a verdade a respeito do outro, mas principalmente a verdade a respeito de como nos sentimos em relação ao outro. Falar dos próprios sentimentos, das próprias dores, das coisas que nos ferem, nos machucam.

Ao discutir a relação, não diga "você é assim ou assado", ou "você fez isso ou aquilo". Diga, simplesmente: "Quando você age assim, ou fala dessa maneira, eu me sinto assim e assado".

Não fale do outro, fale de si.

Ao discutir a relação, mostre seu coração, seu jeito de pensar. Deixe claro como você gostaria de cultivar essa convivência.

Não acuse o outro, dizendo o que você julga certo ou errado. O outro também tem suas razões, também tem seu coração ferido, também tem seu jeito de pensar, também tem a própria maneira de sentir a vida.

Ao discutir uma relação, compartilhe seu coração, mas faça isso com clareza. Não tenha medo de discutir a relação, mas também não tenha medo de repreender claramente as pessoas que ferem, que machucam você. A repreensão clara promove a paz. Não tenha medo de discutir sua relação; o pior que pode acontecer é você começar a se entender.

O ódio provoca brigas, mas o amor cobre todas as ofensas.
PROVÉRBIOS 10.12

A maioria dos conflitos nos relacionamentos se dá por questões controversas. Dificilmente a discussão se refere a alguma coisa claramente condenável, má ou ilícita. Geralmente os conflitos giram em torno de coisas nebulosas, que dependem de interpretações, das conveniências de cada parte.

Quando a discussão é a respeito dessas questões controversas, a possibilidade de paz depende muito pouco das palavras trocadas e dos argumentos apresentados de cada lado. Nessa hora o que pesará é o coração de cada um. A predisposição interior. Não são os fatos externos, mas as atitudes internas que determinam a qualidade dos relacionamentos.

O amor é capaz de relevar falhas, imperfeições e ofensas.

A predisposição em relação às pessoas determina nossa reação às ofensas delas.

As verdadeiras brigas não são de palavras contra palavras, mas de coração contra coração.

Quando duas pessoas se amam, mesmo que tropecem nas palavras, encontram o caminho da paz. Quem ama prefere ter o outro nos braços a sair vencedor na discussão.

A riqueza do rico é sua fortaleza; a pobreza dos pobres é sua destruição.
PROVÉRBIOS 10.15

As riquezas materiais protegem uma pessoa nos acasos da vida. Nesse sentido, os ricos possuem privilégios e recursos que os pobres não possuem.

Os ricos têm relações de influência, plano de saúde, moram em condomínios fechados, têm reservas financeiras para emergências e crédito no banco.

Os pobres não têm nada. Ou têm quase nada. Os pobres têm sua força, sua fé e sua solidariedade. No que se refere a condições materiais para enfrentar os dias maus, os pobres estão mais vulneráveis do que os ricos.

Isso é uma das injustiças e das crueldades da vida.

Embora o que os ricos possuem não resolva tudo, resolve muita coisa.

Por isso a Bíblia, nas palavras do apóstolo Paulo, recomenda aos "ricos deste mundo que não se orgulhem nem confiem em seu dinheiro, que é incerto. Sua confiança deve estar em Deus, que provê ricamente tudo de que necessitamos para nossa satisfação" (1Tm 6.17).

Afirma ainda o apóstolo que os ricos devem usar seu dinheiro "para fazer o bem. Devem ser ricos em boas obras e generosos com os necessitados, sempre prontos a repartir" (1Tm 6.18).

As riquezas servem para isto: para a satisfação e para as boas obras.

A maneira correta de lidar com a riqueza é esta: gratidão e generosidade.

Quem aceita a disciplina está no caminho da vida,
mas o que despreza a repreensão se desvia dele.
PROVÉRBIOS 10.17

No campo da ética e da moral, não há meias medidas: ou você caminha para a vida ou para a morte.

As pessoas que dão ouvidos aos outros, que são humildes para reconhecer seus erros e são ensináveis e prontas a aprender têm mais probabilidade de se dar bem na jornada.

É preciso ser humilde para acatar a disciplina e a repreensão. A disciplina incentiva a boa conduta. A repreensão coíbe a má conduta.

Incentivar e coibir.

Quem não enxerga as vantagens de ser correto do ponto de vista moral dificilmente se manterá no bom caminho. Quem não teme as consequências ruins de seu caminho mau dificilmente se afastará dele, e cedo ou tarde acabará encontrando a morte.

A sabedoria é trágica, trata as questões éticas e morais como casos de vida e morte. Você pode achar a sabedoria um pouco exagerada. Mas todos os dias ouvimos histórias de tragédias que poderiam ter sido evitadas. E cada história de tragédia é, de certa forma, uma disciplina e uma repreensão.

As pessoas tolas aprendem apenas com os próprios erros. Quando aprendem.

As pessoas sábias conseguem aprender com os erros e acertos dos outros.

As pessoas sábias ouvem a disciplina e a repreensão.

Quem fala demais acaba pecando; quem
é prudente fica de boca fechada.
Provérbios 10.19

Diz o ditado que em boca fechada não entra mosca.

Os rabinos ensinam que existem quatro tipos de fala: proibida, opcional, permissível e virtuosa.

Há coisas que não devem ser ditas: calúnias, difamações, fofocas e maldições, por exemplo. São as palavras proibidas.

Há coisas que não fazem diferença se são ditas ou não. São as palavras opcionais, as conversas do dia a dia.

Há coisas que podem ser ditas, pois são inofensivas. São as palavras permissíveis, aquelas que não têm peso moral.

Finalmente, há coisas que devem ser ditas, aquelas que cooperam positivamente para a qualidade espiritual da vida. São as palavras virtuosas.

As pessoas sábias, além de transitar entre as palavras opcionais e permissivas, sabem discernir as palavras proibidas das virtuosas.

As pessoas sábias falam apenas quando as palavras são opção melhor que o silêncio. Elas escolhem expressar palavras virtuosas.

COLATERAL

A bênção do SENHOR *traz riqueza, e ele não permite que a tristeza a acompanhe.*
PROVÉRBIOS 10.22

Nem todas as pessoas abençoadas por Deus são ricas. Nem todas as bênçãos de Deus são riquezas materiais. Nem todas as riquezas materiais são bênção de Deus.

Se você não é uma pessoa rica ou não se considera rica, não significa que não seja abençoada por Deus. Há muitas bênçãos de Deus maiores e melhores do que dinheiro.

Se você é uma pessoa rica ou se considera rica, não pense que essa riqueza é necessariamente bênção de Deus.

Assim como nem toda bênção é riqueza, nem toda riqueza é bênção.

Como saber então?

Aí está o provérbio esclarecendo o critério: a prosperidade que vem de Deus não tem efeito colateral negativo. Não vem acompanhada de tristeza, não traz consigo resíduo tóxico.

Isso me faz lembrar da verdadeira concepção de riqueza: fazer crescer todas as contas correntes ao mesmo tempo. A pessoa que tira dinheiro de uma conta para depositar em outra não está enriquecendo, mas apenas transferindo fundos. Quem tira da conta caráter para colocar na conta dinheiro está empobrecendo. Quem tira da conta saúde ou da conta convivência familiar para fazer crescer a conta bancária não está ficando necessariamente rico.

Há muita riqueza financeira que vem acompanhada de muita dificuldade, aflição, angústia e tristeza. Essa riqueza com certeza não é bênção de Deus. A bênção de Deus traz sim prosperidade, mas uma prosperidade sem efeito colateral negativo. A prosperidade de Deus é completa.

O tolo se diverte em fazer o mal, mas o sensato tem prazer em viver com sabedoria.
PROVÉRBIOS 10.23

A mulher chegou diante do reverendo D. L. Moody e disse:

— Deve ser muito chato ser pastor.

— Por quê? — quis saber Moody.

— Porque um pastor não pode ir a bailes, ao cinema, não pode fumar, nem beber.

Ao que Moody teria respondido:

— A diferença entre nós não está no que a senhora pode e eu não posso. Está em que a senhora quer, e eu não quero.

Essa conversa reflete a cultura e a sociedade norte-americana do final do século 19, quando Moody era pastor em Chicago. Teatro e cinema, cigarro e uísque são apenas exemplos de possíveis prazeres.

Esse diálogo ensina que as diversões de uma pessoa revelam seu caráter. E vice-versa. O tolo se diverte ao fazer o mal. O sensato tem prazer em viver com sabedoria.

A questão moral, profunda da sabedoria não é o que se podemos ou não podemos, mas aquilo que queremos ou não queremos, aquilo em que temos ou não temos prazer.

O tolo se diverte praticando o mal.

O sábio tem prazer em viver com sabedoria e em fazer o bem.

As tempestades da vida levam embora o perverso,
mas o justo tem alicerce duradouro.
PROVÉRBIOS 10.25

Jesus comparou seus discípulos ao homem prudente que constrói sua casa sobre a rocha.

O justo é aquele que ouve a palavra de Deus e a pratica. Não é apenas questão de ouvir ou acreditar. É questão de praticar. Quem ouve e pratica tem a casa na rocha. Isto é, o alicerce é firme.

O perverso ouve e não pratica, ou nem sequer chega a ouvir. Sua casa está construída na areia. Nem mesmo tem alicerce.

O fato é que todos estamos sujeitos às tempestades da vida. Chove na casa de todo mundo. As tragédias e as notícias ruins causam destruição avassaladora na vida dos perversos, na vida daqueles que têm a casa construída sobre a areia. Mas os justos amanhecem no dia seguinte das tragédias com sua casa ainda em pé.

A diferença entre o justo e o perverso não é que o justo está isento da chuva, é poupado da tragédia. A diferença está no estrago que a chuva faz na vida de cada um. O perverso é destruído pela tragédia. O justo atravessa a tragédia. Faz lembrar o salmo 23. Podemos atravessar o vale da sombra da morte, mas chegamos do outro lado inteiros e vemos amanhecer o dia. Choramos durante a noite, mas nos alegramos pela manhã. A tempestade passa, e o sol volta a brilhar.

Na vida de quem anda com Deus é assim.

Como vinagre nos dentes ou fumaça nos olhos,
assim o preguiçoso irrita seus chefes.
PROVÉRBIOS 10.26

O vinagre impede a mastigação. A fumaça impede a visão. O preguiçoso impede o fluxo de trabalho e a produtividade. A riqueza é resultado do fluxo de trabalho. O preguiçoso interrompe o fluxo de trabalho e, portanto, o fluxo de riqueza.

O preguiçoso compromete todo um sistema. Ou por sua lentidão, distração, má vontade ou por sua falta de concentração. Ou, em última instância, por sua omissão. Não se trata de fazer as coisas vagarosamente ou com baixa qualidade. Ele simplesmente não cumpre com sua responsabilidade.

O preguiçoso não faz mal apenas a si mesmo. Ele prejudica a si mesmo e prejudica os demais trabalhadores. Ele não faz. Ele atrapalha quem está fazendo ou tentando fazer.

Mas o pior é que o preguiçoso afeta o humor, o clima do grupo e do ambiente de trabalho. Ele causa irritação no chefe. Ele causa irritação nos colegas de trabalho. Ele puxa todo mundo para baixo. Ele faz todo mundo andar mais lentamente. Ele faz o conjunto produzir menos e com pior qualidade.

O preguiçoso é um atraso de vida. Para ele mesmo e para quem está perto dele. O preguiçoso é irritante.

Fuja de gente preguiçosa.

Aliás, cuide para não ser você mesma uma pessoa preguiçosa. Preguiça irrita.

O temor do Senhor *prolonga a vida, mas os dias dos perversos são encurtados.*
Provérbios 10.27

Dizem que quem morre de véspera é o peru. É verdade. Mas o perverso também. Algumas pessoas morrem antes do tempo. Poderiam ter vivido mais. Mas não vivem.

No Talmude, o livro dos comentários rabínicos da Lei e da ética, das tradições e dos costumes e da história do judaísmo, os rabinos dizem que os sacerdotes do primeiro templo de Salomão foram apenas 80 em 410 anos, enquanto os do segundo templo, construído após o exílio da Babilônia, foram mais de 300 em 410 anos. Ou seja, 80 no primeiro e 300 no segundo, num período igual de 410 anos.

Os rabinos explicam que os sacerdotes do segundo tempo viviam menos. E viviam menos porque eram perversos e desonestos. Usavam o ofício sacerdotal em benefício próprio. E, assim viam os rabinos, essa perversidade lhes encurtava a vida.

A maldade mata. Principalmente o próprio malvado.

O uso de balanças desonestas é detestável para o
Senhor, mas ele se alegra com pesos exatos.
Provérbios 11.1

A cultura ocidental moderna dividiu a vida humana em pedaços. Como se a vida fosse uma *pizza* fatiada. Cada pedaço corresponde a uma área da vida, como, por exemplo, vida pessoal, familiar, social, profissional, religiosa.

Além disso, criou a ideia de que essas partes da vida não se inter--relacionam. Uma pessoa pode ser ótima numa parte e péssima na outra. Ouvimos coisas como "ele é um ótimo pai, mas um péssimo profissional", "ela é uma ótima profissional, mas uma péssima esposa". Ou coisas como "minha vida religiosa não tem nada a ver com a minha vida profissional", "minha vida social não tem nada a ver com minha vida religiosa", ou "minha vida religiosa é uma questão particular, de foro íntimo, é minha vida privada".

Mas as pessoas que temem a Deus integram todas as áreas de sua vida e, principalmente, sabem que tudo em sua vida se relaciona com Deus.

Deus está tão preocupado com suas orações quanto com sua integridade nos negócios. Ele está tão ocupado com as canções de louvor que você canta, as esmolas que você dá quanto com a balança que você utiliza em seu comércio para pesar as mercadorias.

A balança desonesta é detestável e abominável para o Senhor. E diante de Deus, o mal, a perversidade, a falta de integridade e a desonestidade recebem justo julgamento. Diante de Deus nada acaba em *pizza*. Até porque sua vida não é uma *pizza*.

O orgulho leva à desgraça, mas com a
humildade vem a sabedoria.
PROVÉRBIOS 11.2

O orgulhoso quebra a cara. O orgulhoso não ouve ninguém. Enxerga apenas com os próprios olhos, e por isso caminha com muitos pontos cegos. Há muita coisa que o orgulhoso não vê. Uma parede ou uma pedra no caminho.

Você que é inteligente pode ter a visão correta das coisas. Mas nunca terá a visão completa. Deixe de ser orgulhoso, deixe de ser teimosa. Seja humilde. Admita que há muita coisa que você não sabe. Há muita coisa que você não controla. Há muita coisa que você não conhece. Há muita coisa que você não vê. Há muita coisa que você não domina.

Seja humilde. Viva plural. Aceite ajuda. Caminhe em boa companhia. Ouça. Ouça a sabedoria que vem dos outros. Especialmente das pessoas que amam você e que têm prazer em caminhar ao seu lado.

Você só tem a ganhar andando em boa companhia e andando na companhia da sabedoria, que é coletiva.

As riquezas de nada ajudarão no dia do juízo,
mas uma vida justa livra da morte.
PROVÉRBIOS 11.4

O dia do juízo sempre chega. O dia do juízo é dia de fazer justiça. Dinheiro compra muita coisa, mas no dia do juízo o dinheiro é inútil. Porque o dinheiro pode comprar veredito e sentença. Mas o dinheiro não pode comprar justiça.

No dia do juízo você pode dizer: "fiz porque não tive alternativa", "fiz porque estava desesperado", "fiz porque fui obrigado". Mas, não se iluda, essas são meras tentativas de explicar a prática criminosa.

E nada justifica o crime e a prática do ilícito. A quase totalidade dos criminosos quer mesmo é um padrão de vida que não teria se dependesse de trabalho honesto. Muita gente prefere sacrificar o caráter em troca de conforto. Entre sacrificar desejos e cometer crimes, escolhe a vida bandida.

Esse tipo de gente está iludida a respeito de duas coisas. A primeira é acreditar que a vida bandida é mais prazerosa do que a vida íntegra. A segunda é acreditar que vai passar impune. Mas o dia do juízo chegará, e nesse dia a riqueza conquistada no crime será inútil.

O hipócrita, com suas palavras, destrói seus amigos, mas o conhecimento livra os justos.
PROVÉRBIOS 11.9

"Hipócrita" na Grécia antiga era o ator, aquele que fingia em sentido artístico, no palco, nas peças satíricas. Os atores usavam máscaras que caracterizavam seu personagem. Uma coisa era a *persona*, a pessoa. Outra coisa era o *hipócrita*, a personagem.

A hipocrisia mais tarde passou a significar o fingimento na vida real. Hipócrita é aquele que mente, engana, dissimula. Representa um papel. Não é honesto em seus relacionamentos. Não é honesto em suas intenções. Não é honesto em suas palavras.

Você não pode confiar no testemunho, nos compromissos, nas promessas do hipócrita. O hipócrita fala pelas costas. Fala falsamente. Palavras mentirosas, fofocas, calúnia, difamação. É por isso que ele destrói amigos.

Discernir as verdadeiras amizades é uma arte. Na verdade, é quase um dom divino. Mas nada mais revelador do caráter de uma pessoa do que suas palavras. As palavras revelam os verdadeiros amigos, as verdadeiras amigas. E o conhecimento, o discernimento, livra as pessoas justas dos hipócritas.

As palavras revelam as pessoas, mesmo que tentem se esconder atrás de sua máscara.

O fofoqueiro espalha segredos, mas a pessoa confiável sabe guardar confidências.
PROVÉRBIOS 11.13

Confidência é aquilo que se deposita ao cuidado de outro na confiança de que será bem guardado. As fofocas causam muitos prejuízos. Fofoqueiros não merecem confiança. Não merecem que você deixe valores aos cuidados deles. Não merecem sua confidência.

Vivemos em três dimensões de mundo.

- Público: todo mundo têm acesso.
- Privado: algumas poucas pessoas têm acesso.
- Íntimo: ninguém tem acesso, a menos que queiramos concedê-lo.

As coisas mais valiosas que temos estão guardados em nossa intimidade. No cofre do coração. Aquele lugar ao qual ninguém tem acesso a menos que lhes confiemos o segredo e os segredos.

Os fofoqueiros não merecem chegar tão perto. Eles devem ficar à distância, no mundo público, devem saber de nós apenas aquilo que todo mundo sabe, e apenas aquilo que não há problema que todo mundo fique sabendo.

Confidências são para pessoas confiáveis. Gente com a língua solta não merece confiança.

Sem uma liderança sábia, a nação cai; ter muitos conselheiros lhe dá segurança.
PROVÉRBIOS 11.14

Na multidão de conselheiros há sabedoria. "Quanto mais conselhos sábios, melhores soluções" (A Mensagem).

Qualquer pessoa pode ter a visão correta. Mas ninguém tem a visão completa. As melhores soluções resultam de muitas conversas. Nas conversas adquirimos outras perspectivas. Se é verdade que todo ponto de vista é a vista de um ponto, então é verdade que enxergar uma questão de vários pontos naturalmente nos dá uma visão mais completa dos múltiplos aspectos envolvidos na questão.

Nas conversas não apenas somos chamados a pensar a respeito das opiniões divergentes, quando vemos a mesma coisa mas pensamos diferentemente a respeito delas, como também somos chamados a ver coisas que não vemos. Ou ver nas coisas que vemos coisas que não tínhamos visto.

A pessoa sábia sabe que não sabe tudo. Mais do que isso, sabe que não enxerga tudo. E, além disso, sabe que não enxerga tudo nas coisas que enxerga.

A pessoa sábia sabe ouvir conselheiros. A pessoa sábia transforma ouvidos em olhos. E por isso enxerga melhor onde pisa. E por isso tropeça menos. E por isso vai mais longe. E por isso também se machuca menos.

É bom conversar. É bom ouvir conselhos. E é bom selecionar bem os conselheiros.

A mulher bondosa ganha respeito; tudo que
os homens cruéis obtêm é riqueza.
Provérbios 11.16

Tudo que os homens cruéis obtêm é riqueza. Mas tem gente que não deseja mais nada. Tem gente que pensa que riqueza é tudo. Pobre gente. Gente pobre.

Alguém já disse que o fulano era tão pobre que tudo que possuía era apenas dinheiro. Quem só tem dinheiro, quem só tem riqueza, quem tudo que consegue na vida é riqueza é uma pessoa muito pobre.

Respeito, no entanto, é muito diferente. Respeito é resultado do caráter. Respeito é resultado da bondade. E não do acúmulo. Respeito não tem nada a ver com o quanto a gente tem. Respeito tem tudo a ver com o tipo de gente que a gente é. É o famoso ter ou ser. Quem vive preocupado em ter está distraído de ser.

A Bíblia diz que o amor ao dinheiro é fonte de muitos problemas. E aqueles que entram por esse caminho, o de obter riquezas, acabam se perdendo. Ocupados em ter riquezas e as coisas que a riqueza compra, perdem a alma. E gente sem alma ninguém respeita.

O dinheiro compra muita coisa. Mas não compra respeito.

Quem faz o bem beneficia a si mesmo;
quem pratica o mal só se prejudica.
PROVÉRBIOS 11.17

O bem e o mal que fazemos voltam para nós. As palavras que pronunciamos percorrem o mundo e voltam para nós. É como se tudo que falamos fosse repetido bem baixinho lá no fundo da alma. Quando emitimos muitas palavras malditas, nosso mundo interior fica cheio de lixo amaldiçoado.

Com as nossas ações acontece o mesmo. As coisas que fazemos percorrem o mundo e voltam para nós. As nossas palavras e as nossas ações são como bumerangues jogados ao vento. Se nossos bumerangues forem carregados de palavras e ações de bondade e generosidade, eles voltarão trazendo coisas boas. Se nossas palavras e ações forem cheias de maldições e maldades, voltarão trazendo o mal sobre nós.

É por isso que quem faz o bem se beneficia. E quem pratica o mal só se prejudica.

Você pode dizer que nem sempre é assim. É verdade, nem sempre. Mas eu não vivo baseado em exceções. Vivo baseado na sabedoria. E a sabedoria diz que quem faz o bem se dá bem.

A riqueza do perverso dura apenas um momento,
mas a recompensa do justo é duradoura.
Provérbios 11.18

Riqueza injusta é uma bomba-relógio. Cedo ou tarde explode. Não necessariamente porque ela se vai. Mas porque traz consigo muitos males.

Quando uma bomba explode, muitas coisas passam a existir: mutilações, perdas materiais e principalmente de pessoas, danos a terceiros, resíduos de culpa, ares de vingança, muito sofrimento e muitas lágrimas.

Quando o sábio diz que a riqueza do perverso dura só um momento, não está dizendo que o perverso necessariamente ficará pobre. Mais provavelmente está dizendo que os perversos:

- Logo perdem a condição ou a capacidade de desfrutar sua riqueza.
- Nunca desfrutam plenamente, em razão dos males que a acompanham.
- Nunca desfrutam tranquilamente, em razão das ameaças de quem foi lesado.
- Nunca desfrutarão sem medo, sem ansiedade, sem muito trabalho para manter o que conquistou de modo indevido.

As riquezas legítimas não apresentam efeitos colaterais danosos. Não apenas as riquezas das pessoas justas duram mais, como também, e principalmente, as pessoas justas desfrutam mais e melhor as suas riquezas.

Nenhum travesseiro é mais confortável do que a consciência limpa.

A mulher bonita, mas indiscreta, é como
anel de ouro em focinho de porco.
PROVÉRBIOS 11.22

A verdadeira beleza é discreta, não precisa de adereços. A ostentação é brega. A ostentação chama atenção para as coisas. A pessoa elegante não é notada pelo que possui, mas pelo que é. A mulher bonita que ostenta, que está cheia de penduricalhos acaba sendo patética, ridícula. As pessoas que ostentam acabam chamando atenção mais para o que têm do que para o que são.

As pessoas espalhafatosas e que vivem desejando ser o centro da atenção não medem esforços para chamar todas as luzes para si e acabam exagerando. A beleza natural se perde no todo da composição: muito batom, muita bolsa, muita joia, muita gritaria, muita risada alta, muito desrespeito a quem está em volta, muita grife, muito anel. Tudo isso transforma aquela que era uma mulher bonita em um conjunto tão patético quanto é patético um porco com joias de ouro no focinho.

A elegância é discreta. A verdadeira beleza se impõe naturalmente. Os excessos roubam a cena e têm efeito contrário. Em vez de iluminar a beleza do rosto, revelam a feiura da alma.

Quem dá com generosidade se torna mais rico, mas o mesquinho perde tudo.
PROVÉRBIOS 11.24

A matemática do mundo espiritual é diferente. No mundo natural, tem mais quem mais acumula. No mundo espiritual, tem mais quem mais compartilha. Aquilo que você doa generosamente nunca lhe fará falta. Na verdade, é semente que gera mais riqueza.

As pessoas generosas ficam mais ricas pelo menos de duas maneiras. Porque recebem de volta a generosidade que semearam. E porque aprendem a desfrutar sem possuir. Na ciranda da generosidade as riquezas compartilhadas se multiplicam, e você aprende a desfrutar tantas coisas boas repartidas com você enquanto reparte as coisas boas que tem que você nem se dá conta de quão rico é.

A generosidade é o verdadeiro ímã das riquezas. No mundo espiritual, as riquezas escoam para aqueles que as repartem e multiplicam.

O oposto é verdadeiro. As riquezas retidas apodrecem, minguam. Acabam.

Os generosos enriquecem cada dia mais. Os mesquinhos perdem tudo o que têm.

No mundo dos mesquinhos, o segredo para ter mais é acumular. No mundo dos generosos, o segredo para ter mais é repartir.

O povo amaldiçoa quem esconde os cereais, mas abençoa quem os vende no tempo de necessidade.
PROVÉRBIOS 11.26

Esconder cereais pode significar simplesmente "não vender". Por exemplo, faltam cereais e, embora você tenha para vender, não os vende, porque os usará apenas para suprir a você e os seus.

O mesquinho não compartilha nem vende.

A mentalidade de escassez que sabota a generosidade e a solidariedade acaba por empobrecer todo mundo, até mesmo aquele que está momentaneamente provido, pois reter riqueza é produzir pobreza.

Esconder cereais também pode significar "não vender para esperar o tempo da necessidade". A lógica é simples: quanto mais falta, mais caro fica. Isso é impiedade, porque você está colocando o dinheiro acima da vida humana (pessoas morrerão de fome se você não lhes vender o cereal), e também porque, deixando o comprador sem opção, você pode vender pelo preço que quiser. Isso não é fazer negócios, é extorquir.

Há limite para o lucro. A ganância nunca saberá qual é o limite. E nunca o respeitará. Quem é o povo que amaldiçoa? O povo é o "necessitado". A condição do necessitado lhe permite distinguir o ganancioso do generoso. Por isso o necessitado abençoa o generoso e amaldiçoa o ganancioso.

Produtores, fabricantes e comerciantes não são as melhores referências de justo e injusto. O júri popular no tribunal de justiça de Deus é composto por órfãos, viúvas, estrangeiros, pobres e vulneráveis; é composto por necessitados. Jesus disse que as nações seriam julgadas com este critério: "Tive fome, e vocês me deram de comer. Tive fome, e vocês não me deram de comer" (Mt 25.35,42).

Quem causa problemas à família herda o vento.
PROVÉRBIOS 11.29

Há diferentes interpretações para esse provérbio. Por exemplo, quem não se dedica ao trabalho não tem colheita, isto é, colhe o vento. E por isso traz problemas à família, pois não pode sustentá-la. Ou quem não coopera com a família na luta pela sobrevivência traz problemas à família toda, e por isso acaba desprotegido até mesmo pelos seus e recebe como herança nada, isto é, vento. Ou, ainda, quem se afasta de sua família por causa de sua vida de desejos e prazeres e de impulsos irresponsáveis fica à mercê do vento.

A luta pela sobrevivência é sempre um esforço coletivo.

Quem vive em família não pode pensar apenas em si mesmo. Quem vive em família deve cuidar de sua maneira de viver não apenas por amor a si mesmo, mas também por amor à própria família. Viver pensando apenas em si mesmo é coisa para quem não dá valor à família.

Família não combina com egoísmo. Egoísmo não combina com família.

A unidade dos relacionamentos familiares deve estar acima dos interesses particulares de cada um dos membros da família. A qualidade da vida da família é também a qualidade da vida de seus membros, isoladamente. E vice-versa.

É uma questão de escolha: abrir mão do egoísmo e viver em família, ou viver para si mesmo e perder tudo, inclusive a família, e ficar com o vento, com o nada de nada.

É melhor escolher a família. É melhor viver em comunidade.

[...] o sábio conquista pessoas.
PROVÉRBIOS 11.30

Jesus contou a parábola do administrador astuto, que negociou dívidas e privilegiou pessoas e relacionamentos em detrimento de dinheiro e riquezas materiais (Lc 16.1-13). Entre perder dinheiro para ganhar pessoas e perder pessoas para ganhar dinheiro, o sábio sempre escolhe as pessoas.

As relações de amor, afeto e amizade estão entre os bens mais valiosos, se é que não são os mais valiosos, que alguém pode possuir. Não vivemos de coisas. Vivemos de amor. As pessoas podem nos amar. As coisas não. Podemos amar tanto as coisas como as pessoas. Mas somente as pessoas podem retribuir esse amor.

Há muitas coisas que podemos colecionar na vida. Colecionar é um *hobby* interessante, dependendo do que se coleciona. Entre as coisas que podemos colecionar, relacionamentos de amor e amizade genuínos, de afeto e lealdade, estão entre as mais valiosas.

A diferença é que pessoas não são coisas. Pessoas não são *hobbies*. Amor é algo muito sério. O sábio conquista pessoas. O sábio coleciona relacionamentos de amor.

A perversidade nunca traz estabilidade, mas
a raiz dos justos permanecerá firme.
PROVÉRBIOS 12.3

O perverso sustenta sua vida em bases que ele julga estáveis. O justo sustenta sua vida em raízes.

As bases são impessoais, implicam desconexão, ausência de relação direta entre a pessoa e aquilo em que se apoia. As raízes são orgânicas e apontam para uma conexão interior entre a pessoa e as fontes que nutrem sua vida.

O perverso se apoia em coisas exteriores. O justo se sustenta de suas fontes interiores.

Algumas pessoas apoiam sua vida nas coisas que possuem: riquezas materiais, posição social, conquistas e méritos das disputas e da competição predatória no mercado dos afetos. Outras sustentam sua vida em seus recursos interiores: caráter, competências e habilidades, capacidade produtiva, fé.

Algumas buscam segurança em coisas que podem perder, coisas que estão fora do seu controle. Outras estão seguras porque sabem que ninguém e nada podem lhes tirar o que as sustenta, pois não se sustentam no que têm, mas no que são.

O sábio recomenda: não coloque a sua esperança no que você tem; durma tranquilo com a pessoa que você é. Se não consegue dormir tranquilo com a pessoa que você é, saiba que de nada adianta ter tantas coisas.

Não busque alicerces onde se apoiar. Aprofunde suas raízes, e assim jamais temerá perder o que possui.

A mulher virtuosa coroa de honra seu marido, mas a que age vergonhosamente é como câncer em seus ossos.
Provérbios 12.4

Essa recomendação do sábio parece politicamente incorreta. A sugestão de que a mulher tem uma vida subalterna à vida do homem ou mesmo que uma mulher deva se portar referenciando-se pelo impacto que pode causar na vida do seu homem é machista e não faz sentido.

Mas a verdade por trás dessa recomendação do sábio é coerente com a ideia judaica de casal revelada no Gênesis, o livro dos princípios e padrões: quando um homem e uma mulher se unem, se tornam um só.

No casal, a vida de um está intrinsecamente conectada à do outro. O casal é uma unidade indivisível. A vida desequilibrada de um é como doença nos ossos do outro. No casal, homem e mulher abandonaram o reino do eu e foram habitar na terra do nós. Nada na vida de um se concebe dissociado e independentemente da vida do outro.

Esse é o conceito de conjugalidade: estar sob o mesmo jugo. Cabe a cada um dos pares do casal tornar a vida do outro mais leve. Parece uma boa definição do propósito do casamento ou da vida a dois: tornar leve a peregrinação existencial de cada um.

Isso se faz de duas maneiras. No casal, cada um ajuda o outro a suportar o peso que a vida coloca sobre seus ombros. Por óbvio, todo peso repartido é aliviado. Mas, também, cabe a cada um não colocar sobre o outro mais peso do que a própria vida já se incumbe de colocar.

A conjugalidade pode tanto curar quanto corroer os ossos.

A vida a dois deve ser leve.

155

Os planos do justo são corretos, mas os conselhos do perverso são traiçoeiros. As palavras do perverso são emboscada mortal, mas as palavras dos justos salvam vidas.
PROVÉRBIOS 12.5-6

As pessoas más, perversas, impiedosas são traiçoeiras e vivem armando armadilhas, arapucas e emboscadas para prejudicar os outros em benefício próprio.

O principal meio de que lançam mão para articular e executar seus planos malignos são as palavras: meias verdades, pós-verdades, mentiras.

Os perversos falam pelas costas, distorcem conceitos, inventam fatos, fabricam versões fraudulentas da realidade. Para que levem a bom termo seus planos desonestos, criam emboscadas com as palavras e, com isso, deixam muita gente inocente, ingênua ou descuidada enredada nas maldades por eles engendradas.

Só que as emboscadas complexas exigem tantas palavras podres que acabam deixando pontas soltas, argumentos incoerentes e inconsistentes, narrativas discrepantes dos fatos e brechas, ainda que pequenas, por onde os justos penetram para desmontar as arapucas e escapar delas.

Os justos também usam as palavras em sua defesa, para promover a justiça. A diferença é que as palavras dos justos são verdadeiras, sem ambiguidades, incoerências ou inconsistências. Os justos não precisam elaborar planos complexos e combinar versões e depoimentos. A verdade é simples. Falar a verdade não dá trabalho.

As palavras dos perversos são emboscadas mortais. As palavras dos justos salvam vidas.

A mentira conspira para a morte. A verdade liberta.

É melhor ser uma pessoa simples e ter quem a ajude que aparentar ser quem não é e não ter o que comer.
PROVÉRBIOS 12.9

Uma possível tradução para este versículo seria: "É melhor ser ninguém e ainda assim ter quem o ajude, que querer ser alguém e não ter o que comer".

Viver de aparências é pecado. E o pecado não é apenas a mentira, ou seja, aparentar ser quem não é para esconder o que de fato é. Por traz desse pecado está um ainda mais poderoso: o orgulho.

A pessoa orgulhosa é tão ocupada em manter uma imagem pública de sucesso que prefere mentir e passar fome a admitir suas faltas e necessidades, prefere ficar sem ter o que comer a aceitar ajuda de alguém.

A pessoa orgulhosa, na verdade, não aceita ajuda porque não acredita que precisa de ajuda. Engana a si mesma dizendo que vai superar a situação adversa, vai dar um jeito de contornar a dificuldade, vai encontrar meios de suprir suas necessidades sem precisar de ninguém.

A pessoa orgulhosa acredita que pedir ajuda é sinal de fraqueza e considera vergonha reconhecer que não é autossuficiente. E aí chegamos ao ponto. Esse é o segredo do fracasso: a ilusão da autossuficiência.

Em última instância, todo mundo é ninguém. Apenas Deus é alguém. Somente Deus pode dizer de si mesmo Eu Sou. Todos nós somos o que somos porque Deus nos empresta a qualidade de ser.

A pessoa orgulhosa, que pensa que é alguém ou quer provar aos outros que é alguém, vive uma ilusão. Viver sem aceitar ajuda, dizendo não precisar de nada e de ninguém, é como tentar viver sem respirar.

O insensato se ira com facilidade, mas o sábio ignora a ofensa.
PROVÉRBIOS 12.16

"O insensato tem pavio curto e explode na hora, mas o prudente ignora o insulto e mantém a calma" (A Mensagem).

O insensato acumula prejuízos:

- O prejuízo causado pela ofensa sofrida.
- O prejuízo causado pela explosão.
- O prejuízo causado pelas consequências da explosão: retaliação ou penalidades.

Duas coisas estão por trás dessa situação. Primeira: a pessoa que se sente ofendida por qualquer bobagem tem dentro de si uma ferida aberta. Qualquer esbarrão, qualquer mínimo toque nessa ferida causam dor e revolta. Segunda: a pessoa que sendo ofendida não é capaz de exercer o autocontrole acaba por causar dano maior a si mesma e a quem está ao redor.

Em ambos os casos, os danos são causados pelo insensato contra si mesmo. Ou porque não foi capaz de deixar a ofensa passar. Ou porque não foi capaz de se controlar e reagir à ofensa sofrida de maneira prudente.

Não poucas vezes, o dano causado pela explosão é maior do que o dano causado pela ofensa que originou a explosão.

As pessoas sábias mantêm a calma. Não caem em provocações. Não são feridas facilmente. E quase não ferem ninguém.

Palavras verdadeiras resistem à prova do tempo,
mas as mentiras logo ficam evidentes.
PROVÉRBIOS 12.19

A mentira tem pernas curtas, diz o ditado popular. As palavras verdadeiras resistem ao tempo, e o tempo coloca as palavras à prova. Já as mentiras logo ficam evidentes, e é por isso que o ditado diz que a mentira tem pernas curtas.

Isso faz lembrar as palavras atribuídas ao presidente Abraham Lincoln: "Você pode enganar a todos por algum tempo, alguns todo o tempo, mas nunca será capaz de enganar a todos todo o tempo".

A mentira tem pernas curtas. Ou a casa cai de vez e tudo fica evidente para todo mundo. Ou algumas pessoas vão percebendo que a realidade mentirosa é *fake*, falsa, e vão desistindo de seguir o mentiroso, que fica exposto às consequências de suas mentiras.

Cedo ou tarde aquilo que é falso é desmascarado. Cedo ou tarde aquilo que está oculto começa a ser anunciado pelos telhados, como disse Jesus. Cedo ou tarde a mentira vira notícia.

A mentira tem pernas curtas.

159

O sábio não se gaba de seu conhecimento, mas
os tolos mostram a todos sua insensatez.
PROVÉRBIOS 12.23

Os sábios usam seu conhecimento em momentos apropriados. Os sábios estão ocupados em resolver conflitos e superar dificuldades. Os sábios querem ser úteis. Revelam seu conhecimento quando necessário. Os sábios estão brincando de conhecimento aplicado.

Os tolos querem aparecer, querem ser notados, e por isso falam o tempo todo a respeito de tudo. Mas, como ninguém sabe tudo a respeito de tudo, logo fica evidente que a maior parte do que os tolos falam é insensatez e estupidez.

Os tolos querem ser populares. Os sábios querem ser úteis.

Quem está mais preocupado em ser popular do que em ser útil logo, logo ganha fama. Fama de idiota.

Quem trabalha com dedicação chega a ser líder, mas o preguiçoso se torna escravo.
PROVÉRBIOS 12.24

O preguiçoso é aquele que vive segundo a lei do mínimo esforço. Faz o mínimo necessário. Faz quando não há alternativa, pois enquanto existe alternativa ele vai deixando por fazer. Enquanto pode, ele fica no sofá. Ele se mexe quando não há outra alternativa. Por isso, vive sob a autoridade de alguém. Vive para servir a inteligência de alguém. Vive sob o propósito de alguém. Vive para construir o sonho de alguém, para viabilizar as ideias de alguém. Vive sempre para alguém. Ele é escravo de alguém.

E quem é esse alguém?

É o que trabalha com diligência, o que trabalha com afinco, com dedicação. É a pessoa proativa, a pessoa que tem um sonho, um propósito, uma ideia, a pessoa que quer chegar a algum lugar. A pessoa que se mexe.

O preguiçoso fica encostado. Quando precisa, ele se levanta e vai procurar o que fazer, e sempre encontra alguém que o coloca para trabalhar. Isso significa que o preguiçoso não tem vida autoral, está sempre à sombra da vida de quem é proativo. Por isso o provérbio diz que quem trabalha com dedicação se torna líder, e quem é preguiçoso se torna escravo.

Quem é proativo tem vida autoral, vive sua vida, escreve sua história. O preguiçoso, não. O preguiçoso vive na sombra. Na sombra da árvore, na sombra de alguém. O preguiçoso tem uma vida sombria.

Quem controla a língua terá vida longa; quem
fala demais acaba se arruinando.
PROVÉRBIOS 13.3

As pessoas devem saber o que precisam saber. Esse é um dos lemas do serviço secreto britânico.

Gente que se mete na vida dos outros, se intromete onde não é chamado, que quer saber tudo, que pergunta demais, fala demais, gente assim comete vários pecados: invasão de privacidade, fofoca, arrogância de querer saber o que os outros devem fazer ou deixar de fazer, vaidade de dar palpites sobre como os outros devem viver.

Quem fala demais acaba na sarjeta. Ou porque se torna alvo da retaliação de quem foi prejudicado por suas palavras. Ou porque se torna presa fácil para ser prejudicado pelas pessoas más.

As palavras podem ser armas de defesa, como muralhas que nos protegem a alma. Mas, do mesmo modo, com palavras mal utilizadas damos aos outros brechas por onde podemos ser atacados.

A discrição é característica de pessoas que sabem não apenas proteger a si mesmas, mas também são cuidadosas em proteger quem está ao seu redor.

Diz o dito popular que o peixe morre pela boca. Quem fala demais acaba na sarjeta. Descartado, isto é, sozinho e sem crédito, ou acaba, no mundo cruel em que vivemos, como arquivo morto mesmo.

Em todo caso, é bom ter prudência no falar.

Alguns que são pobres fingem ser ricos; outros
que são ricos fingem ser pobres.
PROVÉRBIOS 13.7

Há aquele que se julga rico e, no entanto, nada tem; e há aquele que se julga pobre e, no entanto, tem grande riqueza. Essa sabedoria fala de dois tipos de pessoas. O pobre que é rico mas não tem consciência disso. O rico que é pobre mas também não sabe disso. Ambos estão iludidos a respeito de sua riqueza e pobreza.

Mas eles têm algo mais em comum. Ambos acreditam que riqueza tem a ver com coisas possuídas: tipo de coisas, quantidade de coisas, preço de coisas e valor de coisas.

O segredo da satisfação está na harmonia entre as coisas possuídas e o coração dos possuidores.

Não adianta cobrir de beijos uma mulher que deseja joias.

Não adianta dar pão para quem deseja pinga.

Não adianta dar dinheiro para quem deseja afeto.

Não adianta dar oportunidade para quem deseja aumento de salário.

Para que a pessoa se sinta satisfeita, você precisa lhe dar o que ela deseja. Precisa lhe dar o que ela considera riqueza. O problema é que podemos desejar o que não tem valor e descartar o que é muito valioso.

O segredo da satisfação, portanto, não tem nada a ver com ser rico ou ser pobre. O segredo é ser sábio: desejar o que vale a pena ser desejado.

O dinheiro ganho por meios ilícitos logo acaba; a riqueza conquistada com trabalho árduo cresce com o tempo.
PROVÉRBIOS 13.11

Dinheiro sujo tem prazo de validade. Dinheiro sujo é aquele que jamais deveria estar na sua carteira. Dinheiro sujo é o dinheiro que não lhe pertence. E, se não lhe pertence, pertence a alguém. Esse alguém logo virá reclamar a posse. E, se o dono do dinheiro não vier, alguém virá. Porque o dinheiro, enquanto está sujo, isto é, nas mãos erradas, não é de ninguém, ou melhor, é de todo mundo.

O problema do dinheiro sujo é que ele é morto: não frutifica, não se reproduz. É por isso que o sábio diz que o dinheiro ganho por meios ilícitos logo acaba.

O dinheiro ganho honestamente é riqueza viva: abençoa a vida de quem o possui e a vida de quem colhe seus frutos. O dinheiro limpo é vivo. E por isso cresce com o tempo.

A esperança adiada faz o coração ficar doente,
mas o sonho realizado é árvore de vida.
PROVÉRBIOS 13.12

A diferença entre sonho e esperança é que o sonho não tem nenhuma garantia de realização. As pessoas sábias demonstram, portanto, três tipos de capacidade. Em primeiro lugar, elas sabem discernir se suas expectativas em relação ao futuro podem ser entendidas como esperança. Isto é, se representam expectativas reais, têm indícios de que se concretizarão, têm plausibilidade, têm razoabilidade ou se não passam de desejos e sonhos, entregues à aleatoriedade e ao acaso.

As pessoas sábias também sabem que mesmo uma esperança sustentada por uma base sólida pode não se realizar. Mesmo aquelas coisas que tinham tudo para dar certo podem dar errado, e por isso enfrentam melhor o dia da frustração.

Mas as pessoas sábias sabem, ainda, sonhar. Sabem que a vida está cheia de possibilidades. Sabem que o futuro esconde surpresas maravilhosas, sabem que o inusitado pode acontecer, o céu pode se abrir, e por isso nunca perdem a esperança.

Parece contraditório. Os sonhos não têm garantias de realização. Mas mesmo assim muitos sonhos se realizam, todos os dias, para muita gente.

Então, podemos e devemos sonhar. E porque os sonhos, ainda que sem fundamento, se realizam é que jamais devemos perder a esperança.

O sábio pensa antes de agir.
Provérbios 13.16

A palavra hebraica traduzida como sábio é *arum*, que significa a capacidade de esconder um conhecimento, de não revelar o que se sabe. Isso sugere que as ações das pessoas sábias parecem naturais e espontâneas, como se agissem por instinto ou mesmo de maneira irrefletida. Mas, na verdade, elas pensam antes de agir.

Algumas pessoas agem com bom senso porque fazem um exercício consciente de busca das melhores opções para a tomada de decisão: pesquisam, ouvem conselheiros, analisam fatos e informações e, depois de um processo, escolhem o caminho a seguir.

As pessoas sábias são diferentes. Elas interiorizaram um conjunto de conhecimentos teóricos e experienciais, têm discernimento espiritual e bom senso, transformaram informação em entendimento e compreensão das coisas, dos fatos, das pessoas, e suas ações naturalmente expressam toda a riqueza que guardam dentro de si.

Parece mesmo que as pessoas sábias não precisam pensar antes de agir porque simplesmente sabem o que fazer. Mas o mais provável é que elas sabem o que fazer justamente porque pensam o tempo todo.

As terras do pobre produzem muito alimento,
mas a injustiça consome tudo.
PROVÉRBIOS 13.23

Será que foi de provérbios como esse que Karl Marx intuiu o conceito de mais-valia, da exploração do trabalho pelo capital, em que os trabalhadores-produtores recebem salário de subsistência e os empresários-capitalistas ficam com a maior parte da renda dos produtos comercializados? Ou será que esse provérbio apenas denuncia que a corrupção e a exploração dos pobres são marcas de todas as sociedades, mesmo das mais antigas?

O fato é que a pobreza não existe por falta de recursos naturais nem de escassez de trabalhadores. A pobreza não é um fenômeno natural, mas resultado de relações sociais injustas. Há terra suficiente e alimentos em abundância para que ninguém passe fome nem necessidade, ou viva abaixo dos padrões da dignidade humana.

O que não é natural resulta da ação humana. E, se é verdade que a ação humana pode produzir injustiça, pode também promover justiça. Existe um modo justo de construir sociedade. Devemos persegui-lo incansavelmente. Não importa se essa sociedade tenha cinco pessoas ou milhões de pessoas. O que importa é que nenhuma pessoa pode ser furtada do seu direito de viver dignamente do fruto do seu trabalho.

A injustiça deve ser denunciada e combatida onde quer que se manifeste.

Quem não corrige os filhos mostra que não os ama;
quem ama os filhos se preocupa em discipliná-los.
PROVÉRBIOS 13.24

Ninguém nasce sabendo ser gente. Aprendemos a ser gente na convivência com outras gentes. Vamos nos humanizando à medida que superamos a mera existência baseada em instintos e desenvolvemos atitudes e comportamentos escolhidos com base em valores e crenças. A família é o primeiro ambiente de humanização. Os pais são as primeiras relações de aprendizagem do que significa ser gente. A família é o primeiro contexto de disciplina, como sinônimo de educação.

Por que os pais deixariam de disciplinar os filhos?

Por ignorância. Porque acreditam que nos tornamos gente independentemente da educação que recebemos. Também por comodidade, porque educar dá trabalho. E algumas outras razões.

Mas suspeito que atualmente muitos pais não disciplinam os filhos porque são inseguros emocionalmente. Educar é também, e principalmente, estabelecer regras aceitáveis de convivência e modelar padrões de atitude e comportamento, o que implica necessariamente contrariar os filhos.

Pais inseguros acreditam que contrariar os filhos os levará a deixar de gostar deles. Mas o oposto é que é verdadeiro. O amor se dissolve, se dilui e deixa de ser amor em relações permissivas. O amor amadurece nas relações de cuidado. Contrariar também é cuidar. Principalmente quando os contrariados são crianças que desejam fazer tudo que lhes dá prazer. E apenas o que lhes dá prazer.

Contrariar também é amar.

O justo come até se satisfazer, mas o estômago dos perversos fica vazio.
PROVÉRBIOS 13.25

Algumas pessoas parecem muito satisfeitas com o mínimo necessário. Outras estão sempre insatisfeitas, mesmo com o máximo possível, como no título de um dos meus livros prediletos do rabino Harold Kushner, *Quando tudo não é o bastante.*

Há pelo menos duas razões por que tudo pode não ser o bastante, em especial para as pessoas perversas. A primeira é que os justos não são gananciosos. Podem ser ambiciosos, no sentido de desejarem mais, mas certamente não são gananciosos, no sentido de desejarem mais para si mesmos, e apenas para si mesmos. Os gananciosos não ficarão satisfeitos enquanto não possuírem tudo, isto é, enquanto existir algo sobre o qual não possam dizer "é meu", estarão querendo mais e mais, e sempre mais. Sempre insatisfeitos.

Mas há outra razão por que os perversos nunca estão satisfeitos: eles acreditam que a satisfação equivale a possuir o que desejam. A questão é que o ser humano tem desejos ilimitados. Se quisermos possuir tudo que desejamos para alcançar a satisfação, jamais a alcançaremos. O grande segredo da satisfação não está em possuir o que desejamos, mas em desejar o que possuímos.

A mulher sábia edifica o lar, mas a insensata
o destrói com as próprias mãos.
Provérbios 14.1

O mundo bíblico reflete uma sociedade patriarcal que localiza o lar como domínio da mulher. Mas esse provérbio permite a reflexão a respeito do sucesso e do fracasso dos empreendimentos humanos.

As pessoas sábias sabem que o fator determinante do sucesso e do fracasso de seus empreendimentos são elas mesmas. Sabem que o resultado de seus empreendimentos está em suas mãos.

As pessoas sábias não terceirizam o fracasso de seus empreendimentos. Não olham pela janela em busca de culpados ou de desculpas. Olham no espelho e se perguntam: "Onde foi que eu errei?" ou "O que posso aprender com isso?".

As pessoas sábias sabem que Deus lhes concedeu um dom extraordinário: a possibilidade de empreender e edificar.

As pessoas insensatas, além de não compreenderem que grande parte do sucesso e do fracasso está em suas mãos, esperam passivamente que algo bom lhes aconteça, vivem em busca de desculpas e de culpados para os seus fracassos. E, pior, algumas passam a vida a criticar, sabotar e destruir tudo que as pessoas sábias se dedicam a empreender, propor e realizar.

Arregace as mangas. Sonhe, empreenda e realize. Esse é o caminho da sabedoria.

Um estábulo sem bois permanece limpo, mas é
a força do boi que provê a colheita farta.
PROVÉRBIOS 14.4

Dois erros. O primeiro é fazer os bois trabalharem o tempo todo. Eles não fazem sujeira no estábulo, mas seu rendimento no campo tende a diminuir. Os bois precisam ser nutridos para seu trabalho na lavoura. Mudando a metáfora, ou o animal, você precisa cuidar bem da galinha dos ovos de ouro; ela é sua fonte de riqueza.

Os bois que ficam no estábulo o tempo todo apenas engordam e fazem sujeira. Bois consumidores não cumprem seu propósito. Eles são força de trabalho. Devem ser alavanca da produção, que a todos beneficia. Mudando a metáfora, ou o animal, você tem que tirar o burro da sombra.

Os rabinos interpretam esse provérbio como a relação entre o homem e a sabedoria. E ensinam que existem dois tipos de pessoas: as que trabalham com equilíbrio e produzem os frutos da sabedoria para abençoar o mundo, e as que são apenas consumidoras da riqueza do mundo.

Toda pessoa sábia está ocupada em responder: O que ofereço ao mundo? Que frutos a sabedoria produz em mim? Como eu enriqueço o mundo onde vivo?

Mas existe um segredo por traz da vida produtiva: sujeira. Pessoas produtivas não geram apenas riquezas; também deixam o estábulo sujo. A vida ascética, em que tudo está no lugar, em que não existe caos, margem para erro, fracasso, derrota, é uma vida improdutiva.

Quer sua vida em ordem? Então faça nada.

O problema é que, além de se tornar inútil, você morrerá cedo.

O prudente sabe para onde vai, mas os
insensatos enganam a si mesmos.
PROVÉRBIOS 14.8

Os insensatos se autoenganam, caminham iludidos. São vítimas da inconsciente cegueira em relação às evidências, da teimosia que se recusa a ouvir o contraditório. Calam as vozes que questionam seus caminhos, desejos, sonhos e ambições.

São vítimas da negligente displicência com o dever de casa. Não pesquisam, não perguntam, não aprendem com os erros e com os acertos alheios. São vítimas do arrogante excesso de autoconfiança. Acreditam-se capazes de resolver qualquer problema.

São vítimas da crença mágica na sorte, pois se acham especialmente agraciados pelos deuses.

São vítimas da ingênua pretensão de estar acima dos mortais, como se as regras da vida não valessem para eles, como se vivessem num mundo de exceções, onde tudo lhes é permitido e tudo está à sua disposição.

São vítimas da vaidosa autossuficiência. Vivem como semideuses.

O insensato não faz plano de voo, apenas decola. Não sabe para onde vai, nem quanto combustível é necessário. Mas acredita que pousará num paraíso. Acredita que tudo dará certo, sem que nada fundamente tal crença.

Os insensatos se veem como protagonistas de sua história, mas seu autoengano os faz vítimas de acasos, negligências, e sua vida aos poucos se distancia tanto das intenções originais que nem mesmo se reconhecem, descaracterizados que estão em sua identidade e fracassados em relação aos sonhos originais.

Os insensatos são modelos de sucesso apenas para si mesmos. Estão autoenganados.

Ao seu redor, metade ri e a outra metade se aproveita.

Cada coração conhece sua própria amargura,
e ninguém pode compartilhar de toda a sua alegria.
PROVÉRBIOS 14.10

Cada um sabe a dor e a delícia de ser o que é, já dizia Caetano Veloso. Dentro de cada um de nós mora uma tristeza, uma amargura, uma angústia. E também uma alegria, um prazer, um contentamento.

É verdade que todas as alegrias se intensificam quando partilhadas, e todos os fardos se tornam mais leves quando compartilhados. Mas existe uma dimensão da existência onde cada um de nós está em absoluta solidão.

A maturidade existencial pode ser medida pela capacidade de desfrutar plenamente aquela alegria que ninguém é capaz de reconhecer, experimentar, saborear, porque ela é apenas nossa, impossível de ser partilhada. Sua apropriação exige recursos que nos são singulares e peculiares, particulares e irrepetíveis.

A maturidade existencial é também medida pela capacidade de suportar aquela dimensão de tristeza e angústia impossível de ser aliviada por qualquer ajuda externa, mesmo daquelas pessoas que mais nos amam.

Existem dores que nos são inevitáveis e imprescindíveis, e essas são também intransferíveis, até porque são intraduzíveis.

Existe um lugar onde a alma só consegue chegar quando viaja sozinha.

Esse lugar é sagrado.

É nesse lugar que a alma se encontra com Deus.

Há um estilo de vida que parece inofensivo;
preste atenção, pois conduz à morte.
PROVÉRBIOS 14.12, A MENSAGEM

Parece. Esse é o problema. Nem tudo é o que parece. As pessoas não são o que parecem. Os fatos não são o que parecem. As notícias não são o que parecem. As coisas não são o que parecem. As aparências enganam, diz o ditado. Nem tudo que reluz é ouro, nem tudo que tem chifre é touro (perdoe o quase vulgar).

Corremos o risco de acolher o mal acreditando estar acolhendo o bem. E também corremos o risco de descartar o bem acreditando se tratar do mal.

Para evitar os perigos da aparência, recomenda-se:

- Olhar com mais atenção, perceber detalhes, ler entrelinhas, interpretar as letras pequenas nas notas de rodapé. Preste atenção à realidade.
- Olhar de diferentes ângulos, com outras lentes, inclusive através de outros olhos.
- Olhar por mais tempo, deixar que as coisas evoluam e se acomodem, dar tempo para que as realidades se expressem mais, fiquem mais expostas, desbotem, descasquem, se manifestem em estado natural.

As coisas mais perigosas são aquelas que *parecem* inofensivas. Porque, quando se mostram letais, quase sempre é tarde demais.

O riso pode esconder o coração aflito, mas, quando
a alegria se extingue, a dor permanece.
PROVÉRBIOS 14.13

Existe riso sem alegria correspondente. O riso que esconde a dor. O riso que disfarça o sofrimento. O riso sem brilho nos olhos. O riso que mantém as aparências.

Existem pessoas risonhas. E existem pessoas alegres. O rosto nem sempre revela o coração. O riso inconsistente adoece a alma ainda mais. Pois as energias que deveriam estar sendo mobilizadas para superar a dor e o sofrimento estão sendo usadas para manter as aparências.

Não há problema em deixar de sorrir quando a alegria se vai. Não há problema em chorar quando existe apenas sofrimento. Problema existe quando o rosto diz uma coisa e o coração diz outra. Quando o rosto está triste, não obstante tantos motivos de alegria. Ou quando o rosto está risonho no dia em que se deve chorar e prantear.

A maturidade existencial reside em chorar com os que choram e se alegrar com os que se alegram. A maturidade existencial chora quando há motivo para chorar e sorri quando há motivo para se alegrar.

Fingir alegria não é sinal de resiliência. Chorar por motivo justo não é sinal de fraqueza. Deus é bom em enxugar lágrimas. E também gosta de festa. No dia em que você chorar, ele estará ao seu lado. No dia em que você festejar, não se esqueça de convidá-lo para o baile.

O ingênuo acredita em tudo que ouve; o prudente examina seus passos com cuidado.
PROVÉRBIOS 14.15

O ingênuo é aquele que não tem consciência moral e, por isso, não sofre a angústia da dúvida, o dilema de ter que escolher entre o certo e o errado, o melhor e o pior, a verdade e a mentira.

O ingênuo não se guia por critérios, mas por conveniências. Faz avaliações rápidas do tipo "o que é melhor para mim neste exato momento". Não faz análise de consequências, não pondera, não avalia, não compara, não se detém em considerar se o que é dito merece crédito, se quem diz é digno de confiança.

O ingênuo não tem que tomar decisões. Ele reage conforme o humor, os instintos, os apetites do momento. Navega sem bússola. Segue ao sabor das marés e dos ventos. Vai para onde a correnteza leva.

O prudente, também astuto, testa cada afirmação, avalia cada ideia e pondera para discernir se o que ouve lhe trará benefícios ou prejuízos. O prudente tem valores e prioridades. Sabe o que pode ser sacrificado e o que é inegociável. Sabe o que pode ser descartado primeiro, o que precisa ser preservado e o que jamais poderá ser sacrificado. Sabe não apenas o que é certo ou errado, sabe também o que melhor convém em cada situação.

O prudente sabe tomar decisões, fazer escolhas, tem uma bússola moral que lhe orienta os passos.

Quem acredita em todo mundo na verdade não acredita em nada. Quem tem crenças, valores e prioridades não pode acreditar em tudo que ouve. E muito menos em todo mundo.

O sábio é cauteloso e evita o perigo; o tolo confia demais em si mesmo e se precipita.
PROVÉRBIOS 14.16

O ingênuo peca porque acredita em todo mundo. O tolo peca porque acredita apenas em si mesmo. O ingênuo não tem consciência moral. O tolo não tem freios morais. Não dá atenção a nenhuma autoridade externa à própria consciência.

Evidentemente, devemos ser guiados pela nossa consciência, e não pela de terceiros. Maturidade e sabedoria implicam não apenas capacidade de decidir, mas também coragem de assumir responsabilidades por nossas decisões e escolhas.

Mas maturidade e sabedoria implicam também saber que podemos ter a visão correta das coisas, pois sozinhos jamais teremos a visão completa. A pretensão de não precisar de ninguém leva à negligência. O excesso de autoconfiança nos faz perder um ingrediente essencial para uma jornada de sucesso: o temor.

A pessoa sábia teme o perigo. E por isso é cautelosa. A percepção do perigo nos faz cautelosos. A consciência de que existem armadilhas, ilusões, enganos e ameaças no caminho nos faz andar com mais cuidado, tomar decisões mais embasadas, fundamentadas em informações e considerações de outras pessoas, especialmente as opiniões e ponderações de quem nos quer bem.

O contrário da cautela é a precipitação. A pessoa que confia demais em si, e apenas em si, age intempestivamente, sem pensar, ou no mínimo sem pensar o suficiente. E por isso vive tropeçando e caindo em buracos.

O tolo pode até andar mais rápido. Mas jamais irá além do sábio.

Quem se ira com facilidade faz coisas tolas;
quem trama o mal é odiado.
PROVÉRBIOS 14.17

A pessoa temperamental é aquela que não controla a raiva, explode e logo se arrepende do que fez ou disse. Muitas pessoas temperamentais e explosivas acreditam que é melhor ser assim. Elas dizem: "Não sou de guardar nada, falo logo e resolvo o que tem para resolver". Mas o relacionamento implica necessariamente pelo menos mais uma pessoa. E, nesse caso, não basta avaliar como você se sente depois de explodir. Importa também, e principalmente, como as pessoas se sentem após as suas explosões. Pode ser que explodir seja o jeito de você se resolver e curar feridas. Mas toda explosão causa feridas em quem está por perto.

Contrariamente existem aquelas pessoas que não explodem. Mas essas pessoas não expressam a raiva e não tratam as feridas da alma. Reprimem, abafam, trancam os sentimentos no porão. Essas dores e esses ressentimentos ganham vida própria e passam a maquinar o mal: uma retaliação, uma forma de vingança, um jeito de fazer justiça, um caminho de reparação do dano sofrido. Até que, um dia, os sentimentos ruins saem do porão e invadem a casa. E tudo piora.

Nem a explosão. Nem a repressão. Melhor é a recomendação do apóstolo Paulo: "É normal ficar com raiva. É claro que todos sentem raiva. Mas não alimentem vingança no coração. Não deixem que a raiva domine muito tempo. Resolvam o problema antes de dormir" (Ef 4.26, A Mensagem).

Não dê mole para o diabo. Não deixe que ele prejudique sua vida.

Os pobres são desprezados pelos vizinhos,
enquanto os ricos têm muitos amigos.
PROVÉRBIOS 14.20

Com absoluta certeza a palavra "amigos" deve ser interpretada, nesse versículo bíblico, como se estivesse entre aspas. Amigos de verdade desconhecem qualquer categorização. Não somos amigos de pobres nem de ricos. Não somos amigos de *gays* e héteros. Não somos amigos de crentes e ateus. Não somos amigos de doutores e analfabetos.

Somos amigos de pessoas.

Cada pessoa ocupa um lugar social, tem um papel na sociedade. Mas não nos relacionamos com papéis. Nós nos relacionamos com pessoas. Relacionamentos com papéis não podem ser chamados de amizade. Relacionamentos com papéis sociais podem ser chamados de militância, negócios, *network* ou qualquer outra coisa. Mas não de amizade.

Relacionamentos que têm agenda, interesses, objetivos, que implicam transações, trocas, obrigações e contrapartida são de outra ordem que não atende pelo nome de amizade. Os relacionamentos de amizade transcendem os papéis. São, inclusive, transversais e paradoxais a eles.

Por isso amigos podem ter ideias diferentes, ideologias diferentes, opiniões políticas diferentes, morais diferentes e religiões diferentes. E ainda assim podem ser amigos.

É pecado desprezar o próximo; feliz o que ajuda os pobres.
PROVÉRBIOS 14.21

Diz o ditado que devemos não apenas dar o peixe, mas também ensinar a pescar. Isso significa que a real ajuda ao pobre implica colaborar para que ele não precise mais de ajuda. Uma ajuda que perpetua a relação de dependência não é ajuda.

A ajuda aos pobres, portanto, pode se dar em três níveis. Primeiro, devemos, sim, dar o peixe. Gandhi disse que não podemos falar com o homem faminto em outra língua que não seja o pão. Quem está com fome não precisa de curso de pesca, precisa de peixe. Uma forma de ajudar o pobre é doar, prover às suas necessidades imediatas.

Mas, além de dar o peixe, precisamos ensinar a pescar. Além de saciar a fome, existe também a necessidade de resgatar a dignidade da pessoa que precisa de ajuda. Não é justo que pessoas vivam dependendo de ajuda. O justo é que as pessoas vivam do salário fruto do trabalho. A ajuda deve ser pontual, temporária, provisória, emergencial. A melhor ajuda que podemos dar ao pobre é colaborar para que ele assuma a responsabilidade sobre si e o protagonismo da sua história.

Mas existe um terceiro nível. Precisamos garantir aos pobres que aprenderam a pescar o acesso aos aparelhos de pesca, o acesso à beirada do rio para que, assim, possam comercializar os peixes num mercado justo. Isso significa atuar nas estruturas da sociedade e romper os sistemas de exploração, injustiça e principalmente de escravidão.

Quem oprime o pobre insulta seu Criador.
PROVÉRBIOS 14.31

Há muitas maneiras de oprimir o pobre. Ignorá-lo. Privá-lo de seus direitos de cidadão. Deixá-lo desassistido pelo Estado. (Isso mesmo, o Estado existe para proteger e cuidar dos pobres, pois os ricos têm condições de cuidar-se.) Pagar-lhe salários injustos. Perpetuar a condição de pobreza, impedindo ou dificultando o acesso à educação, ou oferecendo-lhe educação de má qualidade. Escravizá-lo. Explorá-lo como mão de obra barata. Deixá-lo à margem da proteção legal. Desrespeitar as leis que protegem os trabalhadores, especialmente os pobres, ou mesmo fazer leis injustas que o prejudiquem. Culpá-lo indiscriminadamente por sua pobreza. (Isso mesmo, a maioria absoluta dos pobres não é pobre porque é preguiçosa ou porque não trabalha.) Menosprezá-lo. Cometer a iniquidade de julgá-lo por sua pobreza. Considerá-lo menos inteligente, menos capaz, menos competente, e outras tantas formas.

Oprimir o pobre é insultar seu Criador. Porque Deus não criou ninguém pobre. Nós criamos a pobreza e os pobres. Não sabemos quando esse processo começou, e não somos capazes de solucionar a pobreza em termos absolutos. Mas podemos e devemos reconhecer que a pobreza não é da vontade de Deus. E isso é suficiente para agirmos contra ela e, principalmente, jamais agirmos contra os pobres.

Quem oprime o pobre insulta a Deus.

A resposta gentil desvia o furor, mas a palavra ríspida desperta a ira.
PROVÉRBIOS 15.1

Você não pode impedir que uma pessoa fique com raiva, e também não pode impedir que uma pessoa dirija a raiva a você. Mas pode impedir que a raiva lançada contra você acerte seu coração. O segredo é a resposta gentil.

Você pode fingir que não ouviu. Fingir que não entendeu. Fingir que não é com você. Mas a melhor coisa a fazer é responder de maneira gentil, branda. Quem responde no mesmo tom da ofensa e da raiva joga lenha na fogueira. Melhor é jogar água na fervura.

Jesus nos ensinou que felizes são os que buscam a paz. Na verdade, Jesus é ele mesmo chamado de Príncipe da Paz. Nosso impulso natural é para as brincadeiras violentas: agressão, retaliação, vingança, olho por olho, dente por dente, ou pior. Mas as melhores brincadeiras se chamam mansidão, compreensão, acolhimento, perdão, reconciliação, gentileza e, especialmente, a mais difícil de todas: virar a outra face.

Os olhos do Senhor *estão em todo lugar;*
observam tanto os maus como os bons.
Provérbios 15.3

Quando eu era pequeno, me ensinaram uma musiquinha que dizia: "Cuidado, olhinho, com o que vê, porque Papai do céu está olhando pra você; cuidado, boquinha, com o que fala, porque Papai do céu está olhando pra você".

A consciência de que Deus não deixa passar nada deveria gerar medo do castigo e, assim, levar-nos a evitar travessuras e pecados. Essa era a pedagogia do medo.

Mas eu cresci. E aprendi que Deus de fato está atento a tudo o que acontece comigo. Mas ele não está me vigiando para me castigar pelos pecados. Ele está atento para me estender a mão assim que eu tropeçar. Está me acompanhando com seu olhar para me ajudar a levantar sempre que eu cair. Está de prontidão para me cobrir de bondade e misericórdia.

Não tenha medo de Deus. Não tenha medo por saber que Deus está de olho em você. Na verdade, você deveria ter medo de que Deus deixasse de prestar atenção em você.

Mas fique tranquilo, fique tranquila, esse dia nunca chegará.

Os sacrifícios dos perversos são detestáveis para o SENHOR, *mas ele tem prazer nas orações dos justos.*
PROVÉRBIOS 15.8

O profeta Isaías trouxe um recado de Deus ao dizer que ele estava cansado de receber sacrifícios:

> Chega de joguinhos religiosos! Não suporto mais essa encenação: conferências mensais, agenda sabática, encontros especiais, reuniões, reuniões e mais reuniões — não aguento ouvir falar em reunião! São reuniões para isto, reuniões para aquilo. Chega de reuniões! Vocês me cansaram! Estou cansado de religião, de tanta religião, enquanto vocês continuam pecando. Quando fizerem a próxima oração coletiva, eu vou olhar para o outro lado. Não importa se oram alto, por muito tempo ou com frequência; eu não vou dar ouvidos. Sabem por quê? Porque vocês têm trucidado pessoas, e suas mãos estão cheias de sangue. Vão para casa e se lavem! Limpem essa sujeira toda. Esfreguem a vida até que saiam suas maldades, para que eu não seja mais obrigado a olhar para elas. Digam 'não' para o mal. Aprendam a fazer o bem. Trabalhem pela justiça. Ajudem os oprimidos e marginalizados. Façam alguma coisa pelos sem-teto. Levantem a voz em favor dos indefesos.
>
> Isaías 1.13-17, A Mensagem

Deus não deseja ouvir nossas ladainhas decoradas, nossas preces escritas nas liturgias das missas e dos cultos, nem está interessado em nossos espetáculos religiosos. Deus quer ouvir histórias a respeito de como estamos fazendo a justiça — o bom, o belo e o justo — prevalecer no mundo.

O zombador odeia ser repreendido, por isso se afasta dos sábios.
PROVÉRBIOS 15.12

O zombador é "o arrogante metido a sabido" (A Mensagem). O metido a sabido não gosta que lhe digam o que fazer. Não gosta de ser corrigido. Não gosta de ser contrariado. Não gosta de ser questionado. Mas quem convive com pessoas minimamente sensatas e emocionalmente maduras certamente passará por tudo isso.

Pessoas sábias não veem problema em se expor ao contraditório, ao debate, e ficam sempre muito agradecidas quando têm a oportunidade de aprender e quando alguém as corrige ou lhes ensina algo.

As pessoas metidas a sabidas, das duas uma: ou ficam falando sozinhas, porque não suportam ninguém e ninguém as suporta, ou falam com pessoas que estão sob seu controle, sua dependência e/ou lhe são subservientes.

Outro dia alguém me ensinou a respeito dos homens de sucesso modelo branca de neve: são grandes apenas porque estão rodeados de anões.

Pessoas sábias gostam de andar no meio de gigantes.

BUFFET

Um prato de verduras ao lado de quem você ama é melhor que carne saborosa junto de alguém que você odeia.
PROVÉRBIOS 15.17

O amor faz deliciosa uma pequena refeição. O ódio faz amarga a mais luxuosa festa. Isso significa que há duas fontes de prazer. Uma exterior, e outra interior.

Você pode avaliar a festa pela comida servida e também pelos afetos envolvidos. A comida, os alimentos, a bebida representam as fontes externas de prazer. O amor e o ódio representam as fontes interiores. O que determina se a festa é boa é a qualidade do coração, e não a qualidade do *buffet*.

Uma das marcas dos provérbios, e da sabedoria, é sua obviedade e universalidade. Chamamos isso de clichês. Mas os clichês, em sua maioria, existem porque são verdadeiros. Esse provérbio é um bom exemplo. O que faz a vida boa não são as coisas, mas as pessoas, e especialmente a qualidade das relações entre as pessoas.

Nenhum luxo é suficiente onde existe ódio. Nenhuma escassez é insuportável onde existe amor.

Quem se ira facilmente provoca brigas, mas quem tem paciência acalma a discussão.
PROVÉRBIOS 15.18

Pessoas de pavio curto explodem rápido. E explodem a todo momento. E por qualquer coisa. O que importa para as pessoas que ficam iradas facilmente não é o assunto em questão, mas a necessidade de dar vazão à sua ira.

As pessoas que se iram até por coisas mínimas e sem importância, ou pelo menos sem a importância que justifique os acessos de raiva e as explosões, estão prisioneiras de algum ódio, uma raiva, um ressentimento. Seus acessos de raiva, na verdade, são gritos por socorro.

Pessoas de pavio curto geralmente descontam o ódio e a raiva naqueles que cruzam seu caminho, embora não sejam os verdadeiros odiados. O ódio tem outras faces, certamente pessoas e situações vividas no passado. Quem tem pavio curto precisa saber que não é possível se livrar dos fantasmas do passado descarregando raiva e ódio nas pessoas do presente.

O provérbio diz que quem tem paciência acalma a discussão. Apenas pessoas que tardam em irar-se, que estão em paz consigo e com sua história, podem ajudar aquelas que carregam fantasmas na alma.

Se você é pavio curto, peça ajuda para encontrar seus fantasmas e se livrar deles. E agradeça a Deus pelas pessoas que ainda toleram seus ataques de ira. Elas são o recurso que Deus colocou ao seu lado para que você possa se curar.

Se você é uma pessoa paciente, que convive com pessoas de pavio curto, que Deus a abençoe. Não desista. Lembre que o ódio não é contra você.

Planos fracassam onde não há conselho, mas
têm êxito quando há muitos conselheiros.
Provérbios 15.22

A palavra hebraica traduzida como conselho nesse provérbio indica "conselho secreto". Isso é muito sugestivo.

As pessoas impulsivas não ouvem conselhos, não se dedicam a avaliar criteriosamente seus planos e projetos, não fazem a lição de casa. Assim que têm uma ideia, logo saem contando para todo mundo o que pretendem realizar: vou fazer isso e aquilo, assim e assado. Seus planos são perfeitos, e tudo dá certo no final. Mas apenas dentro de sua cabeça. Por essa razão, fracassam.

Existe, porém, outro jeito de fazer as coisas.

As pessoas bem-sucedidas não têm pressa em divulgar e tornar públicas suas ideias e seus projetos. Antes de anunciar seus planos aos quatro ventos, deixam que as ideias amadureçam, submetem suas intenções a conselheiros idôneos, analistas competentes, pessoas com sabedoria e capazes de avaliar as variáveis, as implicações, antecipar eventuais dificuldades, antever provisões necessárias para o êxito dos projetos.

Antes de transformar planos em manchetes, as pessoas bem-sucedidas se reúnem secreta e discretamente com sábios conselheiros.

Esse é um dos segredos do sucesso.

Todos se alegram quando dão a resposta apropriada;
como é bom dizer a coisa certa na hora certa!
PROVÉRBIOS 15.23

Falar a coisa certa na hora certa. Isso significa pelo menos duas coisas. Primeiro, quer dizer que as pessoas sábias estão sempre prontas para falar a coisa certa. A qualquer momento, em qualquer situação, mesmo em circunstâncias inusitadas e inesperadas, as pessoas sábias têm uma palavra certa para dizer.

As pessoas que possuem valores e consciência moral bem fundamentados podem responder instantaneamente a qualquer questão. Não necessariamente porque são especialistas no assunto, mas porque são capazes de oferecer uma porta de saída para qualquer impasse, dilema ou constrangimento. A palavra certa pode não resolver as questões de imediato, mas aponta caminhos de sabedoria para solucioná-las. As pessoas sábias, não importa a ocasião, falam sempre a coisa certa.

Mas falar a coisa certa na hora certa tem também um significado quase oposto. Ainda que tenham a coisa certa para falar, as pessoas sábias esperam o momento certo para se pronunciar. E isso revela outra habilidade das pessoas sábias. Elas não apenas sabem falar a coisa certa. Elas sabem também o momento em que as pessoas estão prontas para ouvir a coisa certa.

As pessoas sábias não são guiadas pela certeza do que têm para dizer. São orientadas pela sensibilidade ao momento de quem vai ouvir.

O Senhor *derruba a casa dos orgulhosos,*
mas protege a propriedade da viúva.
Provérbios 15.25

Orgulhosos de um lado, viúvas de outro. Poderosos, prepotentes e arrogantes de um lado, fracos, vulneráveis e humildes de outro.

De que lado Deus está? Não tenha dúvida. Deus está do lado dos fracos, vulneráveis e humildes. Os profetas de Israel foram enfáticos em defender a causa dos órfãos, das viúvas e dos estrangeiros. Essas pessoas têm em comum o fato de que sua carência e pobreza se justificam por perdas involuntárias: os órfãos perderam os pais, as viúvas perderam o marido, e os estrangeiros, que hoje chamamos refugiados, perderam tudo.

A condição de pobreza e necessidade dos órfãos, viúvas e refugiados não se explica pelo fato de serem irresponsáveis, indolentes ou preguiçosos. Eles são pobres e necessitados porque foram vítimas de tragédias. Poucas coisas são mais hediondas, causam maior horror e são tão inaceitáveis quanto o abuso de pessoas em condição de vulnerabilidade e vitimadas por tragédias pessoais.

Deus derruba a casa dos orgulhosos. Deus exerce juízo contra aqueles que se aproveitam da vulnerabilidade alheia. Deus julga radicalmente os oportunistas que se beneficiam inescrupulosamente de pessoas enfraquecidas e sem condição de defesa.

Deus está do lado das vítimas.

De que lado você está?

O coração do justo pensa bem antes de falar; a boca dos perversos transborda de palavras maldosas.
Provérbios 15.28

Muitas vezes o silêncio é a melhor resposta. Você não precisa responder a tudo que lhe perguntam. Não precisa responder a cada crítica feita contra você. Não precisa responder a cada insulto que lhe dirigem. Não precisa opinar a respeito de tudo. E muito menos para todo mundo. E a todo momento.

Pessoas sábias pensam bem antes de falar. Ponderam se suas palavras acrescentarão algo. Consideram se o que têm a dizer levará a conversa para uma direção saudável e amigável. Avaliam se suas palavras cooperarão para a solução ou intensificarão o problema. Buscam discernir se suas respostas promoverão guerra ou paz.

Há muitas ocasiões em que o silêncio é a melhor resposta. E há também muitas pessoas que devem receber apenas o nosso silêncio. Pessoas perversas, que vivem proferindo palavras maldosas, não estão interessadas nas respostas, exceto como munição para levar adiante os conflitos e jogar lenha na fogueira de suas perversidades e maldades.

Os perversos falam maldades sem pensar. As pessoas sábias sabem quando o silêncio é a melhor resposta.

O Senhor *está longe dos perversos, mas ouve as orações dos justos.*
Provérbios 15.29

Há palavras que Deus não gosta de ouvir. E há também pessoas que Deus não ouve. E Deus não ouve essas pessoas porque está longe delas. Ou elas estão longe de Deus. A voz dessas pessoas se perde no vento antes de chegar ao coração de Deus.

Os salmos bíblicos revelam que Deus está perto de todos os que o invocam com sinceridade. Está acessível a todos os que têm um coração quebrantado e um espírito contrito. Mas também dizem que Deus está longe dos perversos. Diz que, quando os perversos clamam, Deus não os ouve. Quando pedem socorro, Deus não lhes responde.

Isso não quer dizer que Deus é cruel, vingativo ou impiedoso a ponto de não estender a mão aos que clamam por uma segunda chance ou suplicam pela oportunidade de começar de novo. Os salmos também dizem que as misericórdias de Deus não têm fim; duram para sempre.

Deus não ouve os perversos porque não é cúmplice de maldades. Deus está longe dos malvados porque não tem parte com quem pratica o mal.

Mas as orações dos justos chegam sempre aos ouvidos dele. As pessoas que buscam a Deus com o coração humilde e sincero sempre encontrarão o socorro de que necessitam e a resposta que procuram.

Quem dá ouvidos à crítica construtiva se sente à vontade entre os sábios.
PROVÉRBIOS 15.31

Quem anda na companhia dos sábios convive com a constante possibilidade de ser corrigido, esclarecido e até mesmo criticado e repreendido.

É normal ficar um pouco constrangidos quando estamos diante de uma pessoa que consideramos sábia. Ficamos mais cautelosos em falar, ensaiamos como fazer uma pergunta e buscamos palavras para entabular uma conversa.

Não é muito confortável ficar perto das pessoas que admiramos. Uma das razões do desconforto é o nosso orgulho. O orgulho nos prejudica muito, pois nos impede de aprender e crescer.

As pessoas humildes se sentem mais a vontade diante dos sábios. Não têm vergonha de admitir suas limitações, não têm problema em ser ensinadas e corrigidas pelas pessoas sábias. As pessoas humildes, com o passar do tempo, acabam ganhando sabedoria. E com um pouco mais de tempo também se tornam sábias. Sábias a ponto de se sentirem a vontade entre os sábios, mesmo quando são corrigidas, repreendidas e esclarecidas pelos sábios.

Porque isto, sim, é sabedoria: saber que ninguém sabe tudo e ninguém está sempre certo.

O temor do S*ENHOR* *ensina sabedoria;*
a humildade precede a honra.
PROVÉRBIOS 15.33

O Novo Testamento tem um paralelo para esse provérbio. O apóstolo Pedro recomenda: "Contentem-se com o que são e não empinem o nariz. A mão de Deus é forte e está sobre vocês. Eles os exaltará no tempo certo" (1Pe 5.6, A Mensagem).

Foi exatamente isso o que Jesus fez.

> Mesmo em condição de igualdade com Deus, Jesus nunca pensou em tirar proveito dessa condição, de modo algum. Quando sua hora chegou, ele deixou de lado os privilégios da divindade e assumiu a condição de escravo, tornando-se *humano*! E, depois disso, permaneceu humano. Foi sua hora de humilhação. Ele não exigiu privilégios especiais, mas viveu uma vida abnegada e obediente, tendo também uma morte abnegada e obediente — e da pior forma: a crucificação.
>
> Por causa dessa obediência, Deus o exaltou e honrou muito acima e além de todos, para que todos os seres criados, no céu e na terra — até aqueles há muito mortos e enterrados —, se curvem em adoração na presença de Jesus Cristo e proclamem, por meio do louvor, que ele é o Senhor de todos, para a gloriosa honra de Deus Pai.
>
> Filipenses 2.5-11, A Mensagem

A humildade precede a honra.

É da natureza humana fazer planos, mas
a resposta certa vem do SENHOR.
PROVÉRBIOS 16.1

Uma tradução mais literal desse provérbio seria: "O coração organiza os pensamentos, mas a boca fala o que o SENHOR deseja". Isso faz parecer que Deus controla cada mínimo detalhe da nossa vida, até mesmo o que dizemos. Esse dilema existe desde sempre na teologia e na filosofia: conciliar a liberdade humana com a soberania divina.

Se tudo que acontece na vida se explica pela interferência de Deus, então somos meros robôs ou fantoches, e por isso não podemos ser responsabilizados moralmente pelo que fazemos ou deixamos de fazer.

Em contrapartida, afirmar que Deus não tem nada a ver com o que acontece no mundo é o mesmo que afirmar a ausência de Deus. A existência, ou não, de um Deus que não age aqui é completamente indiferente.

Não acredito na possibilidade de resolver esse dilema. Mas tampouco podemos viver como se ele não existisse. Assim, o melhor que temos a fazer é cuidar da variável que está em nossas mãos: os planos que fazemos e os desejos que abrigamos no coração.

A liberdade de pensar, desejar, planejar e imaginar o futuro é uma dádiva divina. Sabemos que nem tudo que desejamos ou planejamos se realiza ou se concretiza exatamente como queremos. Mas isso não nos impede de assumir o protagonismo de nossa vida e história.

Isso me faz lembrar o conselho atribuído a Inácio de Loyola, monge jesuíta: "Ore como se tudo dependesse de Deus e trabalhe como se tudo dependesse de você".

Ainda que as pessoas se considerem puras,
o SENHOR *examina as intenções de cada um.*
PROVÉRBIOS 16.2

Bom é andar desconfiado. A desconfiança gera cautela, cuidado, passos cuidadosos. A confiança cega é um sinal de ingenuidade. Os tolos acreditam em tudo que ouvem. Acreditam em todo mundo. Os sábios sabem que as coisas não são necessariamente o que parecem. Os sábios sabem que as pessoas mentem. E, quando não mentem, se enganam. Ou mentem acreditando sinceramente estar dizendo a verdade. Os sábios conhecem as armadilhas do engano e do autoengano. Por isso desconfiam de tudo e de todos. Mas os sábios desconfiam especialmente de si mesmos.

Somente os tolos confiam cegamente em si mesmos. Acreditam saber exatamente de onde se originam seus pensamentos e suas intenções. E acreditam na sua pureza.

Os sábios, no entanto, são como o apóstolo Paulo, que disse: "pouco importa como sou avaliado por vocês ou por qualquer autoridade humana. Na verdade, nem minha própria avaliação é importante. Minha consciência está limpa, mas isso não prova que estou certo. O Senhor é quem me avaliará e decidirá" (1Co 4.3-4).

As pessoas podem até se julgar puras, mas apenas Deus sabe o que vai no coração de cada ser humano. Quem é sábio desconfia, e desconfia especialmente de si mesmo.

Confie ao SENHOR *tudo que você faz,*
e seus planos serão bem-sucedidos.
PROVÉRBIOS 16.3

John Lennon disse que a vida é o que acontece enquanto fazemos planos.

O controle é uma ilusão. As coisas têm lá suas probabilidades, plausibilidades e previsibilidades. Mas o fato é que não raras vezes as coisas acontecem de um jeito que jamais imaginamos que poderiam acontecer ou de um jeito completamente diferente do que havíamos planejado e esperávamos que acontecessem.

Por causa disso, muita gente cruza os braços numa atitude de "o que tem que ser será". Abrem mão da prerrogativa de escolher o que fazer, quando fazer, como fazer e também de ponderar por que fazer. Em outras palavras, abrem mão de viver.

As incertezas quanto ao futuro não devem ser motivos para deixarmos de fazer planos e muito menos para cruzarmos os braços. Confiar no Senhor, e ao Senhor, o que fazemos é um caminho de sucesso para o que planejamos.

O equilíbrio está no conselho de Tiago, irmão de Jesus e líder da igreja de Jerusalém no primeiro século da era cristã:

> Prestem atenção, vocês que dizem: "Hoje ou amanhã iremos a determinada cidade e ficaremos lá um ano. Negociaremos ali e teremos lucro". Como sabem o que será de sua vida amanhã? A vida é como a névoa ao amanhecer: aparece por um pouco e logo se dissipa. O que devem dizer é: "Se o Senhor quiser, viveremos e faremos isso ou aquilo". Caso contrário, estarão se orgulhando de seus planos pretensiosos, e toda presunção como essa é maligna.
>
> Tiago 4.13-16

197

Quando a vida de uma pessoa agrada o SENHOR,
até seus inimigos vivem em paz com ela.
PROVÉRBIOS 16.7

Malbim, um rabino do século 19, interpreta esse provérbio dizendo que, "quando um homem faz as pazes com seus inimigos interiores, Deus o recompensa dando-lhe paz com qualquer inimigo externo".

Essa é uma boa definição do que é ser uma pessoa que agrada a Deus: aquela que faz as pazes com seus inimigos interiores, aquela que consegue domar seus anseios, apetites e impulsos maus.

Para ter paz com as pessoas precisamos ter paz interior. Uma pessoa que guarda no íntimo feridas abertas dificilmente conseguirá se relacionar pacífica e harmoniosamente com quem está ao redor. A tendência é reproduzir em nossas relações pessoais do presente o que trazemos na memória emocional e espiritual das relações do passado.

Pessoas feridas, que não cuidam de suas feridas, acabam se tornando pessoas que ferem. Pessoas que carregam as marcas da violência sofrida tendem a reproduzir a violência, pois aprenderam que a proximidade se dá por meio dos vínculos violentos.

Mas o oposto é verdadeiro. É muito difícil fazer guerra com quem está em paz. Pessoas que foram curadas não apenas aprendem a linguagem dos afetos amorosos, porque já provaram o amor que cura, como também aprendem a curar.

Violência gera violência.

Mas a paz também é contagiosa.

É melhor ter pouco com justiça que ser rico com desonestidade.
PROVÉRBIOS 16.8

Todos os dias abrimos os jornais e lemos alguma notícia a respeito de pessoas que pensam exatamente o contrário do que diz o provérbio. Preferem ser ricas e desonestas a ser honestas e pobres. A razão disso é que muita gente deixa de levar em conta duas coisas muito importantes a respeito do dinheiro: sua energia e seu campo gravitacional.

Todas as coisas que empoderam as pessoas funcionam quase como um ser vivo, como se tivessem vida própria, independentemente da pessoa que as possui. A beleza empodera, o conhecimento empodera, um cargo de autoridade empodera. E, entre as coisas que empoderam as pessoas, o dinheiro é uma das mais poderosas. Por isso o dinheiro é quase um ser vivo. Não é neutro, como um copo plástico usado e jogado ao chão. O dinheiro fascina, cativa, suscita desejos, promete mundos e fundos. O dinheiro tem energia.

E, porque o dinheiro tem energia, tem também um campo gravitacional. O dinheiro exerce poder de atração. O dinheiro sujo tem o poder de atrair o que é sujo. O dinheiro sujo não vem sozinho para os cofres. Traz consigo um monte de coisas sujas, e por isso nocivas. Traz pessoas e relações, compromissos e obrigações, implicações e consequências. O dinheiro sujo custa muito caro.

Das consequências do dinheiro sujo, nenhuma é pior do que a capacidade de sujar a alma de quem o possui. O dinheiro sujo não transforma apenas o entorno da vida do rico, possibilitando prazeres e conforto. Transforma também a alma do rico, trazendo agonias e sofrimentos. As perdas causadas pelo dinheiro acabam sendo infinitamente maiores do que os ganhos trazidos. Por isso o sábio diz que é melhor ser pobre, porém honesto, do que rico de dinheiro sujo.

É da natureza humana fazer planos, mas é o
SENHOR quem dirige nossos passos.
PROVÉRBIOS 16.9

Diz o ditado que querer é poder. Mentira, não é não. Nem tudo que queremos temos poder para fazer. Nem tudo que queremos temos capacidade para realizar. O coração pode fazer planos, pode querer. Mas de Deus vem a força, o poder, a capacidade e os recursos para que os planos se realizem.

As pessoas sábias sabem que plantar depende delas, mas a colheita não. Sabem que planejar o piquenique depende delas, mas o dia de sol não. Sabem que fazer amor depende delas, mas gerar filhos não.

Nós, humanos, podemos muito, mas não podemos tudo. Porque podemos muito, devemos fazer planos, plantar, planejar piqueniques e fazer amor. E porque não podemos tudo, devemos nos ajoelhar e entregar nossos planos nas mãos de Deus.

A sabedoria vai nos ajudar a distinguir a persistência da teimosia.

Porque podemos muito, devemos persistir e perseverar na direção de nossos planos e sonhos.

Porque não podemos tudo, devemos saber a hora de buscar outros sonhos, fazer outros planos e caminhar para novos horizontes.

Quando nossos planos se realizam, celebramos e agradecemos a Deus.

Quando nossos planos são frustrados, agradecemos a Deus e começamos de novo.

De joelhos. E sem revolta. Sem mimimi.

O Senhor *exige balanças e pesos exatos; ele determina os padrões da imparcialidade.*
Provérbios 16.11

Um mundo sem padrões e medidas é um caos. Padrões e medidas nos ajudam em tudo, desde construir pontes até atravessar a rua. As medidas nos ajudam a nos locomover no mundo das coisas. E o respeito a elas nos ajuda a nos locomover no mundo das relações sociais.

O êxito de uma sociedade depende do capital de confiança que há entre as pessoas. Os laços das relações de negócios são essenciais para a sustentabilidade, a justiça e a paz da teia social. Trocas, transações e intercâmbio de riquezas não podem sofrer fraudes, sob pena de sabotarem toda a estrutura na qual se sustenta a sociedade.

Adulterar o peso ou a quantidade identificada na embalagem de produtos, acrescentar ou subtrair centavos às contas são exemplos de delitos considerados pequenos, especialmente porque o cálculo está nas grandezas objetivas do que é transacionado. Mas o que sabota a sociedade não é a meia dúzia de palitos a menos na caixa de fósforos, e sim a fraude, que corrói a confiança entre as pessoas, gerando custos cada vez maiores em termos de conformidade, vigilância e auditorias.

As pequenas fraudes sacrificam a justiça. O sacrifício da justiça sabota os relacionamentos. Os relacionamentos sabotados resultam em sociedades competitivas e violentas, onde a cooperação e a mutualidade perdem para a desconfiança e a hostilidade.

Não duvide: o pequeno delito praticado massivamente destrói amizades, casamentos e famílias. Pequenas fraudes sabotam a sociedade.

Por isso Deus exige balanças e pesos exatos.

O orgulho precede a destruição; a arrogância precede a queda.
Provérbios 16.18

O orgulho é o pecado de Lúcifer. Orgulho se define como a pretensão de ser autossuficiente, como se fosse autoexistente. A pretensão de se sustentar nas próprias forças, como se a vida não fosse dádiva. A sensação de ser indestrutível, inabalável, eterno. O desejo de ocupar o lugar de Deus, a pretensão de ser como Deus, de ser deus.

> Você tinha tudo a seu favor. Você estava no Éden, o jardim de Deus. Você estava vestido de esplendor, seu manto enfeitado com joias [...], todas engastadas em ouro. Um manto foi preparado para você no mesmo dia em que você foi criado. Você foi ungido como querubim. Eu estabeleci você no monte de Deus. [...] Desde o dia de sua criação, você era a pura perfeição... e, depois, pecou — o mal! — foi detectado em você. De tanto comprar e vender, você se tornou violento, você pecou. Você, caído em desgraça, foi lançado para baixo lá do monte de Deus. [...] Eu joguei você fora — você, o querubim ungido. [...] Sua beleza subiu à cabeça. Você corrompeu a sabedoria fazendo dela meio de alcançar fama mundial. Eu joguei você no chão, fiz de você um triste espetáculo diante de uma plateia de reis e deixei que eles tripudiassem sobre sua queda. [...] Por isso, pus fogo em tudo à sua volta e em você. Ele o consumiu. Eu reduzi você a cinzas. Tudo que alguém vê agora quando olha para você são cinzas, um montículo desprezível de cinzas. Todos os que, antes, conheciam você agora levantam as mãos para o céu: "Isso não pode ter acontecido!". Mas isso *já* aconteceu!
>
> Ezequiel 28.11-19, A Mensagem

O orgulho é o pecado de Lúcifer.

Palavras bondosas são como mel: doces para
a alma e saudáveis para o corpo.
PROVÉRBIOS 16.24

Os filósofos contemporâneos dizem que a linguagem é uma das principais, senão a principal, distinção entre nós, os seres humanos, e os animais. Os animais se comunicam entre si, mas não por meio de palavras.

Palavras têm um poder extraordinário. Deus criou o mundo por meio delas. As palavras criam mundos. Mundos simbólicos, imaginários, abstratos, que se tornam mais determinantes do que a realidade concreta.

Com as palavras construímos ambientes de afeto, acolhimento, aceitação. Com as palavras construímos vínculos de relacionamentos amorosos. Com as palavras contamos nossa história e construímos a própria identidade. Com as palavras construímos um mundo paralelo onde de fato habitamos. Carecemos de lugar de habitação não apenas para o corpo físico, mas também e principalmente para a alma. A casa onde o corpo mora é construída com tijolos. A casa onde a alma habita é construída com palavras.

A alma precisa ouvir: amo você, celebro você, quero você na minha vida, admiro você, perdoo você, você é meu amigo, minha amiga, meu filho, minha filha em quem tenho prazer.

Almas desnutridas de palavras amáveis resultam em corpos doentes. Almas bem alimentadas de palavras de amor e afeto geram pessoas saudáveis e inteiras. Palavras podem fazer bem para o corpo e para a alma.

Cuide bem de suas palavras. E, especialmente, não se canse de expressar palavras amáveis e verdadeiras às pessoas ao seu redor.

É bom que os trabalhadores tenham apetite;
o estômago vazio os impulsiona.
PROVÉRBIOS 16.26

Acredito que, ao contrário da ganância e também da inveja e da cobiça, a ambição é uma coisa boa. Ambição é querer mais. Ganância é querer apenas para si. Cobiça é querer o que não nos pertence. Inveja é ter desgosto porque o outro tem o que não temos.

A ambição, ou apetite, nos faz ter disciplina, organização e planejamento. Obriga-nos a aprender coisas novas, buscar conhecimento, desenvolver competências e habilidades. A ambição nos coloca em movimento e nos faz pular da cama para trabalhar.

Trabalhamos não apenas porque queremos mais dinheiro e mais riqueza. Aliás, o amor ao dinheiro é a raiz de todos os males, disse o apóstolo Paulo. Quem levanta da cama apenas para correr atrás de mais dinheiro está procurando problemas. Mas quem não levanta da cama ou está doente, e precisa de médico, ou já está com problemas. Problema de falta de apetite. Problema de falta de ambição. Problema da acomodação que faz a vida andar para trás.

É bom ter ambição, sem cobiça e sem inveja. É bom querer mais. Arregace as mangas e corra atrás. Deus vai abençoar o esforço do seu trabalho e a obra das suas mãos.

O perverso semeia discórdia; o difamador
separa até os melhores amigos.
PROVÉRBIOS 16.28

O difamador é o fofoqueiro. É quem espalha boatos e faz o papel sujo do leva-e-traz de notícias impróprias. A pessoa fofoqueira transforma fatos em versões, deturpa notícias, distorce palavras, semeia suspeitas e promove hostilidades. A pessoa fofoqueira faz o papel de comentarista maldosa da vida alheia. Transforma pessoas em assuntos. A pessoa fofoqueira é a jornalista da intimidade constrangedora de terceiros. Tem prazer em divulgar e comentar, de maneira sórdida, o que se passa na vida dos outros.

A fofoca expõe a intimidade das pessoas. Mais do que isso, a fofoca expõe a intimidade vergonhosa das pessoas. Quando você está falando de uma pessoa para alguém que não tem nada a ver com o assunto, e principalmente não pode ajudar a resolver o problema, você está fazendo fofoca.

Mas a principal característica da fofoca é sua capacidade de ferir pessoas e destruir relacionamentos. Palavras que magoam e causam ressentimentos devem ser caladas. Ao comentar a vida alheia, pergunte-se:

- Como as pessoas se sentiriam se soubessem o que estou dizendo?
- Esses comentários podem ser feitos na presença das pessoas envolvidas no assunto?
- Esses comentários ajudam e aproximam as pessoas a respeito de quem estou falando?

Palavras que destroem pessoas e relacionamentos devem ser caladas.

Os cabelos brancos são coroa de glória, para
quem andou nos caminhos da justiça.
Provérbios 16.31

Cabelos brancos sugerem maturidade, sabedoria, virtude. Quem tem cabelos brancos teve tempo suficiente para aprender, avaliar o que aprendeu, testar e aperfeiçoar o que sabe. Quem tem cabelos brancos teve tempo de cometer erros, se arrepender e refazer seus caminhos. Quem tem cabelos brancos teve tempo de conhecer-se, aceitar-se, assumir as rédeas da própria vida, reinventar-se e superar-se. Quem tem cabelos brancos teve tempo suficiente para desenvolver as virtudes do caráter, alcançar a maturidade e a estabilidade emocional, a serenidade da alma e a paz em seus relacionamentos mais essenciais. Quem tem cabelos brancos teve tempo para fazer, desfazer e refazer. Quem tem cabelos brancos teve tempo para tudo isso. Resta saber se soube usar o tempo que teve.

Para quem andou nos caminhos da justiça, os cabelos brancos são uma coroa. O tempo transforma meninos em homens, e homens em reis. O tempo transforma meninas em mulheres, e mulheres em rainhas. Reis e rainhas reinam, governam a si mesmos e aos recursos ao redor em benefício próprio e, principalmente, para o bem comum.

O homem que anda nos caminhos da justiça alcança a velhice senhor de si, e seus cabelos brancos são como uma coroa que testemunha sua realeza. A mulher que anda nos caminhos da justiça envelhece senhora de si, e seus cabelos brancos são o ornamento absoluto de seu *status* de rainha.

A justiça faz dos cabelos brancos coroas, e dos idosos reis e rainhas.

É melhor ser paciente que poderoso; é melhor ter autocontrole que conquistar uma cidade.
PROVÉRBIOS 16.32

Quase todo mundo começa querendo conquistar cidades. Conquistar cidades significa alcançar o sucesso profissional, a riqueza financeira, ocupar posições de autoridade e deter o poder de fazer prevalecer sua vontade sem ter que se subordinar a nada e a ninguém.

O mundo está cheio de gente que conquistou uma cidade, mas não alcançou autonomia nem liberdade plena. Homens e mulheres cuja razão, emoção e volição permanecem territórios não conquistados. Não governam o próprio espírito. Sua mente é um labirinto de pensamentos controversos e contraditórios. Não pensam por si, mas são guiados por outras consciências e inteligências. Nem mesmo se dão conta de não ser os autores da própria história.

Conquistaram uma cidade, mas não os próprios sentimentos. Sua memória emocional ainda causa sofrimento e dor. São poderosos, mas incapazes de amar. São pessoas feridas que ferem e inviabilizam até mesmo os relacionamentos que lhes são mais caros. Homens e mulheres que conquistaram cidades, mas sua vontade está subjugada por poderes outros: pessoas inescrupulosas, ideias perniciosas, vícios danosos, paixões deletérias. Todo o *glamour* do seu mundo exterior é ofuscado pelo seu fracasso existencial.

Conquistaram cidades, mas morrem sem deixar saudade e logo são substituídos por outros gigantes de vento.

Maior é aquele que conquista a si mesmo do que aquele que conquista uma cidade.

As pessoas podem lançar as sortes, mas quem determina o resultado é o SENHOR.
PROVÉRBIOS 16.33

Urim e Tumim, duas pedras que compunham as vestes do sumo sacerdote israelita, eram usadas para descobrir a vontade de Deus sobre determinado assunto. A crença antiga diz que as pedras continham duas faces. Ao ser consultado, o sumo sacerdote lançava as pedras, e a face mostrada indicaria uma resposta positiva, negativa ou indeterminada. Lançar sortes era como os israelitas se referiam ao processo de consulta ao sumo sacerdote.

Nesse mesmo sentido, usamos hoje a moeda. Cara e coroa orientam escolhas e decisões. A diferença é que acreditamos que o resultado do jogo é aleatório, e o máximo que podemos fazer em jogos de sorte, ou azar, é estudar a lei das probabilidades. Os israelitas, por sua vez, acreditavam que Deus controlava o resultado dessas pedras, por isso o sentido de lançar as pedras não é exatamente o que chamamos hoje de lançar sortes.

Não existe nada semelhante na tradição cristã, pelo menos nada que se tenha consolidado a partir dos relatos do Novo Testamento.

Os sábios não lançam sortes nem se dedicam a jogos de adivinhação. Eles sabem que os eventos podem ser explicados pelo princípio da causa e efeito, pela intervenção de Deus e, inclusive, pela aleatoriedade.

Os sábios sabem que por trás de tudo que acontece está Deus e sua prerrogativa de intervir ou não. Quem é sábio não perde tempo com sorte e azar, mas trabalha duro, da maneira mais inteligente possível, e descansa a vida nas mãos de Deus.

É melhor um pedaço de pão seco e paz que uma casa cheia de banquetes e conflitos.
PROVÉRBIOS 17.1

Ouvi a história de duas famílias adversárias políticas no interior da Bahia. O filho, candidato de oposição, disse ao pai: "Vai ser difícil ganhar essa eleição, a família deles é muito unida", ao que o pai respondeu: "Isso não sabemos ainda, eles nunca tiveram que dividir uma herança".

Não sabemos se uma família é mesmo unida até que a disputa pelo dinheiro entre em cena. Quando irmãos e irmãs e cunhados e cunhadas começam a discutir direitos sobre os bens deixados pelos pais, os diferentes *status* e posições nos negócios da família, os benefícios e as obrigações da administração das riquezas, é que sabemos se a família é mesmo unida. É comum ver irmãos inviabilizarem os relacionamentos fraternos por causa do dinheiro e do *status* de herdeiros.

Caim e Abel, Jacó e Esaú, José e seus irmãos são personagens que se repetem na trama diária. Inveja, cobiça e deslealdade são pecados corriqueiros onde o dinheiro sobra e o caráter, o afeto e a maturidade faltam.

Quando as coisas passam a valer mais do que as pessoas, os custos emocionais e afetivos das riquezas se tornam elevadíssimos. Algumas heranças são verdadeiras maldições. Se muitos pais soubessem que a disputa por seu espólio dividiria filhos e netos, se desfariam de todas as posses.

Quando vamos aprender que paz e alegria verdadeiras não dependem do que temos, mas das pessoas que podemos amar?

O servo prudente governará sobre o filho que envergonha o pai e terá parte na herança com os filhos de seu senhor.
PROVÉRBIOS 17.2

As virtudes não são hereditárias. Um pai pode deixar como herança para os filhos dinheiro, propriedades e riquezas, mas virtudes de caráter e atitudes que preservem e multipliquem as riquezas dependem dos filhos. Por isso um servo prudente, diligente e dedicado pode se sobressair ao herdeiro preguiçoso, displicente e negligente. Como diz o ditado: pai rico, filho nobre, neto pobre.

Os filhos que não se dedicam a administrar com sabedoria as riquezas recebidas como herança dos pais não deixarão para os próprios filhos nada além de dívidas e vergonha. Esses filhos nobres, que chamamos de filhinhos de papai ou *playboys*, não sabem gerir nem produzir riquezas. Sabem apenas consumir, gastar e esbanjar o fruto do trabalho dos pais. Por essa razão acabam não apenas perdendo seu lugar de privilégios como também, e principalmente, fracassam em cumprir as responsabilidades inerentes aos privilégios.

Outro ditado diz que quem ganha um milhão ganha uma missão. Riquezas trazem consigo responsabilidades. As pessoas verdadeiramente ricas fazem muito mais do que desfrutar privilégios. Usam suas riquezas para abençoar o maior número possível de pessoas. Sabem que as verdadeiras riquezas são coletivas.

O fogo prova a pureza da prata e do ouro,
mas o SENHOR *prova o coração.*
PROVÉRBIOS 17.3

Converso com muitas pessoas em conflito ao se verem diante de uma tomada de decisão. Aflitas, elas me procuram com medo de fazer escolhas erradas. Algumas querem saber se estão no caminho certo, querem ter certeza de que estão fazendo a vontade de Deus, e muitas desejam garantias de que não serão penalizadas ou castigadas por Deus por causa de decisões eventualmente equivocadas.

Tomar decisões é mesmo uma arte. Mas aprendi que Deus não abençoa decisões. Ele abençoa intenções. Para ter certeza de que fizemos a escolha certa e tomamos a decisão correta, precisaríamos de cem por cento das informações e cem por cento de acerto em sua interpretação, sem mencionar que precisaríamos ser capazes de controlar a realidade, a fim de impedir qualquer mudança durante o processo decisório, ou depois dele.

Você não sabe tudo.

Você não entende tudo.

Você não controla tudo.

Como pode ter certeza de que está tomando a decisão certa?

Como pode ter certeza de que está fazendo a escolha certa?

Não pode.

O que você pode é descansar no fato de que Deus abençoará as intenções e as motivações do seu coração. Assim como o fogo sabe interpretar o que é ouro e distingue a prata da palha, Deus reconhece corações puros.

Quem zomba do pobre insulta seu Criador.
PROVÉRBIOS 17.5

Quem zomba do pobre emite juízo sobre sua pobreza. Enxerga o pobre como responsável por sua pobreza. Considera-o pobre porque é indolente ou incompetente.

Sim, há muita gente pobre por ser preguiçosa. Mas a preguiça é a menor das causas da pobreza. O mundo está cheio de homens e mulheres pobres que trabalham de sol a sol. Sua pobreza não se explica por falta de trabalho, falta de inteligência ou falta de qualidade no trabalho que realizam.

A pobreza tem muitas causas, e a preguiça é a menor delas. Quem zomba do pobre insulta o Criador porque reduz um ser humano a uma categoria econômica. Quem zomba do pobre insulta o Criador porque sugere que a própria riqueza é fruto exclusivo do seu trabalho, sua inteligência e sua competência. O zombador se julga superior ao pobre. Classifica pessoas de acordo com a condição social.

O zombador diz: "Eu sou rico porque sou capaz, você é pobre porque não é capaz", "Se eu consegui, todo mundo consegue". Ele não reconhece que riqueza e pobreza se explicam por causas diversas e complexas, desde o berço, a cultura, as oportunidades até as casualidades.

Conta-se que um homem ganhou a loteria nacional da Espanha com um bilhete que terminava com o número 48. Orgulhoso, explicou a teoria que o fez comprar o bilhete premiado: "Sonhei com o número 7 por 7 noites seguidas, e 7 vezes 7 é 48".

Não culpe o pobre por sua pobreza.

Não se vanglorie de sua riqueza.

Não insulte Deus com seu preconceito. Nem com sua arrogância.

Quem perdoa a ofensa mostra amor, mas
quem insiste nela separa amigos.
PROVÉRBIOS 17.9

Outro dia ouvi que o segredo do perdão consiste em amar mais a pessoa do que odiar o que ela fez. Isso segue mais ou menos a lógica do rabino Harold Kushner ao explicar por que as crianças perdoam com facilidade: elas preferem ser felizes a ter razão. Aqui estão duas grandes sabedorias: há quem prefira ter razão e há quem prefira ter amigos.

Quando sofrer uma ofensa, escolha: você prefere ter razão ou ter amigos? Seu ódio pelo mal que lhe foi feito será maior do que seu amor pelo amigo? Entre duas dores, escolhemos sempre a menor. Qual é a dor menor: perdoar a ofensa ou perder o amigo? Assimilar os prejuízos, perdoar a dívida, ou perder a amiga, o amigo?

Orgulho ferido, vaidade, preocupação com imagem e reputação não constituem motivos para sacrificar amizades. Insistir nas ofensas e se recusar ao perdão é duplo prejuízo. Primeiro porque perdemos a companhia do amigo, da amiga, mas também porque pessoas amarguradas, ressentidas, orgulhosas e vaidosas costumam não ser boas companhias.

Além de perder amigos, quem insiste na ofensa perde a companhia de si mesmo.

213

É melhor deparar com uma ursa da qual roubaram os filhotes que confrontar um tolo em sua insensatez.
PROVÉRBIOS 17.12

Parece insano que alguém considere melhor enfrentar uma ursa em defesa de seus filhotes do que confrontar uma pessoa tola. A ursa será persistente e violenta, não desistirá até que tenha seus filhotes a salvo, destruirá o que estiver no caminho e destroçará qualquer ameaça à sua prole. Se você pegou os filhotes e deu de cara com a mamãe ursa, largue-os imediatamente e fique bem quietinho, pois essa é a sua única chance de sobreviver. A mamãe ursa corre rápido, sobe em árvores e sabe nadar. A melhor coisa que alguém pode fazer diante de um urso enfurecido é se fingir de morto.

A sabedoria sugere que é exatamente isso o que se deve fazer diante de uma pessoa tola surpreendida em sua tolice. Ficar quietinho, não tentar resolver a situação, nem argumentar ou demovê-la do que está fazendo. Quando a pessoa tola coloca em ação a sua tolice, qualquer obstáculo será considerado inimigo. Ao tentar dissuadi-la de suas tolices, ela se voltará contra você.

Pessoas tolas não admitem ser corrigidas, não ouvem conselhos e opiniões discordantes, teimam em suas certezas infundadas, não enxergam o óbvio e não se ocupam com nada exceto o que está em sua cabeça e em seu coração.

Com pessoas tolas devemos conviver de maneira cautelosa e prudente. Devemos proteger nossas fronteiras emocionais e resguardar a distância necessária para que suas tolices não compliquem nossa vida.

Quem paga o bem com o mal sempre terá o mal em sua casa.
PROVÉRBIOS 17.13

Quem paga o bem com o mal carrega o mal dentro de si. O mal que aflige a pessoa malvada não é aquele causado por terceiros, mas o causado por ela mesma. O mal não vem de fora, mora dentro dela, e por isso nunca se aparta de sua casa.

Outra razão que mantém o mal junto da pessoa malvada é que ela sempre encontra outras pessoas malvadas. Uma pessoa bondosa pode ser injustificadamente agredida ou prejudicada. Infelizmente existe, sim, gente que faz o mal apenas por prazer. Mas a pessoa maldosa chama o mal contra si. Ele volta em forma de vingança e retaliação, pois pessoas malvadas acabam sempre encontrando outra pessoa malvada que não pensa duas vezes em pagar o mal com mal. E, quando uma pessoa malvada é vítima de maldade, dificilmente encontra alguém que se levante em sua defesa. O mal que o malvado sofre é visto como justiça.

Mas, em vez de pagar o bem com o mal, o mal com o mal, devemos pagar o mal com o bem. Paulo ensina:

> Nunca paguem o mal com o mal. [...] No que depender de vocês, vivam em paz com todos. Amados, nunca se vinguem; deixem que a ira de Deus se encarregue disso, pois assim dizem as Escrituras: "A vingança cabe a mim, eu lhes darei o troco, diz o Senhor". Pelo contrário: "Se seu inimigo estiver com fome, dê-lhe de comer; se estiver com sede, dê-lhe de beber. Ao fazer isso, amontoará brasas vivas sobre a cabeça dele". Não deixem que o mal os vença, mas vençam o mal praticando o bem.
>
> Romanos 12.17-21

Começar uma briga é como abrir a comporta de uma represa; portanto, pare antes que irrompa a discussão.
PROVÉRBIOS 17.14

A discórdia é como água vazando pela parede. A sabedoria recomenda resolver o problema antes que a parede arrebente e tudo fique inundado. O rabino Malbin interpretou esse texto, no século 19, dizendo que "é melhor fazer um acordo antes que o juiz pronuncie sua sentença, porque depois os maus sentimentos já não podem ser contidos".

Enquanto existe a discórdia é possível fazer acordos, mas, depois que o juiz se pronuncia, proferindo a sentença, não adianta a parte condenada buscar misericórdia. Uma vez consolidado o prejuízo, a busca pelo acordo soa oportunista, e de fato injusta. Por isso é difícil acreditar na integridade das intenções de quem busca misericórdia somente depois de perceber que sua situação é irremediável. É difícil acreditar em arrependimentos depois que o escândalo aconteceu, dar nova oportunidade para quem apostou na possibilidade de se safar ileso.

A sabedoria popular diz que é melhor um mal acordo do que uma boa briga. As brigas tendem sempre a aumentar o prejuízo que deu origem à discórdia. No processo de disputa para ver quem tem razão, surgem novas agressões, que resultam em novas feridas e multiplicam os sentimentos maus. As brigas são o terreno onde somente nascem sentimentos ruins: mágoas e ressentimentos, ira, ódio, desejos de vingança e impulsos violentos. Por isso é bom interromper as discórdias e fazer acordos antes que os danos sejam irreversíveis.

Absolver o culpado e condenar o inocente são
duas coisas detestáveis para o SENHOR.
PROVÉRBIOS 17.15

A Bíblia diz que as autoridades civis agem por delegação de Deus com o fim de promover a justiça, o que se faz coibindo o mal e incentivando o bem. Diz que as autoridades podem e devem usar a espada para proteger os cidadãos de bem e impedir a ação dos maus. Quando a autoridade inverte o jogo e passa a prejudicar os cidadãos de bem e beneficiar, em proveito próprio, os que praticam o mal, perde sua legitimidade, pois usurpa a autoridade divina e contraria o propósito inerente à delegação que receberam de Deus (Rm 13.1-7).

Num Estado de direito, cuja ordem republicana se assenta na Constituição, entende-se por autoridade não as pessoas que ocupam cargos eletivos ou nomeados, como presidente da república, governador, prefeito, deputados e senadores, magistrados do judiciário. A autoridade máxima de um Estado de direito como o Brasil é a sua Carta Magna, cuja finalidade é atender àqueles que a convocaram, ou seja, o povo.

As autoridades civis agem por delegação popular e são legítimas enquanto cumprem os propósitos definidos no contrato social estabelecido na Constituição. Assim como as autoridades podem perder sua legitimidade usurpando a delegação que receberam de Deus, também a perdem quando negligenciam a Constituição da sociedade que pretendem governar.

O povo deve ser respeitado e em determinadas ocasiões até mesmo temido. Não bastasse isso, ainda pesa sobre as autoridades o veredito de que Deus odeia quem beneficia bandido e fere os direitos dos justos.

O amigo é sempre leal, e um irmão nasce na hora da dificuldade.
PROVÉRBIOS 17.17

Os dois entendimentos desse provérbio são igualmente belos. Afirmar que o amigo ama o tempo todo e na angústia nasce o irmão significa dizer que um amigo se transforma em irmão no momento da adversidade. A Bíblia hebraica traduz dizendo que, no momento da adversidade, o amigo nascerá para você como um irmão. Também significa que, ainda que os irmãos de sangue não sejam muito próximos e não demonstrem explicitamente o amor que nutrem um pelo outro, no momento da adversidade e da necessidade eles se ajudam e fazem de tudo para livrar-se mutuamente da dificuldade.

Por trás dessa sabedoria se esconde o fato de que o sofrimento, a tribulação e as dificuldades aproximam ainda mais as pessoas que se amam. A adversidade é o momento em que o amor se torna concreto e, por isso mesmo, visível. É comum pessoas que sofrem dizerem "eu não imaginava que você me amasse tanto" ou "foi no momento mais difícil da minha vida que eu descobri quanto era amado".

Amar é se fazer presente quando necessário.

O coração alegre é um bom remédio, mas o espírito abatido consome as forças.
PROVÉRBIOS 17.22

Soma é uma das palavras gregas que traduzimos como corpo, de onde vem o conceito de psicossomático, aquilo que é tanto de natureza física e orgânica como psíquica e/ou espiritual.

O ser humano é uma unidade indivisível de corpo e espírito. O que acontece com o corpo afeta o espírito, e o que acontece com o espírito afeta o corpo. A falta de serotonina, dopamina, adrenalina e noradrenalina, os chamados neurotransmissores, nos leva à depressão, que erroneamente consideramos uma doença da alma. As doenças da alma, por sua vez, não têm causas orgânicas mas podem fazer o corpo adoecer.

Essa é uma sabedoria recorrente no livro de Provérbios: "O contentamento dá saúde ao corpo" (14.30); "O coração triste abate o espírito" (15.13); "O espírito da pessoa sustenta seu corpo enfermo" (18.14).

A verdade é que a angústia mata.

Angústia é diferente de depressão. Depressão se resolve com medicamentos, pois equilibrando a química do cérebro podemos experimentar um estado de espírito satisfatório. Mas angústia é diferente. Angústia é uma dor que não se resolve com recursos terapêuticos, nem químicos. É uma dor cuja origem é desconhecida e não identificável.

Para aquilo que não existe medicina, existe a paz de Deus, que excede todo entendimento. E, para o que se resolve com remédio, não esqueça: o espírito em paz é a melhor medicina.

O perverso recebe suborno em segredo,
para desviar o rumo da justiça.
Provérbios 17.23

O suborno implica a prática de trocar comportamento ético por dinheiro ou quaisquer outros favores. Subornar é oferecer benefícios indevidos a alguém para que deixe de cumprir seus deveres ou os cumpra de modo a gerar vantagens para quem oferece o suborno.

Quando o acordo espúrio é iniciado pelo pagador, isso é suborno. Quando o acordo é iniciado pelo que recebe suborno, isso se chama extorsão. Mas em ambos os casos existe uma prática antiética e criminosa. Oferecer suborno e aceitar suborno são as duas faces do crime.

Quem suborna é tão culpado quanto quem aceita ser subornado. Dar propina em troca de benefícios indevidos é crime porque desvia o "rumo da justiça". Subverte direitos. Privilegia quem pode pagar. Quebra o equilíbrio dos direitos e das obrigações que deveriam ser comuns a todos os que participam da sociedade. Promove desigualdades sociais e econômicas, gerando uma casta de privilegiados que enriquecem com lucro injusto.

A prática do suborno não apenas aumenta o foço das desigualdades como também perpetua a estratificação social, que condena milhares de pessoas à pobreza. A prática do suborno revela a maldade do coração humano.

A justiça diz que todas as pessoas são iguais. Mas não queremos ser iguais. Queremos ser especiais. Isso vem desde Lúcifer. No intento de sermos especiais e desfrutar privilégios, corremos o risco de nos tornar criminosos.

Suborno não é apenas caso de polícia.

É caso de consciência.

Quem é verdadeiramente sábio usa poucas palavras;
quem tem entendimento controla suas emoções.
PROVÉRBIOS 17.27

Falar pouco e controlar emoções são evidências de sabedoria. Pessoas sábias não falam pelos cotovelos porque sabem que não é pelo muito falar que serão ouvidas.

Pessoas sábias não falam pelos cotovelos porque sabem que aquele que tem discernimento não precisa de muitos argumentos, e sabe também que não adianta discutir e argumentar com gente tola e teimosa.

Pessoas sábias não falam pelos cotovelos porque são ponderadas, não se deixam levar por arrebatamentos emocionais, não perdem a cabeça, não são passionais, intempestivas e descontroladas no falar.

Pessoas sábias falam pouco. Controlam as emoções. Veja o conselho do apóstolo Tiago: "Entendam isto, meus amados irmãos: estejam todos prontos para ouvir, mas não se apressem em falar nem em se irar. A ira humana não produz a justiça divina" (Tg 1.19-20).

Pessoas sábias falam pouco porque sabem que existem coisas que devem ficar nas mãos de Deus. Deus é o único capaz de julgar com justiça. A perda do controle das emoções que resulta em palavrório promove mais injustiça e acaba por gerar mais prejuízos do que aqueles que se pretende corrigir com as palavras.

Pessoas sábias sabem a hora de falar e o momento certo de calar.

Até o insensato passa por sábio quando fica calado;
de boca fechada, até parece inteligente.
PROVÉRBIOS 17.28

Alguém já disse que as palavras servem para aplacar a efusividade do que é dito no silêncio. O silêncio convida à profundidade, à contemplação, à reflexão. O silêncio é um mestre. Ou pelo menos nos permite ouvir as vozes que realmente merecem ser ouvidas. As vozes da interioridade. As vozes da espiritualidade. E principalmente a voz de Deus.

O tolo passa por sábio quando está em silêncio. Primeiro porque não revela sua tolice através das palavras. Mas também porque guardar silêncio é geralmente um ato de sabedoria.

Cale-se ou diga algo mais precioso que o silêncio, disse Santo Agostinho.

O tolo não se interessa pelo entendimento;
só quer saber de expressar suas opiniões.
Provérbios 18.2

Os tolos falam demais. Falam pelos cotovelos. Falam o tempo todo a respeito de tudo.

Para ter entendimento é preciso ter informações, conhecer perspectivas diferentes e abrangentes a respeito dessas informações, ter critérios claros para avaliá-las e ponderar sobre os pontos de vista divergentes, ter repertório para associar as informações aos temas em discussão, enfim, para ter entendimento é preciso estudar, ouvir e pensar muito.

Opiniões de pessoas que têm entendimento são úteis. Mas opiniões de pessoas que têm apenas opiniões, o famoso "achismo", são perigosas e não raras vezes prejudiciais. As pessoas tolas têm opiniões demais e entendimento de menos. Suas opiniões são superficiais, baseadas em informações duvidosas e avaliadas sem critérios consistentes.

As pessoas sábias são ponderadas ao emitir opinião. Pensam duas vezes antes de falar. E pensam muitas vezes a respeito de tudo o que ouvem. Não se guiam por opiniões. Não são simpáticas aos achismos.

As pessoas sábias se guiam por informação, reflexão e entendimento.

Calúnias são petiscos saborosos.
PROVÉRBIOS 18.8

A versão bíblica A Mensagem traduz: "Dar ouvidos a fofocas é como comer um doce vencido: no início é uma delícia, mas as dores logo virão". Por trás desse jogo de calúnias, fofocas e difamações está nossa necessidade diabólica de ser mais e melhores do que os outros. Isso é orgulho e vaidade. Por trás desse jogo de calúnias e fofocas está também nossa insegurança quanto ao nosso próprio valor. Isso é culpa e fraqueza.

Porque estou inseguro a respeito do meu valor, desmereço as pessoas ao meu redor. Porque duvido das minhas capacidades, habilidades e de mim mesmo, estou sempre procurando alguma coisa que demonstre que não sou tão ruim assim. E, para isso, acabo até mesmo inventando defeitos nos outros.

Dar ouvidos a fofocas e calúnias possibilita um prazer duplo e contraditório: mastigamos as mazelas dos outros para sentir o gosto doce de nossas falsas virtudes. Mas a verdade é que esse doce chamado calúnia é um prazer com prazo de validade, e um prazo de validade vencido. O doce chamado fofoca é veneno.

Quem não quer ter dor de barriga deixa de lado as fofocas e calúnias a respeito da vida alheia e se dedica a superar as coisas ruins que existem em sua própria vida.

Isso é humildade e coragem.

O nome do SENHOR *é fortaleza segura; o justo corre para ele e fica protegido. O rico vê sua riqueza como uma cidade fortificada; imagina que é uma muralha alta e segura*
PROVÉRBIOS 18.10-11

Os justos buscam proteção em Deus. Os tolos buscam proteção em suas riquezas. As pessoas piedosas confiam em Deus. As pessoas tolas confiam no dinheiro.

O apóstolo Paulo ensinou estes provérbios a Timóteo, seu discípulo e filho na fé: "Ensine aos ricos deste mundo que não se orgulhem nem confiem em seu dinheiro, que é incerto. Sua confiança deve estar em Deus" (1Tm 6.17).

A razão para não confiarmos no dinheiro é que o dinheiro "é incerto". Incerto pode significar também efêmero, fugidio, inconstante e principalmente volátil. Volátil é "aquilo que pode voar". Isso mesmo, o dinheiro pode bater asas e voar para longe.

Você certamente conhece muitas histórias de pessoas que eram ricas e de um dia para o outro perderam tudo, ficaram pobres. Conhece histórias de pessoas que acharam que o dinheiro que possuíam jamais acabaria, mas acabou. Pessoas que acreditaram que sua fonte de riqueza era inesgotável e que o dinheiro jorrava como água, mas a fonte secou.

Por isso o provérbio compara o nome de Deus com uma fortaleza, sugerindo estabilidade, permanência, consistência. Quem confia em Deus não se decepciona. Deus não bate asas para longe. Deus não é levado pelo vento. Deus é o dono do vento. O mesmo vento que leva embora o dinheiro dos tolos.

A arrogância precede a destruição; a humildade precede a honra.
PROVÉRBIOS 18.12

A arrogância precede a destruição. O orgulho precede a queda. A vaidade precede o tombo.

Tomás de Aquino, teólogo do século 13, usava a palavra vanglória para se referir ao orgulho. Vanglória é a glória do que é vão, oco, vazio. Vazio é aquilo que não tem substância, que é falso, mentiroso, que não tem consistência, é efêmero, não tem permanência. Vazio é aquilo que não é capaz de realizar o fim devido, como o remédio que não cura.

A pessoa orgulhosa é vazia. É vazia e não sabe. Não sabe que não é autoexistente, que não se sustenta pelas próprias forças. Não sabe que sua vida é sustentada por Deus.

A pessoa orgulhosa é vazia e não sabe. Não sabe que todo o seu poder e todas as suas capacidades são insuficientes para realizar e sustentar a vida. Não sabe que tudo que é humano tem limites, se esgota, e que em dado momento da vida apenas em Deus podemos encontrar solução, saída.

A pessoa orgulhosa não sabe que querer não é poder. Não sabe que o finito, por definição, não pode tudo. Até que um dia ela encontra seu limite. Tenta resolver e percebe que não tem recursos suficientes. De repente, vê-se em queda livre, sem sustentação. Pessoas orgulhosas só acordam, se é que acordam, quando levam um tombo.

Por isso o apóstolo Pedro ensina que "Deus se opõe aos orgulhosos, mas concede graça aos humildes. Portanto, humilhem-se sob o grande poder de Deus e, no tempo certo, ele os exaltará" (1Pe 5.5-6).

Falar sem antes ouvir os fatos é vergonhoso e insensato.
PROVÉRBIOS 18.13

Dizem que toda história tem três lados: o meu, o seu e o verdadeiro.

Os fatos em discussão são sempre sujeitos a interpretações, e cada um os interpreta segundo sua conveniência. As interpretações individuais são sempre limitadas, ou porque baseadas em conhecimento parcial dos fatos, ou porque suspeitas, pois todos temos a tendência de "Puxar a brasa para a nossa sardinha". Quem se fecha na própria interpretação limitada demonstra insensatez, gera mais confusão e acaba passando vergonha. Já ouvi muitas pessoas dizerem: "Puxa, eu não sabia, se eu soubesse, não teria dito isso, ou não teria feito aquilo".

A precipitação, falar antes de ouvir, em vez de ajudar a esclarecer os fatos e resolver as disputas, acaba por agravar a situação. Por isso é importante ouvir os fatos e suas possíveis interpretações.

As pessoas sábias têm paciência, agem com cautela, esperam que as coisas venham à luz. E somente quando estão seguras de ter o máximo possível de informação, e a lucidez de ponderar para todas as implicações do que está em discussão, se aventuram a dar opiniões e emitir juízos.

Quer ajudar? Quer encontrar soluções sábias para os conflitos? Então ouça muito, antes de falar. Quem fala antes de ouvir passa vergonha. Quem ouve antes de falar colabora para a paz.

O espírito da pessoa sustenta seu corpo enfermo,
mas quem pode suportar o espírito abatido?
Provérbios 18.14

Alimentação saudável, atividade física e descanso são o triângulo da boa saúde. Quem deseja manter a saúde cuida bem do corpo. Mas o maior segredo da saúde está na dimensão espiritual. O espírito forte sustenta o corpo. O espírito abatido adoece o corpo. O espírito forte cura o corpo doente. O espírito fragilizado agrava a enfermidade do corpo.

O velho ditado "por fora bela viola, por dentro pão bolorento" não se aplica apenas ao conflito entre beleza e caráter, mas também à discrepância entre corpo malhado e espírito debilitado.

O apóstolo Paulo recomenda a Timóteo, seu filho na fé: "Exercite-se diariamente em Deus — por favor, nada de flacidez espiritual! Exercitar-se numa academia é útil, mas a vida disciplinada em Deus é mais proveitosa e deixa você em forma hoje e para sempre, pode acreditar" (1Tm 4.6-7, A Mensagem)

Os mestres espirituais e místicos cristãos, além das disciplinas do corpo, como o jejum, a dieta frugal e o sono, sempre fizeram os chamados exercícios espirituais: orações, meditação nas Escrituras Sagradas, confissão de pecados, serviço abnegado, louvores e celebrações de gratidão, obras de caridade e outras práticas piedosas.

Eles sabiam que o espírito sustenta o corpo.

As portas se abrem para quem dá presentes.
Provérbios 18.16

Existem pessoas que vivem pedindo favores e cultivam relacionamentos baseados em interesses, fazendo contas do tipo "o que ganho nessa relação" ou "o que essa pessoa tem para me dar". Gente assim cultiva um coração mesquinho, vive com um senso permanente de falta, desenvolve relações egocêntricas e tem muita dificuldade com a gratidão. Quem nunca está satisfeito nada agradece, apenas pede mais, cada vez mais.

Pessoas sábias fazem o caminho oposto. Estão mais ocupadas em abençoar, ajudar, partilhar, doar do que em receber. Cultivam a generosidade, praticam a solidariedade, celebram com gratidão o fluxo das riquezas coletivas. Por isso são prósperas, por isso nada lhes falta, por isso as portas se abrem diante delas, e sempre encontram alguém que as abençoe e favoreça.

Mesquinhos raciocinam e vivem em termos de "eu, meu, para mim". Pessoas sábias vivem a dinâmica abençoada do "nós, nosso, para todos nós".

Pessoas sábias acreditam que Jesus tinha razão ao dizer: "Há bênção maior em dar que em receber" (At 20.35).

229

Quem fala primeiro no tribunal parece ter razão,
até que seu oponente comece a lhe fazer perguntas.
PROVÉRBIOS 18.17

De vez em quando somos chamados a escolher um lado numa disputa. As pessoas que estão em litígio procuram aliados para que defendam sua causa. Então nos contam suas histórias e apresentam seus argumentos. Embora possamos fugir do envolvimento, isso nem sempre é possível, especialmente quando a situação nos afeta e quando nos importamos com as pessoas em disputa.

Enquanto ouvimos as narrativas e os argumentos, devemos levar em conta que elas mentem. As pessoas se enganam. As pessoas têm atenção e memória seletiva: enxergam e lembram apenas o que interessa ou o que querem enxergar. As pessoas omitem informações, inventam detalhes, distorcem os fatos. E, principalmente, as pessoas interpretam os fatos de acordo com seus interesses. Mais do que atenção aos fatos, devemos prestar muita atenção à interpretação dos fatos, ao sentido das informações com relação a cada pessoa.

O bom ouvinte não acredita na primeira versão dos fatos. O bom ouvinte não acredita apenas em uma versão dos fatos. O bom ouvinte busca as possíveis explicações e interpretações dos fatos, a fim de construir um todo coerente e consistente.

Um bom ouvinte sabe fazer perguntas, pois elas lançam luz sobre as pessoas e suas motivações, esclarecem informações e abrem janelas de sentido.

Emitir juízo sem ouvir todos os lados de uma questão é uma tolice. E, para ouvir todos os lados, é preciso fazer perguntas.

É mais difícil reconquistar um amigo ofendido
que uma cidade fortificada.
Provérbios 18.19

Apenas as pessoas que têm a nossa confiança podem nos trair. Apenas as pessoas que nos abraçam podem nos apunhalar pelas costas. E os golpes desferidos por um amigo são os que nos ferem mais profundamente. Dos amigos e das amigas não nos defendemos.

Nas relações de confiança não tomamos precauções de defesa, não nos protegemos, justamente porque jamais nos passa pela cabeça que estamos em risco ou sob ameaça. Por isso as dores causadas pelas pessoas em que confiamos causam mais estragos em nós.

Quando somos traídos encaramos duas dores. A dor causada pelo golpe e a dor causada pela perda do amigo. Por isso é tão difícil reconquistar um amigo ofendido.

O rei Davi viveu essa experiência e escreveu um salmo expressando seu lamento: "Ó Senhor, tem misericórdia de mim! [...] Meus inimigos [...] visitam-me como se fossem meus amigos, mas todo o tempo reúnem calúnias contra mim e depois as espalham por aí. [...] Até meu melhor amigo, em quem eu confiava e com quem repartia meu pão, voltou-se contra mim" (Sl 41.4-9).

A esse amigo sentado à mesa, que participa do pão que repartimos e depois nos trai, o evangelho dá o nome de Judas. Está explicado por que algumas reconciliações são quase impossíveis. Voltar a confiar em quem se comportou como Judas é mais difícil do que conquistar uma cidade fortificada. Mais difícil do que conquistar uma fortaleza.

Eis aí um milagre.

A língua tem poder para trazer morte ou vida.
Provérbios 18.21

As palavras podem funcionar como armas letais. Palavras podem matar. Palavras de julgamento e suspeição. Palavras de desvalorização e humilhação. Palavras de mentira e traição. Palavras de acusação e condenação. Palavras de ódio e rejeição. Palavras de dominação e manipulação. Enfim, palavras que causam feridas na alma nos abatem, nos fazem sentir desvalorizados e tentam nos roubar a alegria e a vontade de viver.

Mas as palavras podem funcionar como fôlego de vida. Palavras de acolhimento e aceitação. Palavras de estímulo e encorajamento. Palavras de perdão e reconciliação. Palavras de amor.

Engana-se, no entanto, quem pensa que as palavras matam apenas aqueles que as ouvem. Jesus ensinou que "a boca fala do que o coração está cheio" (Mt 12.34). Quem usa palavras que matam também morre. O veneno das palavras que matam quem as ouve mata primeiro quem as pronuncia, porque o veneno está no coração de quem fala.

O oposto é verdadeiro. Palavras de vida são vida para quem as pronuncia. Palavras de amor, paz e alegria retroalimentam corações puros e melhoram os dias de quem usa a língua para dar vida.

O homem que encontra uma esposa encontra um bem precioso e recebe o favor do SENHOR.
PROVÉRBIOS 18.22

Nos tempos antigos encontrar uma boa esposa era quase um golpe de sorte. Os casamentos eram feitos mediante arranjos familiares, em que o que chamamos de amor romântico era secundário e prevaleciam os interesses da coletividade, a sustentabilidade das aldeias, a preservação e expansão do patrimônio dos clãs pela união de seus filhos.

Hoje é bem diferente. As pessoas vivem juntas e constroem uma vida comum porque se escolheram mutuamente. Um bom parceiro, uma boa parceira nós não encontramos, nós escolhemos.

Escolher com quem compartilhar os dias é uma das decisões mais difíceis da vida. Os parceiros podem ser uma bênção mútua. Mas também podem ser uma maldição mútua.

Quando decidimos compartilhar a vida com alguém, abandonamos o mundo do eu, meu, para mim e passamos a habitar o mundo do nós, nosso, para nós: o que diz respeito a um diz respeito aos dois. O que era de um só agora pertence aos dois: riquezas e dívidas, potências e carências, dores e alegrias, sonhos e desesperanças, passado e futuro.

O desafio da vida comum é desenvolver uma parceria satisfatória para ambos. Para isso é preciso fazer acordos. E para fazer acordos é preciso escolher um ao outro todos os dias.

Alguns que se dizem amigos destroem uns aos outros.
PROVÉRBIOS 18.24

Por que existem falsos amigos? As razões são várias. Mas arrisco um palpite. O falso amigo é aquele que gostaria de ser nosso amigo mas não consegue. O falso amigo é aquele que tem conosco uma relação de amor e ódio. Ele quer ser nosso amigo porque nos admira e gostaria de ser como somos, ter o que temos e viver como vivemos. O falso amigo é aquele que nos transforma em seu objeto de desejo e sonho de consumo.

Mas, porque não consegue ser como somos, ter o que temos e viver como vivemos, se torna vítima e culpado da cobiça e da inveja, e aos poucos passa a nos hostilizar e odiar. Daí para começar a agir contra nós e tentar nos destruir é um pulinho.

Isso aconteceu com Caim e Abel. Caim queria ser como Abel. Mas não conseguiu. Em vez de usar Abel como exemplo para seu próprio crescimento e desenvolvimento, estímulo para fazer seu próprio caminho e encontrar sua identidade singular mas igualmente valiosa, preferiu destruir e matar o irmão. Considerou o padrão elevado demais e escolheu destruir o padrão, em vez de se deixar inspirar por ele.

Quando você encontrar pessoas admiráveis, transforme-as em inspiração, não em cadáveres.

De nada adianta o entusiasmo sem conhecimento;
a pressa resulta em escolhas erradas.
PROVÉRBIOS 19.2

São admiráveis as pessoas apaixonadas e determinadas. Gente que tem ambição, vontade de ter mais, fazer mais, ser mais. Pessoas possuídas por um sonho. Obstinadas e perseverantes. Esse tipo de gente é que faz a fila andar, cria, inventa, reinventa. Tenta, fracassa, começa de novo.

Andar perto de gente entusiasmada é um dos segredos de uma vida boa. Essas pessoas são contagiantes, nos mobilizam, nos inspiram, nos desafiam.

O problema é quando essas pessoas são do tipo que sobra entusiasmo e falta bom senso. O que têm de energia falta em sabedoria. E pior ainda quando lhes falta caráter. As do primeiro tipo, que têm muito entusiasmo e pouca sabedoria, vivem se metendo em confusão, porque agem sem pensar, começam projetos sem fazer contas, assumem compromissos que não podem sustentar. Obcecadas pelo ponto de chegada, não avaliam o custo do caminho. Essas pessoas geralmente deixam a conta para quem embarcou na aventura e se deixou levar pela emoção.

As do segundo tipo, que têm entusiasmo mas não têm caráter, são piores. A paixão pela conquista vem acompanhada da propensão a pegar atalhos para chegar ao sucesso. A pressa compromete a viagem. Atropelam processos, usam pessoas, valem-se de artifícios ilícitos para chegar mais rápido.

A boa combinação é entusiasmo, bom senso e caráter.

Pessoas assim podem subir mais devagar. Mas com certeza voam mais alto. E vão mais longe.

O insensato arruína a própria vida e
depois se ira contra o Senhor.
Provérbios 19.3

Tem gente que acredita que Deus faz microgestão do universo. Acredita que tudo que acontece se explica pela vontade de Deus. O deus dessa gente tem costas largas.

Foi promovido e recebeu aumento? Foi Deus.

Perdeu o emprego? Foi Deus.

Comprou uma casa nova? Foi Deus.

Foi despejado por falta de pagamento do aluguel? Foi Deus.

Ficou doente? Foi Deus.

Recebeu alta do hospital? Foi Deus.

Expressões do tipo "seja o que Deus quiser" e "foi a vontade de Deus" são usadas como desculpas para a omissão, a passividade, a isenção de responsabilidade e a covardia para tomar decisões, assumir compromissos e trabalhar duro.

É verdade que Deus interfere na vida, no mundo, no universo. Mas não é verdade que tudo que acontece se explica e justifica pela vontade de Deus. O poeta bíblico diz que "os céus pertencem ao Senhor, mas ele deu a terra à humanidade" (Sl 115.16).

Pessoas sábias assumem a responsabilidade por suas decisões e jamais terceirizam as consequências de suas escolhas. Não culpam ninguém, e muito menos a Deus, por seus fracassos.

O fatalismo e o determinismo não fazem parte da tradição espiritual da sabedoria judaica e cristã. Se a responsabilidade de tudo que acontece no mundo é de Deus, somos meros fantoches ou robôs programados para executar o roteiro escrito na eternidade. O caminho da sabedoria, por sua vez, faz do ser humano protagonista de sua história e responsável pelo seu destino.

A riqueza atrai muitos que se dizem amigos,
mas a pobreza afasta todos eles.
PROVÉRBIOS 19.4

A Bíblia A Mensagem traduz: "A riqueza atrai amigos como o mel atrai moscas. Mas os pobres são evitados como uma doença que pega".

Quem abandona o rico que ficou pobre na verdade não era amigo do rico, mas da riqueza do rico. Os amigos da riqueza se ligam às pessoas por causa de suas posses. São amigas de si mesmas, movidas pelo amor a si mesmas, e se tornam amigas das outras apenas quando enxergam vantagens pessoais ou benefícios para usufruir.

As pessoas amigas da riqueza se afastam dos pobres primeiro porque não veem vantagens ou benefícios na aproximação. Não sabem se relacionar na perspectiva altruísta, mas apenas na categoria egoísta. Ficam longe das pessoas a quem podem ajudar e beneficiar. Não sabem doar e compartilhar. Sabem apenas possuir e usufruir. Estão no caminho da mais absoluta pobreza, mas não sabem disso.

As pessoas amigas das riquezas também se afastam dos pobres porque acreditam que pobreza é doença contagiosa. Porque consideram a pobreza uma doença, enxergam o pobre como doente, isto é, avaliam a pobreza como algo que está dentro do pobre, e não conseguem separar o pobre de sua pobreza. Usam a régua da riqueza para julgar. Se são pobres, é porque têm algo errado com elas. As pessoas amigas das riquezas não conseguem enxergar que a maior explicação para a pobreza não está nos pobres, mas justamente nas pessoas amigas das riquezas, que constroem um mundo vazio de generosidade e solidariedade.

A testemunha falsa não ficará sem castigo;
o mentiroso será destruído.
PROVÉRBIOS 19.9

Todos os anos o departamento da Universidade de Oxford responsável pela elaboração de dicionários elege uma palavra para a língua inglesa. A palavra escolhida no ano de 2016 foi "pós-verdade". O verbete foi definido como um substantivo "que se relaciona ou denota circunstâncias nas quais fatos objetivos têm menos influência em moldar a opinião pública do que apelos à emoção e a crenças pessoais".

Boatos e mentiras que são ampla e massivamente divulgados e repetidos valem tanto quanto as fontes confiáveis que os desmentem. A pós-verdade explica o fenômeno cada vez mais comum segundo o qual as pessoas acreditam no que desejam acreditar e transformam suas crenças, ainda que baseadas em mentiras e boatos, em verdades. As pessoas que vivem de pós-verdade não se interessam pela verdade. Vivem das mentiras e dos boatos que lhes são convenientes.

O fenômeno da pós-verdade tanto constrói heróis falsos quanto destrói reputação de gente de bem. Infelizmente, faz tempo que isso acontece, e pelo visto vai continuar acontecendo. Mas, se é verdade que o fenômeno é antigo e dá vistas de que vai longe, o mesmo não ocorre com quem se vale desse artifício, pois a Bíblia diz que "a pessoa que conta mentiras acaba desmascarada; a pessoa que espalha boatos será arruinada" (A Mensagem).

Não é certo o tolo viver no luxo nem o escravo governar sobre príncipes.
PROVÉRBIOS 19.10

O debate sobre quem governa quem não deve acontecer com base nas lógicas sociais e na superioridade de classes, como se os príncipes fossem sempre aptos para governar e os servos sempre desqualificados para esse fim. A história está cheia de exemplos de servos sábios e príncipes tolos. E vice-versa.

O que qualifica alguém para ocupar funções de poder e autoridade não é sua origem ou classe social, mas sua sabedoria. Por isso o provérbio diz que "não é certo o tolo viver no luxo", ou seja, quando um servo tolo, ocupa o poder e passa a viver no luxo, ele tende a se comportar de igual modo ou pior que o príncipe deposto. Os oprimidos tolos, quando chegam ao poder, tendem a perpetuar a lógica do opressor por maldade e falta de caráter, por imaturidade e falta de recursos interiores ou mesmo por revanchismo.

A sabedoria diz que "honrar os insensatos é tão absurdo como orar pela neve no verão ou pela chuva na colheita" (Pv 26.1, A Mensagem). Os anarquistas dizem que nenhum homem conquista o poder, o poder é que conquista o homem. A Bíblia diz que isso é verdade quando quem conquista o poder é tolo. Na Bíblia, ser tolo é ser prepotente e orgulhoso. É acreditar demasiadamente em si e se afastar de Deus. Todo poder emana de Deus, e em nome de Deus e em submissão a Deus deve ser exercido. Quando o poderoso reina sem estar sujeito a Deus, não importa se é servo ou príncipe, o resultado será sempre catastrófico.

O sensato não perde a calma, mas conquista respeito ao ignorar as ofensas.
PROVÉRBIOS 19.11

Ignorar as ofensas é um gesto de sabedoria. Apenas as pessoas sábias sabem a hora de deixar pra lá. E em que momento você deve ignorar as ofensas? Quase sempre, diz o sábio.

Para ignorar as ofensas devemos lembrar a diferença entre honra e reputação. Honra é o que você sabe que é. Reputação é o que as pessoas pensam ou dizem que você é. A honra se sustenta no caráter. A reputação está sujeita aos ventos e às tempestades das mentiras e dos julgamentos alheios. A honra está sob nossa custódia. A reputação está entregue ao público.

Paulo estava ocupado em cuidar de sua honra, e não de sua reputação. Disse ele:

> Pouco importa o que vocês pensem ou digam a meu respeito. Eu não me avalio. Nesse caso, os rótulos são irrelevantes. Desconheço algo que me desqualifique na minha tarefa para com vocês, mas isso não quer dizer muita coisa. O *Senhor* é quem faz este julgamento. Assim, não corram na frente do Senhor, tirando conclusões com base em julgamentos pessoais, antes de analisar tudo. Quando ele vier, trará a público segredos que ninguém imagina — motivações interiores, propósitos e orações. Só então ouviremos o "Muito bem!" de Deus.
>
> 1Coríntios 4.3-5, A Mensagem

As pessoas sábias não vivem obcecadas pela defesa de sua reputação. Ocupam-se de cuidar de sua honra. Quando repousam à noite, não levam para a cama sua reputação. Descansam sua consciência num travesseiro que se chama honra. Por isso podem deixar as ofensas pra lá.

[...] a esposa briguenta é irritante como uma goteira.
PROVÉRBIOS 19.13

A esposa briguenta aparece várias vezes em Provérbios. O sábio diz que é melhor viver num canto qualquer, e até mesmo no deserto, do que com uma esposa briguenta. Aqui a esposa briguenta é comparada a uma goteira. E a imagem é sugestiva.

A goteira é um incômodo sem tréguas. Principalmente para quem se coloca embaixo dela. A goteira não incomoda tanto quem não está perto dela. Brigas e murmurações afastam as pessoas. Os briguentos aos poucos vão ficando sozinhos, isolados, como uma goteira que pinga solitária.

A goteira é um desperdício constante. Brigas e murmurações implicam desperdício de energia. Enquanto estamos envolvidos com conflitos, perdemos o tempo da alegria e da celebração da vida, ficamos enfraquecidos e desanimados para o trabalho produtivo.

A goteira insistente deforma o lugar onde pinga. As pessoas que vivem ao lado de gente briguenta e queixosa aos poucos vão sendo penetradas por uma sombra na alma e quando menos percebem estão irritadiças, insatisfeitas e infelizes.

Mas a goteira pode ser resolvida. Pode deixar de causar incômodo, desperdício e deformações. As "pessoas goteira" geralmente são vítimas de outras "pessoas goteira". Quando conseguem superar as próprias feridas, param de pingar. Ou pelo menos pingam menos, até que cessem completamente.

Quem vive ao lado de uma "pessoa goteira" tem duas opções: se afasta dela ou a ajuda a parar de pingar. Ficar embaixo da goteira é uma estupidez.

Os pais deixam casas e riquezas como herança para os filhos,
mas apenas o Senhor *pode dar uma esposa prudente.*
Provérbios 19.14

Tem coisas que o dinheiro não compra, e para todas as outras existe o cartão de crédito, dizia uma antiga campanha publicitária.

A razão de haver coisas que o dinheiro não compra é simples. Há coisas que não têm preço, não se encaixam em categorias mensuráveis e não se submetem aos critérios econômicos e às lógicas de mercado.

Não é que elas não existam ou sejam raras. Não é que o preço delas seja exacerbado e impossível de ser pago. Não é que elas sejam de alguém que não as deseje vender. Elas não podem ser compradas simplesmente porque não se submetem às possibilidades de transações econômicas e financeiras.

As coisas que o dinheiro não compra estão na dimensão do que não se submete a critério de valor e medida. Estão na categoria da dignidade.

Por exemplo, a vida humana não tem valor. Tem dignidade. O que tem valor pode ser mensurado e precificado. O preço considerado justo é aquele que corresponde ao valor das coisas nas circunstâncias em que estão sendo comercializadas. A vida humana não tem preço porque, na verdade, o ser humano não está submetido à lógica de valor capaz de ser precificado.

Entre o que o dinheiro não compra, o sábio listou a esposa ou o marido, o parceiro ou a parceira, com quem podemos dividir a vida e multiplicar as riquezas que passam de geração em geração.

Gente do bem não tem preço, e por isso o dinheiro não compra.

Quem ajuda os pobres empresta ao SENHOR; ele o recompensará.
PROVÉRBIOS 19.17

Quem dá ao pobre empresta a Deus. Alguns pensam tratar-se de sabedoria popular, mas está na Bíblia. Na verdade, quem dá ao pobre é como se emprestasse a Deus.

A lógica está em dar a quem não pode retribuir, devolver ou pagar, a quem depende de outra fonte de riqueza para ser suprido, e essa outra fonte é Deus.

Por trás dessa experiência de dar aos pobres e receber de Deus existe uma dinâmica interessante e bela: o fluxo das riquezas do mundo. As riquezas devem circular. Quando sua circulação é interrompida pela acumulação, todos perdem. Longe de ser sinal de riqueza pessoal, a acumulação é pobreza coletiva, inclusive do acumulador.

Aqueles que vivem no fluxo de circulação de riquezas estão além da lógica de comprar e vender, emprestar e cobrar, investir e multiplicar. Quem vive no fluxo das riquezas faz tudo isso, mas faz muito mais que isso. Além de comprar e vender, transacionar e lucrar, as pessoas realmente prósperas doam, partilham e distribuem o que têm.

As pessoas realmente prósperas sabem que o que dividem aqui volta dali, o que doam hoje volta amanhã, o que fazem por João recebem de Pedro, porque ajudam Maria são ajudadas por Joana. Elas estão muito além da lógica de transação entre pessoa A e pessoa B.

Elas vivem o fluxo de riqueza que circula pelo alfabeto inteiro.

Discipline seus filhos enquanto há esperança;
do contrário, você destruirá a vida deles.
Provérbios 19.18

Discipline seus filhos enquanto há tempo. Se você os deixar fazer o que querem, acabarão se matando. A disciplina livra da morte e da sepultura (Pv 23.13-14). E por isso a disciplina é um ato de amor (Pv 13.24).

As crianças precisam aprender a se autogovernar e a exercer o autocontrole. E para isso precisam ser submetidas a regras e limites, isto é, precisam de disciplina.

Aprendi que existem duas frases que os pais devem usar com sabedoria para educar os filhos. A primeira é "ainda não". A segunda é "agora chega".

Dizer "ainda não" ajuda a criança a exercitar o controle dos impulsos. Fazer esperar é uma forma de ensinar que é preciso haver um tempo, um processo entre o desejo e sua satisfação. Como na natureza: arar a terra, plantar o campo, colher o trigo, assar o pão. O prazer gratificante implica trabalho, processo, engajamento na construção da satisfação de uma necessidade ou desejo. O desejo imediatamente satisfeito não traz gratificação.

Dizer "agora chega" ajuda a criança a encontrar as justas medidas. Os excessos levam ao fastio. Tudo que é desfrutado em exagero tende a enjoar e perder o sabor. O prazer gratificante implica a moderação. A desmedida leva à dessensibilização do paladar, sabota o sabor das coisas e leva à perda de apetite.

A falta de disciplina vive sem espera, vive sem medida. Tem tudo e de tudo muito. Aos poucos a vida perde a graça. Uma vida sem graça é quase uma forma de morte.

A disciplina livra da sepultura.

A pessoa que se ira facilmente deve sofrer as consequências;
se você a livrar uma vez, terá de fazê-lo novamente.
PROVÉRBIOS 19.19

A contrapartida da liberdade é a responsabilidade. Responsabilidade é a capacidade de responder por. Responder é assumir as consequências e as implicações das escolhas, das palavras e das ações.

As pessoas irresponsáveis não assumem as consequências de seu estilo de vida, não respondem por seus atos. São incapazes de estabelecer relação entre causa e efeito. Elas são displicentes nas tarefas, e alguém coloca seu nome no trabalho do grupo. São desleixadas, mas alguém arruma seu quarto. Dirigem alcoolizadas, mas alguém as livra da cadeia. Gastam mais do que ganham, mas alguém paga suas contas.

Enquanto alguém fizer por elas, continuarão a viver de maneira irresponsável.

Para que tenham oportunidade de andar com as próprias pernas e se tornarem protagonistas de sua vida, precisam assumir as consequências de seu estilo de vida.

Você deve conhecer gente assim. Estão sempre certas, e a culpa de seus problemas, dificuldades e fracassos é sempre de alguém ou de algo que lhes foge do controle.

A primeira reação da pessoa irresponsável quando você deixar que ela colha os frutos amargos de suas sementes podres será acusá-lo de não se importar com ela, chamá-lo de egoísta e dizer que você não a ama.

Não se culpe. Seja firme enquanto a vê sofrer pelas consequências de seus atos. Deixe-a encontrar o próprio caminho. Isso fará bem a ela. E muito bem a você.

É da natureza humana fazer planos, mas o propósito do S*ENHOR prevalecerá.*
PROVÉRBIOS 19.21

A Bíblia usa duas palavras gregas para se referir à vontade de Deus: *thélema* e *boulé*.

Boulé é a vontade soberana de Deus. O profeta Isaías diz que ninguém é capaz de impedir Deus de fazer o que ele deseja (43.13). Pedro disse que a morte de Jesus fazia parte do plano soberano de Deus, não dependia da vontade humana (At 2.23).

Mas, embora Deus seja soberano, isso não quer dizer que Deus interfira em tudo o que acontece no mundo e em nossa vida.

Thélema é a vontade de Deus que mais se parece com um desejo dele, mas que pode ser frustrado. Quando Paulo diz que a vontade de Deus é que tenhamos uma vida pura (1Ts 4.3), essa vontade é um desejo, isto é, seu cumprimento depende da nossa participação.

Existe um horizonte de fatos, acontecimentos e situações que está nas mãos de Deus. A respeito disso não precisamos nos preocupar, até porque não temos capacidade de saber o que ele está fazendo ou deixando de fazer. Nosso foco deve estar nos desejos de Deus cuja concretização e realização dependem de nós. E os desejos de Deus que dependem de nós estão todos na dimensão ética e moral.

Onde você vai trabalhar, se vai se casar, se vai viajar são decisões suas. Caso tenha uma "vontade soberana" para você em relação a isso, não se preocupe, ele vai dar um jeito de você fazer o que ele deseja. Ocupe-se em viver com sabedoria e integridade. Cuide do seu caráter. Esse é um desejo de Deus que você pode realizar.

A lealdade torna a pessoa cativante;
é melhor ser pobre que desonesto.
PROVÉRBIOS 19.22

Que relação há entre a lealdade que cativa e o pobre que não é desonesto?

O rabino Malbin interpreta dizendo que o pobre não promete nada porque sabe que não tem condições de cumprir. Mas aquele que faz promessas e não cumpre cai em desonra e acaba rejeitado como falastrão. A lealdade é a capacidade de honrar a palavra empenhada.

As pessoas que cumprem seus compromissos são dignas de confiança, ganham credibilidade. Sua conduta leal lhes permite ter muitos amigos e estar rodeadas de quem faz questão de sua presença e parceria.

As pessoas desleais se comportam conforme a conveniência do momento e sacrificam compromissos por causa de interesses pessoais. Pessoas desleais não são boa companhia na lida diária. Você não sabe se pode confiar, se elas estarão lá conforme combinado, ou se pularão do barco por um motivo ou outro.

Lealdade é a capacidade de ir até o fim, ainda que custe mais caro do que o imaginado, seja mais difícil do que o planejado e mais sacrificial do que o desejado.

O rei Davi disse que as pessoas íntimas de Deus são leais, isto é, cumprem suas promessas mesmo quando são prejudicadas (Sl 15.4).

Todo mundo quer ter amigos leais.

A lealdade é cativante.

O preguiçoso pega a comida na mão, mas não se dá o trabalho de levá-la à boca.
PROVÉRBIOS 19.24

A pessoa preguiçosa tem vontade, mas não tem força de vontade.

A preguiça compromete a sobrevivência.

Quem não come o que tem à mão acaba morrendo de fome.

A pessoa preguiçosa é capaz de ter ideias, sonhar, planejar e até mesmo de começar um projeto. Mas não é disciplinada o suficiente para levar o projeto até o fim. Não tem disposição para empreender o trabalho necessário para concluir as coisas. A pessoa preguiçosa deixa as coisas pela metade.

A pessoa preguiçosa desanima com facilidade, para no primeiro obstáculo, vê dificuldade em tudo, arruma desculpas para justificar seus insucessos e não tem força suficiente para concluir tarefas e finalizar processos.

A pessoa preguiçosa é aquela que tem muita iniciativa e pouca "acabativa".

"Alguns enfiam o garfo na torta, mas têm preguiça demais para levá-lo à boca" (A Mensagem).

Se você castigar o zombador, o ingênuo aprenderá uma lição; se corrigir o sábio, ele se tornará ainda mais sábio.
PROVÉRBIOS 19.25

Pessoas sábias aprendem o tempo todo. Elas não são melindrosas nem inseguras, e por isso mesmo você pode corrigir, repreender, debater, argumentar contrariamente, sem se preocupar se ficarão magoadas ou ressentidas.

Pessoas sábias não são arrogantes nem vaidosas. Elas sabem que não sabem tudo e sabem que podem estar erradas ou equivocadas a respeito do que pensam que sabem, e por isso mesmo você pode corrigi-las, esclarecer-lhes os fatos e ensiná-las. Tudo que você ganhará em troca será sua gratidão.

Pessoas sábias sabem ser contrariadas e ouvir o contraditório. Você pode ter certeza de que elas ouvirão e refletirão, levarão pra casa e meditarão no que lhes foi dito, e uma vez convencidas não terão dificuldade em mudar de ideia, voltar atrás em uma decisão, corrigir uma opinião e refazer um caminho.

Pessoas sábias não gastam energia se defendendo ou se justificando, não desperdiçam tempo e cérebro para sustentar seus pontos de vista a qualquer preço. Elas não são teimosas nem cabeças-duras.

É por isso que pessoas sábias ficam cada dia mais sábias.

A testemunha corrupta zomba da justiça;
a boca do perverso devora o mal.
PROVÉRBIOS 19.28

Justiça implica acordo entre as pessoas, para que nenhuma delas se sinta ou seja de fato prejudicada. Ela possibilita a igualdade de direitos e deveres entre todos os participantes de uma sociedade, considerando as condições particulares de cada um.

Por exemplo, é justo respeitar a ordem de chegada das pessoas e formar uma fila. É justo que todos os que cumprem a mesma função e produzem o mesmo com a mesma qualidade recebam a mesma remuneração pelo seu trabalho.

Os debates surgem quando as pessoas se valem de sua condição particular para exigir privilégios. Alguns privilégios são aceitos pela coletividade. Por exemplo, conceder prioridade às gestantes e aos idosos na ocupação de assentos livres no transporte público ou aos cadeirantes na fila do cinema são privilégios considerados justos pelo consenso social.

Esse consenso se justifica pela tendência humana de se valer da desigualdade de forças para conquistar privilégios em detrimento do que é justo. Os acordos em nome do que é justo existem para impedir privilégios injustos. A justiça deve resguardar e fazer valer os direitos de todos para que ninguém se beneficie de privilégios particulares que causem danos e prejuízos coletivos.

Zombar da justiça é ofender a dignidade humana. Zombar da justiça é estabelecer hierarquia de valor entre seres humanos. Quem zomba da justiça zomba do ser humano. Quem zomba do ser humano zomba de Deus.

O vinho produz zombadores; o álcool leva a brigas;
quem é dominado pela bebida não é sábio.
PROVÉRBIOS 20.1

Há pelo menos três razões que justificam a frase "quem é dominado pela bebida não é sábio".

A primeira é o simples fato de ser dominado. Quem se deixa dominar por algo ou alguém que não seja a própria consciência não é sábio. Devemos abrir mão de qualquer relação que exija a supressão de nossa consciência ou nos faça perder a prerrogativa de tomar decisões e escolher os rumos de nossa vida.

A segunda razão é que o álcool "produz zombadores". Sob o efeito do álcool, as pessoas perdem a capacidade moral. O álcool reduz a mente a nada, deixando a pessoa como um mero animal, diz o rabino Malbin.

A terceira razão é que o álcool "leva a brigas". Parece até mesmo uma espiral descendente. Primeiro a perda da consciência, depois o sacrifício dos valores morais, seguido do desrespeito a quem está em volta, e finalmente confusão, briga e violência.

O que vale para o álcool vale para as drogas em geral: drogas matam.

Evitar contendas é sinal de honra; apenas o insensato insiste em brigar.
PROVÉRBIOS 20.3

Tenho um amigo esperto que me ensinou sobre "insulto vertical". Funciona assim: quando você quiser arrumar confusão com alguém, faça-o com alguém melhor, que tenha mais prestígio que você ou que esteja acima de você na pirâmide social. Se a pessoa entrar na briga, ela se terá rebaixado ao seu nível ou levado você para o nível dela. Se ela não entrar na briga, você parecerá vencedor, porque o ditado popular diz que quem cala consente. Insulto vertical. Achei engraçado.

O problema é que isso começa com "quando você quiser arrumar confusão com alguém". As pessoas sábias nunca querem arrumar confusão com alguém. Elas sabem que brigas e contendas não trazem honra a ninguém. Brigar para defender a honra é um tiro no pé. No momento em que você começa a brigar, perde a honra. Minha mãe me ensinou, e depois ensinei aos meus filhos: quem bate perde a razão. Quem agride se mostra tolo. Quem revida a agressão se nivela na tolice.

Os bons conselhos ficam no fundo do coração,
mas a pessoa sensata os traz à tona.
PROVÉRBIOS 20.4

A sabedoria consiste também na capacidade de escolher o melhor curso de ação dentro da faixa de possibilidades. As possibilidades se estendem das mais simples para as mais complexas. As pessoas sábias conseguem enxergar as camadas mais profundas das possibilidades de cada situação. Conseguem chegar ao "fundo do coração". Mergulham num processo de pesquisa, reflexão, verificação de motivos, motivações e consequências, e chegam à complexidade das possibilidades não alcançada pelos que se contentam com respostas simples e caminhos fáceis.

As pessoas sábias sabem também que a sabedoria não apenas está na profundidade, como também é discreta. A sabedoria se revela aos poucos, na medida das condições de entendimento de quem a busca. Por isso as pessoas sábias não falam sem ser convidadas, não falam tudo logo na primeira argumentação, não se apressam em dar respostas e gostam de esticar a conversa por meio de perguntas.

A sabedoria está na profundidade do coração. As pessoas sábias sabem trazer a sabedoria à tona, isto é, sabem tornar simples o que é complexo e tornar evidente o que é oculto. Mas o fazem com paciência e discrição.

O justo anda em integridade; felizes os filhos que seguem seus passos.
PROVÉRBIOS 20.7

O filósofo e teórico político britânico Edmund Burke disse que "a sociedade é uma comunidade de almas que reúne os mortos, os vivos e os que ainda não nasceram". Seu pensamento sugere que não devemos desprezar o legado dos nossos antepassados e viver conscientes de que transmitiremos uma herança aos nossos descendentes. Um presente sem passado coloca em risco o futuro. A responsabilidade com o futuro exige integridade no presente.

A cultura pragmática do prazer e dos benefícios imediatos e individualistas sabota as próximas gerações. A vida ocupada apenas com as satisfações pessoais egocêntricas, dedicada ao aqui e agora, sem nenhum compromisso com o legado a ser deixado aos filhos e aos filhos dos filhos é uma expressão não apenas de estupidez, mas também e principalmente uma irresponsabilidade histórica. É esse tipo de vida que despreza a sabedoria do passado. O tolo acha que inaugura a civilização. Considera ultrapassado tudo que veio antes, e vive como se não houvesse amanhã.

Um bom critério ético para fazer escolhas e tomar decisões é analisar as consequências disso para a vida dos filhos. Tanto os filhos de todos nós, as próximas gerações, quanto os nossos filhos, isto é, aqueles que herdam nosso sobrenome.

Quer saber se está fazendo a coisa certa? Faça a opção por aquilo que resulta em maior benefício para os seus filhos. Faça aquilo que os fará agradecidos pelo sobrenome que têm.

Quando o rei se senta para julgar, analisa todas as provas e distingue entre o mal e o bem. Quem pode dizer: "Purifiquei o coração; estou limpo e sem pecado"?
PROVÉRBIOS 20.8-9

O rei julga analisando provas e tentando discernir o bem do mal. Enquanto julga, o rei se vale do discernimento do coração, mas o que pesa em sua decisão para fazer justiça é a análise das provas. Esse é um dos pilares do direito: o julgamento baseado em provas.

A necessidade de estabelecer o juízo a partir de bases concretas e informações comprovadas implica sempre o risco de deixar impune pessoas culpadas. A legalidade de um julgamento está assentada na legitimidade das provas apresentadas para condenar ou absolver o réu. É possível que um juiz se veja obrigado a liberar um réu culpado porque não foi possível comprovar seu delito.

Mas a justiça transcende o que é legal. Por isso o sábio afirma que todos os réus são julgados num tribunal onde as provas a favor ou contra são irrelevantes. Na profundidade de seu coração, o homem é chamado a prestar contas de sua pureza. Na intimidade de sua consciência, o homem é chamado a afirmar que está limpo e sem pecado.

Os tribunais humanos são falíveis.

Tanto deixam impunes culpados quanto punem inocentes. A manipulação desonesta de provas e os descaminhos do coração dos juízes podem causar erros.

Por isso a Bíblia diz que Deus prova os corações (Jr 17.10).

No tribunal divino não existe engano, pois o Juiz é perfeito e não está à venda.

Dois pesos e duas medidas: toda espécie de desonestidade é detestável para o SENHOR.
PROVÉRBIOS 20.10

Alterar pesos e medidas com o fim de elevar os lucros ou aumentar as vendas não apenas é arriscado e desonesto, mas também é detestável para Deus.

Fazer jogo de pesos e medidas é abominável para Deus. Usar pesos iguais e auferir medidas diferentes implica manipular, segundo interesses convenientes, os critérios de julgamento e valor das coisas. Um quilo deve sempre pesar um quilo. Um metro deve sempre medir um metro. Simples assim.

Um bom exemplo de pesos e medidas é a lógica utilizada para a dissolução de uma sociedade. O valor das partes deve ser o mesmo, não importa quem compra ou quem vende. Se você quer comprar a parte do seu sócio por mil, deve estar disposto a aceitar os meus mil pela sua parte. Você não pode querer comprar por mil e vender por dois mil. Isso equivale a dois pesos e duas medidas.

Tratar com honestidade os pesos e as medidas é uma forma de coibir a tendência humana de sempre querer levar vantagem, mesmo causando danos a terceiros. Que estranha mania é essa de querer levar vantagem em tudo? Deus não gosta nada, nada, disso. Toda desonestidade é abominável para Deus.

O comprador pechincha e diz: "Não vale nada", mas depois conta vantagem de seu bom negócio.
PROVÉRBIOS 20.14

Meu amigo aceitou a proposta para assumir uma nova função na empresa e precisou se mudar para a Europa. Enquanto se instalava na nova cidade, saiu com a esposa num sábado pela manhã para comprar eletrodomésticos. Gostou especialmente de uma televisão de última geração e começou a negociar com o vendedor. O homem o olhava com cara de desentendido, e ele imaginou que estava tropeçando no idioma e não se fazia entender. A conversa se estendeu até que ele percebeu que o vendedor desconhecia o conceito pechincha e, na verdade, não conseguia ver sentido no pedido de desconto. A pechincha não fazia parte da cultura daquele país.

O mesmo amigo viajou comigo para um país do Oriente Médio. Quando fomos visitar o mercado central daquela cidade, ele logo se meteu em uma demanda com um árabe que vendia seus produtos. Percorri o mercado inteiro e quando voltei ele ainda estava lá desenvolvendo sua arte da negociação. Tive a impressão de que eles estavam se divertindo e o preço final dos produtos já não era a coisa mais importante da conversa. A pechincha era a própria cultura daquele país.

A boa negociação acontece sempre numa relação ganha-ganha. Cada negociador deve saber o que está disposto a pagar, quanto vai pechinchar, quando compra, ou quanto desconto considera razoável, quanto vai aceitar ceder na pechincha, quando vende. Em todo o caso, vale a máxima: "combinado antes, nunca é caro".

O fofoqueiro vive espalhando segredos; portanto,
evite a companhia de quem fala demais.
PROVÉRBIOS 20.19

As informações a nosso respeito são pelo menos de três tipos.

Existem as informações públicas, aquilo que todo mundo sabe ou pode saber. Há também as informações privativas, aquelas a que só as pessoas de nosso convívio ou intimidade têm acesso. E, por último, as informações íntimas, aquelas a que as pessoas só terão acesso se lhes contarmos.

A intimidade está guardada dentro de nós. A menos que falemos dela, ninguém terá acesso. Por exemplo, gostar ou não de alguém é uma informação íntima, que só se tornará pública se for admitida e verbalizada. O que é íntimo é inacessível, é um segredo que pode ou não ser compartilhado.

Cada pessoa é responsável por decidir quais informações a seu respeito serão classificadas como privativas e íntimas. Há pessoas mais reservadas, e outras que se expõem mais. Há pessoas que gostam de tornar pública sua intimidade, e outras que praticamente nada falam a seu respeito.

O advento das mídias sociais causou grande mudança no tratamento das informações pessoais. Muita gente torna público o que deveria ser privativo. Ter a intimidade devassada é perigoso, pois coloca em risco as pessoas e suas relações de afeto. Preservar a privacidade e a intimidade é uma arte que pouca gente domina. Mídias sociais não são boas confidentes. Na verdade, são excelentes em banalizar pessoas e destruir relacionamentos. Cuidado com esses fofoqueiros chamados Facebook, Instagram e Twitter. Preserve sua intimidade.

Quem insulta o pai ou a mãe terá sua luz apagada na mais absoluta escuridão.
PROVÉRBIOS 20.20

Amaldiçoar pai e mãe significa romper com a origem. Apagar o passado. Cortar os vínculos com a raiz da existência. Negar a ligação com a história. Deixar para trás o lugar de onde veio e as relações mais imediatas que construíram a identidade. Amaldiçoar pai e mãe é mergulhar no vácuo, no vazio, é pretender existir flutuando no nada.

Nossa identidade é construída pela soma das coisas que nos são inatas, que trouxemos na bagagem genética, herdada dos pais e antepassados, e das coisas adquiridas nas relações e no processo de socialização. Amaldiçoar pai e mãe é negar uma boa parte do que nos constitui.

Quem nega sua história, sua origem e seus vínculos imediatos com pai e mãe perde as referências de sua identidade. Quem nega pai e mãe apaga a luz que permite o processo de autoconhecimento e de transformação pessoal.

Honrar pai e mãe, por sua vez, implica fazer as pazes com o passado e com os laços de afeto que deram os primeiros contornos à pessoa que viemos a ser. Para fazer as pazes com o passado, às vezes precisamos perdoar pai e mãe. Partir do princípio de que nos amaram da melhor maneira que lhes foi possível, e então retribuir com amor, com um amor lúcido e generoso.

Quem honra pai e mãe caminha na luz. Quem amaldiçoa pai e mãe vive na escuridão.

A herança obtida antes da hora acaba não sendo bênção no final.
PROVÉRBIOS 20.21

Jesus contou a história de um homem que tinha dois filhos. O mais novo pediu sua parte da herança e partiu para uma terra distante, onde passou a viver de maneira irresponsável. Em pouco tempo desperdiçou tudo que possuía e chegou a trabalhar como escravo em uma fazenda da região, compartilhando com os porcos a comida do dia (Lc 15.11-32).

"Adultecer" é assumir responsabilidade sobre a própria vida, passar a ser guiado pela própria consciência. Sair da barra da calça do papai e da barra da saia da mamãe. Prolongar a dependência do papai e da mamãe é desastroso. Mas sair de casa antes da hora é igualmente perigoso.

Isso faz lembrar Cartola, que canta seu lamento de despedida da filha adolescente que decidiu viver longe de casa.

Ainda é cedo, amor,/ Mal começaste a conhecer a vida,
Já anuncias a hora de partida/ Sem saber mesmo o rumo que irás tomar.

Preste atenção, querida,/ Embora eu saiba que estás resolvida,
Em cada esquina cai um pouco a tua vida,/ Em pouco tempo não serás mais o que és.

Ouça-me bem, amor,/ Preste atenção, o mundo é um moinho;
Vai triturar teus sonhos, tão mesquinho,/ Vai reduzir as ilusões a pó.

Preste atenção, querida,/ De cada amor tu herdarás só o cinismo;
Quando notares estás à beira do abismo,/ Abismo que cavaste com os teus pés.

Não diga: "Vou me vingar deste mal"; espere o SENHOR *resolver a questão.*
PROVÉRBIOS 20.22

Pagar o mal com o bem é um dos ensinamentos mais elementares da ética cristã. Jesus nos ensinou a amar os inimigos e a abençoar aqueles que nos fazem mal. Disse que é assim que Deus vive e trata as pessoas. Ele cuida inclusive das pessoas que não acreditam nele ou que abusam de sua vontade (Mt 5.41-48).

O apóstolo Paulo recomendou:

> Amados, nunca se vinguem; deixem que a ira de Deus se encarregue disso, pois assim dizem as Escrituras: "A vingança cabe a mim, eu lhes darei o troco, diz o Senhor". Pelo contrário: "Se seu inimigo estiver com fome, dê-lhe de comer; se estiver com sede, dê-lhe de beber [...]". Não deixem que o mal os vença, mas vençam o mal praticando o bem.
>
> Romanos 12.19-21

Praticar a vingança significa ser vencido pelo mal. O pior mal que o malvado pode fazer contra você é transformá-lo em uma pessoa malvada. Ao vingar-se, ao praticar o mal, o mal terá vencido, e terá tornado você alguém malvado.

A maneira de vencer o mal é praticar o bem.

Para nos livrar da amarga sensação de que o mal ficará impune, devemos confiar na promessa de Deus. Ele disse que resolveria a questão. Deus é o justo Juiz.

261

A luz do SENHOR *penetra o espírito humano*
e revela todas as intenções ocultas.
PROVÉRBIOS 20.27

A consciência é o umbigo da alma, disse Viktor Frankl, psiquiatra austríaco precursor da logoterapia, a terapia do sentido. Com isso estava querendo dizer que, assim como o umbigo informa que viemos de outro corpo biológico, a consciência revela que viemos de outro ser psicoespiritual.

A consciência é essa voz que existe dentro de nós e com quem conversamos. Os mestres espirituais dizem que é na consciência que ouvimos a voz de Deus. Conta-se que Joana D'Arc, heroína e mártir francesa, canonizada como santa padroeira da França, quando estava sendo interrogada pelos inquisidores, teria dito que estava apenas obedecendo à voz de Deus.

"Você não está ouvindo a voz de Deus, está ouvindo a sua consciência", disse o inquisidor. Ao que ela respondeu: "Para mim é a mesma coisa". Não acredito que seja a mesma coisa, mas acredito ser muito difícil distinguir uma voz da outra.

Dallas Willard, teólogo e filósofo norte-americano, disse que a principal maneira de Deus falar conosco é pelos pensamentos e sentimentos, que embora sejam nossos não tiveram origem em nós.

A consciência é a luz de Deus em nosso espírito. Aprender a enxergar a vida sob essa luz, isto é, aprender a ouvir a voz de Deus em nossa consciência, é um exercício para toda a vida.

A glória dos jovens está em sua força, e o esplendor dos idosos, em seus cabelos brancos.
PROVÉRBIOS 20.29

Os cabelos brancos são naturalmente associados ao envelhecimento, que é tratado em nossa sociedade como algo a evitar a qualquer custo. Dietas rigorosas, suplementos alimentares, reposição hormonal, cremes e mais cremes e cirurgias plásticas são algumas providências oferecidas para quem quer retardar o envelhecimento. Alguns milhões são gastos pela indústria que busca a fórmula da eterna juventude. E não faltam pessoas dispostas a pagar para retardar ao máximo o processo de envelhecimento.

Nada errado em cuidar da saúde e sustentar a vitalidade e o vigor físico. Graças a Deus pela boa medicina e pelos recursos de manutenção e revigoramento do corpo. Errado é tratar a velhice como doença ou maldição. Errado é enxergar a vida como um processo de degeneração rumo à decrepitude. Errado é não saber envelhecer. Errado é chamar de vida somente aquilo que está associado ao vigor físico. Errado é não celebrar as estações da existência, cada uma com sua beleza, sua grandeza e seu esplendor.

Os jovens têm na força do corpo a sua glória.

Os idosos têm nos cabelos brancos a sua majestade.

Envelhecer é uma arte.

A sabedoria do envelhecer está oculta na capacidade de ir se desprendendo das possibilidades da mobilidade do corpo para explorar cada vez com mais profundidade os ilimitados horizontes da imaginação e do espírito destinado à eternidade.

O Senhor *se agrada mais ao fazermos o que é certo*
e justo do que ao lhe oferecermos sacrifícios.
Provérbios 21.3

O Deus de Israel não se confunde com os ídolos pagãos. Os ídolos agem em favor de seus fiéis em troca de sacrifícios ou oferendas. O Deus de Israel convida seus filhos e suas filhas para a prática da justiça. Assim acreditaram os profetas de Israel, Jesus de Nazaré, o Filho de Deus, e seus apóstolos e discípulos.

"O que agrada mais ao Senhor: holocaustos e sacrifícios ou obediência à voz dele? Ouça! A obediência é melhor que o sacrifício, e a submissão é melhor que ofertas de gordura de carneiros", disse o profeta Samuel ao rei Saul (1Sm 15.22). "Quero que demonstrem amor, e não que ofereçam sacrifícios", reafirmou o profeta Oseias (6.6).

"Que podemos apresentar ao Senhor? Devemos trazer holocaustos ao Deus Altíssimo? Devemos nos prostrar diante dele com ofertas de bezerros de um ano? Devemos oferecer ao Senhor milhares de carneiros e dez mil rios de azeite? Devemos sacrificar nossos filhos mais velhos para pagar por nossos pecados? Ó povo, o Senhor já lhe declarou o que é bom e o que ele requer de você: que pratique a justiça, ame a misericórdia e ande humildemente com seu Deus", disse o profeta Miqueias (6.6-8).

A religião que Deus, o nosso Pai, aceita como pura e imaculada é esta: "cuidar dos órfãos e das viúvas em suas dificuldades e não se deixar corromper pelo mundo", concluiu Tiago, irmão de Jesus e líder da igreja em Jerusalém (1.27).

Olhos arrogantes, coração orgulhoso e atos perversos: tudo isso é pecado.
PROVÉRBIOS 21.4

O orgulho e a arrogância são características das pessoas perversas. Os "olhos arrogantes" indicam aqueles que pensam que sabem tudo, e de tudo sabem tudo. O "coração orgulhoso" indica aqueles que pensam que tudo podem e podem tudo. Arrogantes e orgulhosos vivem como se Deus não existisse. Na verdade, vivem como se fossem Deus.

Os que vivem como se fossem Deus não reconhecem limites, não respeitam fronteiras e invadem espaços onde os mortais deveriam pisar apenas com pés descalços e muita reverência a Deus. Quem vive sem limites acaba cometendo perversidades.

Dostoiévski coloca na boca de seu personagem Ivan Karamázov a célebre afirmação: "Se Deus não existe e a alma é mortal, tudo é permitido". A sugestão é que sem Deus perdemos o critério absoluto do julgamento moral, e nos assemelhamos a animais assustados que atravessam o cosmos em direção à morte. Visto que tudo que temos é o aqui e agora, e que a morte é o ponto final, tentamos fugir do desespero buscando o máximo prazer e o mínimo sofrimento, e para isso quase sempre estamos dispostos a fazer tudo que está ao alcance, sem respeitar quaisquer limites de bem ou mal.

A arrogância e o orgulho, que negam a existência de Deus, deixam a perversidade humana sem freios.

O culpado anda por um caminho tortuoso; o inocente percorre uma estrada reta.
PROVÉRBIOS 21.8

A culpa é a convivência com pecados não resolvidos ou com consequências de pecados que ainda causam dores, sofrimento, perdas e destruição. A culpa é esse sentimento de que o passado ainda assombra nosso presente. Coisas mal resolvidas lá atrás colocam em risco nossa vida, hoje.

A sabedoria popular ensina que um erro não justifica o outro, mas ainda assim é muito comum as pessoas tentarem resolver um pecado cometendo outro. Por isso o salmista adverte que "abismo chama abismo" (Sl 42.7, NVI).

As pessoas culpadas andam por caminhos sinuosos. Enquanto tentam administrar os pecados e as consequências deles, enrolam-se ainda mais. As pessoas que não resolvem suas pendências, quer seja na própria consciência, quer seja, e principalmente, nas relações pessoais, vivem embaraçadas, e por isso caminham com dificuldade, como se pés e mãos estivessem amarrados. Não conseguem dar continuidade aos sonhos e projetos, e acumulam descontinuidades. Vivem despindo um santo para vestir outro, e são engolidas pelo atropelo de colocar o dedo em diversos furos de vazamento na parede de sua vida.

A pessoa inocente, por sua vez, caminha livre, sem embaraços, e pode seguir para o destino escolhido sem impedimentos. São inocentes não necessariamente porque não cometeram erros ou pecados, mas principalmente porque não deixaram para trás nada mal resolvido. E também porque resolveram seu passado de maneira íntegra.

Quem fecha os ouvidos aos clamores dos pobres
será ignorado quando passar necessidade.
PROVÉRBIOS 21.13

A solidariedade é como um rio por onde flui a riqueza do mundo. Quem mergulha nele jamais terá falta. O fluxo constante de dar e receber, a dinâmica constante das trocas, a dança das partilhas acontece entre todos os que não confundem bens com posses.

A sabedoria bíblica diz que "a terra e tudo que nela há são do SENHOR; o mundo e todos os seus habitantes lhe pertencem" (Sl 24.1). O justo é aquele que vive consciente de que todos os seus bens pertencem a Deus e, portanto, devem estar disponíveis e ser administrados para o bem comum. As pessoas justas consideram seus bens como riquezas sob sua administração, e não riquezas sob sua posse.

Os cristãos do primeiro século tinham essa consciência. Não se consideravam donos dos seus bens, de modo que compartilhavam tudo que tinham, e por isso entre eles não havia necessitados (At 4.32-35).

Na economia de Deus, quem colhe demais não tem sobrando, e quem colhe de menos não tem faltando (2Co 8.15). Quem se recusa a fazer parte dessa ciranda de solidariedade cedo ou tarde chega ao limite de sua ilusão de riqueza, e percebe a falta que faz a mão amiga.

O presente entregue em segredo acalma a ira;
o suborno oferecido às escondidas abranda a fúria.
PROVÉRBIOS 21.14

Subornar significa oferecer benefícios em troca de favores ilícitos. Mas não é disso que trata esse provérbio. Ele indica a solução de uma disputa em que uma das partes se sentiu lesada ou saiu realmente prejudicada. A reação natural de quem está no prejuízo é a retaliação, a busca de reparação e até mesmo a ação violenta, como forma de vingança. A recomendação do sábio é que aquele que venceu a disputa procure uma forma de não deixar a parte vencida com o prejuízo absoluto.

A tradução bíblica A Mensagem esclarece: "O presente dado de forma discreta acalma a pessoa irritada; o presente sincero ameniza o temperamento difícil".

Nem sempre as disputas terminam de maneira a contentar o senso de justiça das partes. É razoável que os vencedores se coloquem no lugar dos perdedores e façam compensações e reparações de eventuais prejuízos injustos. Presentear de forma discreta, isto é, após o encerramento do julgamento ou da finalização da negociação, é uma forma de conter ou refrear o desejo de vingança e justiçamento.

Quem quer ganhar tudo e ganhar sempre faz muitos inimigos, deixa muita gente irritada e acumula contra si um capital de ódio coletivo. Não deixar pessoas amargando prejuízos injustos e cuidar para não deixar para trás pessoas que se sentem lesadas é uma forma de sabedoria, e um jeito de promover a paz.

A justiça é alegria para o justo, mas causa
pavor nos que praticam o mal.
PROVÉRBIOS 21.15

O mundo bíblico era cheio de juízo e justiça.

Os reis julgavam, e quase sempre seus julgamentos resultavam na morte dos condenados.

Os juízes se sentavam à porta das cidades, numa espécie de tribunais de pequenas causas. As pessoas resolviam suas disputas apelando para a sabedoria dos anciãos.

Os profetas julgavam por meio de denúncias e advertências. Circulavam pelas ruas das cidades, confrontando reis e sacerdotes, anunciando alto e bom som os desmandos das autoridades do templo e do trono.

Os duelos eram uma prática aceitável e se acreditava que eram uma forma de as pessoas se submeterem ao julgamento dos deuses. Ganhava o duelo quem estava do lado certo, e não necessariamente o mais forte ou poderoso.

Deus julgava. Pelos profetas, pelos sacerdotes que lhes eram fiéis e pelos reis que guardavam sua aliança e governavam em obediência aos seus mandamentos e decretos estabelecidos na Torá.

A iminência do juízo causava duas reações: os inocentes, os oprimidos e os que sofriam abuso dos ricos e poderosos viviam aguardando justiça. Os culpados, os perversos e os opressores temiam a formação de nuvens densas no céu, pois sabiam que seriam atingidos pelos raios implacáveis que defendiam os órfãos, as viúvas e os estrangeiros pobres.

A sabedoria popular diz que "quem não deve não teme".

A sabedoria bíblica diz que "a justiça é alegria para o justo, mas causa pavor nos que praticam o mal".

Quem ama os prazeres ficará pobre; quem ama
o vinho e o luxo nunca enriquecerá.
PROVÉRBIOS 21.17

Na superfície desse provérbio está uma crítica ao mal uso do dinheiro, ou seja, gastar como se o dinheiro nunca fosse acabar. Fazer o que o filho pródigo fez: pegar a parte da herança e torrar tudo com prazeres e diversão. O fim desse tipo de vida é a pobreza. Dinheiro não aceita desaforo. Desperdício e gastança irresponsável são o mesmo que rasgar dinheiro.

Numa camada mais abaixo, o provérbio está dizendo que quem gasta com luxo e prazer fica pobre porque o desejo é insaciável. A estrada do prazer não tem fim. Essa é a lógica do vício: primeiro você gosta daquilo, depois não consegue viver sem aquilo, e aos poucos precisa de doses cada vez maiores daquilo, porque aquilo, qualquer que seja o aquilo, não é suficiente em si mesmo para satisfazer o desejo.

Na camada mais profunda, o provérbio sugere que luxo e prazer são objetos errados de fonte de satisfação. C. S. Lewis, escritor e filósofo cristão, pergunta: se percebo em mim um desejo que nada neste mundo é capaz de satisfazer, não seria isso uma evidência de que fui criado para outro mundo?

De fato, o que satisfaz o coração humano está neste mundo, mas não é deste mundo.

O sábio conquista a cidade dos fortes e derruba
a fortaleza em que eles confiam.
PROVÉRBIOS 21.22

Nos primeiros anos do seminário, fui ouvir Fernando Gabeira, que acabara de chegar do exílio. Ao final da palestra, alguém perguntou ao Gabeira: "Você se dedicou à luta armada e agora é escritor. Você arrefeceu na luta?". Gabeira respondeu com outra pergunta: "Quem foi que lhe ensinou, meu filho, que uma metralhadora é mais poderosa que um livro?".

Somente pessoas muito desavisadas acreditam que as metralhadoras são mais poderosas que as ideias. Somente pessoas pouco esclarecidas acreditam que o mundo é governado por generais e que o poder se sustenta na força dos exércitos. Somente pessoas ignorantes acreditam que a força bruta pode mais que a sabedoria.

Para marchar nas guerras e empunhar metralhadoras, as pessoas precisam ser convencidas de que sua luta é justa, seu sacrifício é justificado e que matar é um artifício legítimo. As ideias, a lógica e os argumentos que sustentam os exércitos são mais poderosos que os exércitos em si.

Por isso os sábios sempre prevalecerão contra os generais. E nenhuma fortaleza estará segura enquanto as ideias circularem livremente entre o povo.

Por essa mesma razão os poderosos se ocupam muito mais em controlar e manipular informações e calar os sábios e os profetas do que em equipar exércitos. Eles sabem que Victor Hugo, romancista, estava certo ao dizer que "não há nada tão poderoso como uma ideia cujo tempo chegou".

Cuide da língua e fique de boca fechada,
e você não se meterá em apuros.
Provérbios 21.23

Cuidar da língua e da boca não é o mesmo que ficar em silêncio. Em algumas ocasiões, o silêncio denota mal uso de ambas.

A palavra é poderosa.

Trocar ideias, espalhar informações verdadeiras e úteis, e instruir são bons usos da boca e da língua.

Levantar a voz em defesa de quem não tem voz, confrontar mentiras e mentirosos são deveres morais.

Confortar, consolar, animar e dar esperança aos que sofrem são coisas que se esperam de nós e fazem parte da construção de um mundo bom para todos.

Cuidar da língua e da boca é falar a coisa certa para a pessoa certa, na hora certa, do jeito certo, com a motivação certa. Falar é, portanto, uma arte dominada apenas pelas pessoas sábias.

Nossas palavras, soltas ao vento, também se voltam para nós, trazendo vida ou morte, por isso nos é exigido cuidar da boca e da língua. É um critério de maturidade. Tiago, irmão de Jesus, diz que a pessoa que consegue controlar a língua é perfeita (3.2). Como não existe gente perfeita, ninguém consegue controlar a língua. O oposto também é verdadeiro. O fato de ninguém conseguir controlar a língua evidencia que ninguém é perfeito.

Já que a língua é um animal selvagem, o melhor que temos a fazer é cuidar para que ela não cause tantos estragos, não apenas para os outros, mas também para nós mesmos.

Algumas pessoas cobiçam o tempo todo,
mas o justo gosta de repartir o que tem.
PROVÉRBIOS 21.26

A sabedoria confronta cobiçar com repartir.

As pessoas tolas vivem de desejar o que não têm. As pessoas justas vivem de repartir o que têm. As pessoas tolas vivem de cobiçar. As pessoas justas vivem de compartilhar.

Isso implica duas lógicas.

Algumas pessoas acreditam que a satisfação está em possuir. Mas a verdade é que a satisfação está em repartir. Quem acredita que a satisfação está na posse vive de substituição e acumulação. Tudo que possuem têm prazo de validade, vai se desgastando e sendo descartado ou substituído.

As pessoas que vivem de possuir para ter satisfação consideram tudo em volta objeto de prazer pessoal e particular, desde joias e carros até pessoas e relacionamentos. Quando perdem o prazer em algo ou alguém, descartam e substituem, ou compram mais um, mais uma.

Em contrapartida, as pessoas que já descobriram que a satisfação não está em possuir, mas em dividir, repartir e compartilhar, descobriram também que o prazer maior está em como desfrutar o que possuem. E a forma correta de desfrutar é na comunhão das relações de justiça e generosidade, e na mesa dos afetos e dos amores.

O segredo não está no que você tem.

O segredo está em quem convive com você enquanto você desfruta as coisas que tem.

O segredo não está em desfrutar as coisas que você tem.

O segredo está na alegria que nasce apenas quando as coisas se tornam secundárias, e as pessoas passam a ocupar o primeiro lugar.

O sacrifício do perverso é detestável, especialmente quando oferecido com más intenções.
Provérbios 21.27

O teólogo e sociólogo Otto Maduro compreendeu a religião como uma relação de benefícios e obrigações entre os fiéis e suas divindades. Isso explica a lógica de boa parte dos sistemas religiosos que conhecemos.

Você se dedica a cumprir suas obrigações para com o seu deus, esperando que ele lhe retribua com benefícios. Você obedece ao seu deus não apenas para que ele abençoe a sua vida, mas também para que não amaldiçoe os seus dias e descarregue pragas sobre a sua cabeça.

A grande questão é que ninguém consegue ser gabarito diante de uma divindade. Cedo ou tarde acaba fazendo o que não deve ou deixando de fazer o que deve. É nesse momento que surgem os sacrifícios: oferendas para aplacar a ira e conquistar o favor dos deuses.

O Deus de Israel não se submete a essa lógica. O Deus da Bíblia não se relaciona com seus filhos e suas filhas dentro desse mecanismo opressor de "faça o que estou mandando e lhe dou um torrão de açúcar". O Deus e Pai de nosso Senhor Jesus Cristo não pode ser subornado por presentes e oferendas, não pode ser manipulado por sacrifícios, e seu favor jamais se explica pelo mérito dos abençoados, mas única e exclusivamente por sua graça e seu amor, que fazem o sol nascer sobre justos e injustos e a chuva regar os campos dos bons e dos maus.

Ou você faz alguma coisa com base no amor, sem segundas intenções, ou tudo que você faz para Deus é como som de lata vazia e de sino dissonante, barulho que presta apenas para deixar Deus irritado.

Não há sabedoria, entendimento, nem conselho humano capaz de resistir ao SENHOR.
PROVÉRBIOS 21.30

Nada que seja do tamanho da mente humana se compara ao que se passa na mente e no coração de Deus. Primeiro porque, como bem disse o apóstolo Paulo, "olho nenhum viu, ouvido nenhum ouviu, e mente nenhuma imaginou o que Deus preparou para aqueles que o amam" (1Co 2.9).

Mas nenhuma sabedoria, conselho ou entendimento humano é capaz de superar o Senhor também e principalmente porque a sabedoria de Deus subverte toda a lógica humana. O apóstolo Paulo também disse que Deus fez a sabedoria deste mundo parecer loucura, e que a loucura de Deus é mais sábia que a sabedoria humana. Por isso, Deus, em sua sabedoria, providenciou que o mundo não o conhecesse por meio da sabedoria humana, e usou algo que a sabedoria humana considera loucura para salvar o mundo: Cristo crucificado. Quando as pessoas que se julgam sábias ouvem a pregação do evangelho a respeito da morte e ressurreição de Jesus, acham que não passa de tolice. Mas, continua o apóstolo, Deus escolheu as coisas que o mundo considera loucura para envergonhar os sábios, para que ninguém jamais se orgulhe na presença de Deus (1Co 1.20-29).

Lembro de um velho pregador do evangelho que, quando chamado de louco, respondia: "Sim, sou louco por Jesus. Você é louco pelo quê?".

O cavalo é preparado para o dia da batalha,
mas quem dá a vitória é o Senhor.
Provérbios 21.31

Aí está o paradoxo.

Você precisa preparar seus cavalos para a batalha, mas quem dá a vitória é Deus.

Você precisa ficar de prontidão, mas se Deus não guardar a cidade em vão vigia a sentinela.

Você precisa bater a laje, mas se Deus não fizer a casa ficar de pé em vão trabalham os que a edificam.

Esperar que Deus faça tudo é ilusão, fantasia, ingenuidade e espiritualidade mágica.

Acreditar-se capaz de tudo, e dispensar a atuação de Deus, é prepotência, arrogância, pretensão vazia.

A história da sua vida é escrita a quatro mãos. Você escreve, mas a edição final é prerrogativa de Deus.

Na gênese de tudo existe um jardim, feito por Deus a leste do Éden, onde vive o primeiro casal. Expulso do paraíso, o casal se multiplica e enche a terra construindo cidades, tentativas humanas de reproduzir o paraíso perdido. No apocalipse, o fim bom de toda a Criação, não existe apenas o jardim feito somente pelas mãos de Deus, nem apenas as cidades feitas pelas mãos humanas. O novo céu e a nova terra são uma cidade-jardim e um jardim-cidade: obra de quatro mãos.

Eis o paradoxo.

O rico e o pobre têm isto em comum: o SENHOR *criou os dois.*
PROVÉRBIOS 22.2

Deus não criou a pobreza, criou o pobre, isto é, a pessoa que é pobre. Deus não criou a riqueza, criou o rico, isto é, a pessoa que é rica.

Essa é a base do que chamamos de direito natural, o direito ou conjunto de direitos intrínsecos a todos os seres humanos pelo simples fato de existirem. Deus deu vida a todos. Deus concedeu a todos, sem distinção, o direito de existir e, portanto, com esse direito, automaticamente também lhes concedeu outros direitos. Jung Mo Sung, teólogo e economista, distingue três tipos de direitos que podem ser abrigados sob o guarda-chuva dos direitos humanos:

1. *O direito social*, isto é, o acesso aos recursos para a vida digna, o acesso aos bens públicos de uma sociedade.

2. *O direito político*, ou seja, a liberdade de expressão, a participação e a cidadania, a inferência nas instâncias de poder e governo da sociedade, o que nos faz defender a democracia como o pior sistema de governo, excetuando todos os outros, como disse Winston Churchill.

3. *O direito civil*, isto é, o direito de não sofrer discriminação por motivos de raça, classe social, gênero e religião.

Acreditar que os pobres são pobres e os ricos são ricos por ordenamento divino é uma subversão da revelação bíblica que nos diz que Deus criou todos os seres humanos, isto é, tanto os pobres como os ricos, em iguais condições de dignidade. Deus criou seres humanos. Nós, seres humanos, criamos a pobreza para os pobres e a riqueza para os ricos.

Lutar pelos direitos humanos de todos os seres humanos é uma expressão da justiça bíblica.

XEQUE-MATE

O prudente antevê o perigo e toma precauções;
o ingênuo avança às cegas e sofre as consequências.
PROVÉRBIOS 22.3

Magnus Carlsen entrou para a história do xadrez como o campeão mais jovem a assumir o topo do *ranking* mundial. Com apenas 19 anos, superou o americano Bob Fischer, que chegou ao topo com 21, e o russo Garry Kasparov, com 22 anos. O norueguês Carlsen é capaz de calcular 20 jogadas com antecedência.

A mente de um jogador de xadrez é peculiar. Os bons enxadristas são capazes de pensar com antecedência e parecem ter uma certa habilidade de antever o futuro, ou pelo menos futuros possíveis.

Embora nem todos tenhamos essa capacidade ou habilidade, os campeões do xadrez nos ensinam e nos encorajam a fazer o mesmo exercício, não para ganhar um jogo de xadrez, mas para lograr êxito no jogo da vida.

Pessoas prudentes se dedicam a pensar antes de agir e se ocupam em fazer exercícios de probabilidades, buscando antever perigos, necessidades, oportunidades e possibilidades.

Pessoas tolas e ingênuas, que acreditam que o jogo da vida é uma questão de sorte, caminham às cegas. As pessoas prudentes se exercitam para enxergar o mais longe possível. Não importa se não alcançam o topo do *ranking* mundial dos enxadristas. O que importa é que certamente serão reis e rainhas que viverão muito tempo antes de levar um xeque-mate.

Ensine seus filhos no caminho certo, e, mesmo quando envelhecerem, não se desviarão dele.
PROVÉRBIOS 22.6

Os pais devem se apressar a ensinar valores morais e espirituais aos filhos, pois as impressões da infância são mais profundas e duradouras do que as adquiridas em idade maior.

Mas esse provérbio também sugere que os pais devem dar atenção especial ao "caminho certo" de seu filho, pois cada criança é singular e irrepetível em sua complexidade de propensões, habilidades e potencialidades.

Embora seja verdadeiro que somos livres para criar e dar forma a nós mesmos e ao nosso destino, inclusive promovendo transformações aqui e ali, é também verdadeiro que não somos tábula rasa, não partimos do zero. Todos nascemos com *imprints* dos antepassados, trazemos na bagagem genética riquezas e limitações daqueles que nos deram origem.

Essa herança nos distingue dos animais. Todo animal começa do zero. Uma geração não transmite à outra seus conhecimentos e avanços, nem as habilidades aprendidas. É por isso que a casa do joão-de-barro é a mesma desde sempre.

Reconhecer, identificar e celebrar o que nos é inato, que já vem de fábrica, é uma sabedoria que nos ajuda a ampliar os horizontes de nossas escolhas. Educar implica ensinar às crianças o que é universal e atemporal: a sabedoria da Torá. Também implica estimular o florescimento e a plenitude do que é peculiar e singular, o conjunto irrepetível que faz de cada ser humano um original.

279

Assim como o rico domina sobre o pobre, quem toma emprestado se torna servo de quem empresta.
PROVÉRBIOS 22.7

Nos tempos antigos, quando um empréstimo, feito a juros exorbitantes, não podia ser pago, o credor podia levar o devedor, sua mulher e filhos como escravos. A escravidão do devedor não consistia em mera metáfora, mas em uma possibilidade concreta.

A lógica dos juros é interessante. Quem toma emprestado tem acesso a um ganho imediato e se compromete a uma perda futura, quando tiver que pagar o valor emprestado. Quem empresta tem uma perda imediata e investe num ganho futuro, quando receber com juros o valor que emprestou. O economista Eduardo Gianetti sugere que essa lógica dos empréstimos a juros extrapola as transações financeiras e se aplica a todo tipo de trocas em que ocorrem perdas imediatas e ganhos futuros, ou seu contrário, ganhos imediatos e perdas futuras.

O bom senso sugere que a melhor escolha é pelas perdas imediatas para ganhos futuros. Abrir mão de um ganho menor hoje para garantir um ganho maior amanhã é sinal de sabedoria. Em contrapartida, adiar prazeres e ganhos imediatos na expectativa de benefícios futuros pode significar a perda de ambos. Você não desfruta hoje nem amanhã. Viver é sempre um risco.

A sabedoria sugere que façamos as contas: o que vale a pena correr o risco de perder em troca do risco de tentar ganhar. Deus abençoe você. Pode pegar o lápis ou a máquina de calcular.

Quem semeia injustiça colhe desgraça,
e seu reino de terror chegará ao fim.
PROVÉRBIOS 22.8

O rabino Malbin interpretou esse provérbio dizendo que, como resultado da opressão, haverá de tempos em tempos uma explosão de revolta dos escravizados e dos pobres pisoteados, quando todos os que semearam a injustiça, ao tratar seus escravos de modo desumano, colherão violência. Os reinos de terror sempre chegam ao fim.

O rabino Yoná também acreditava que o rico que maltrata os pobres, sobre os quais ele impõe seu império de terror, lucrando com usura e acreditando que os pobres sempre o temerão, finalmente colherá desgraça e perderá tanto sua fortuna quanto o respeito dos pobres.

Lembro da poesia profética do Chico Buarque dedicada aos que governaram o Brasil nos anos da ditadura militar.

> Hoje você é quem manda, falou, tá falado, não tem discussão.
> A minha gente hoje anda falando de lado e olhando pro chão, viu. [...]
>
> Apesar de você, amanhã há de ser outro dia.
> Eu pergunto a você onde vai se esconder da enorme euforia.
> Como vai proibir quando o galo insistir em cantar [...]
>
> Quando chegar o momento, esse meu sofrimento vou cobrar com juros, juro. [...]
> Você vai pagar e é dobrado cada lágrima rolada nesse meu penar [...]
> E eu vou morrer de rir que esse dia há de vir antes do que você pensa.

Desejo de vingança à parte, bela e atual canção!

MOLOTOV

Mande embora o zombador e cessarão as brigas;
não haverá mais contendas nem insultos.
PROVÉRBIOS 22.10

Em 1983 cumpri o serviço militar. Eram dias de campanha pelas Diretas Já, e as ruas estavam muito agitadas com manifestações populares. Recebemos muitas instruções sobre "controle de distúrbio civil". Lembro de uma orientação em particular: a confusão das ruas não acontece espontaneamente. As massas ficam agitadas, todos gritam palavras de ordem e ameaçam movimentos mais violentos. Até que alguém atira a primeira pedra numa vitrine ou um coquetel *molotov* em alguma direção. Então todos explodem, desordenados, para expressar de maneira violenta sua raiva ou sua indignação. Em seguida, o sujeito que atirou a primeira pedra se afasta, acende um cigarro e fica observando a confusão.

Não sei se é bem assim que acontece, mas me fez muito sentido. Porque na vida é assim mesmo. As pessoas vão acumulando insatisfações e indignações, mas não estão necessariamente pretendendo criar confusão ou se manifestar de forma violenta. Até que alguém passa a estimular o conflito, à espera da hora certa de acender o fósforo. Esse tal é o zombador. O problemático oportunista, que não está interessado em resolver os conflitos, mas apenas em arrumar confusão e causar destruição.

As pessoas sábias identificam rapidamente os zombadores, se afastam deles e os afastam da cena, para que a paz seja estabelecida e os problemas comuns sejam equacionados de maneira satisfatória para todos.

Para acabar com as brigas, é necessário afastar os briguentos.

O preguiçoso diz: "Há um leão lá fora!
Se eu sair, ele me matará!".
PROVÉRBIOS 22.13

O preguiçoso não precisa de motivo para não trabalhar. Precisa apenas de um pretexto.

O motivo indica um fato concreto, uma razão específica, uma justificativa real. O pretexto é uma razão alegada para encobrir a verdadeira razão. O pretexto é uma desculpa, um subterfúgio, quase uma mentira.

Os bons pretextos têm aparência de verdade. Por exemplo, quando o preguiçoso diz que "há um leão lá fora", ele está se referindo a uma possibilidade, não necessariamente a um fato. Mas seu pretexto tem fundamento, pois a possibilidade existe mesmo.

Quanto mais próximo da realidade, melhor é o pretexto. Quando alguém diz: "Não pude ir à sua festa de aniversário porque minha mãe estava hospitalizada", imediatamente recebe a compreensão do aniversariante, mesmo que o ausente não estivesse cuidando de sua mãe. Os pretextos apoiados por fatos reais ou plausibilidades concretas passam por razões legítimas.

Aprendi desde cedo que quem quer dá um jeito, quem não quer dá desculpa.

As pessoas preguiçosas vivem dando desculpas.

São especialistas em pretextos.

O coração da criança é inclinado à insensatez,
mas a vara da disciplina a afastará dela.
PROVÉRBIOS 22.15

Uma tradição rabínica diz que os impulsos maus estão amarrados no coração das crianças por um fio muito fino que pode ser arrancado. Mas quando os impulsos maus estão presentes no coração de um adulto é porque já estão enraizados profundamente. Por isso as crianças devem ser disciplinadas, para que os pequenos fios de maldade em seu coração sejam rompidos.

Alguém pode objetar dizendo que não existe maldade nas crianças. Mas a tradição bíblica diz que existe inclinação para a maldade. A educação não é apenas desejável, mas imprescindível para o processo de tornar-se pessoa, aprender a ser gente. As pessoas que não experimentam processos saudáveis de socialização dificilmente desenvolvem as virtudes de caráter que descrevem um ser humano que alcançou a maturidade. Por isso dizemos de certas pessoas que são como bestas humanas, isto é, seu coração está dominado pelo mal e pela maldade.

A "vara da disciplina" é símbolo de corretivos contundentes, não necessariamente indicativos de correções físicas literais. A sabedoria recomenda que crianças sejam educadas, corrigidas e disciplinadas. A agressão e a violência física caminham na direção contrária de qualquer caminho de sabedoria.

Adultos incapazes de conter os impulsos maus e prontos a usar a violência para impor argumentos e vontades dificilmente contribuirão para arrancar os fios de maldade do coração das crianças. Provavelmente o oposto é que é verdadeiro.

Quem explora os pobres ou cobre os ricos de presentes
para progredir na vida acabará na pobreza.
PROVÉRBIOS 22.16

Explorar o pobre e bajular o rico não são necessariamente duas ações distintas. A inteligência desse provérbio sugere que a proibição é para a antiga prática de reter o dinheiro dos pobres e emprestar aos ricos a juros para auferir maior ganho.

A Bíblia Sagrada é veemente em defender o direito dos trabalhadores e dos pobres:

"Não explorem nem roubem o seu próximo. Não fiquem até o dia seguinte com o pagamento de seus empregados" (Lv 19.13).

"Nunca se aproveitem de trabalhadores pobres e necessitados, sejam irmãos israelitas ou estrangeiros que vivem nas suas cidades. Paguem o salário deles todos os dias, antes do pôr do sol, pois eles são pobres e contam com isso para viver. Do contrário, quando clamarem contra vocês ao SENHOR, vocês serão culpados de pecado diante dele" (Dt 24.14-15).

"Ai daquele que constrói o seu palácio por meios corruptos, seus aposentos, pela injustiça, fazendo os seus compatriotas trabalharem por nada, sem pagar-lhes o devido salário"(Jr 22.13, NVI).

"Ouçam os clamores dos que trabalharam em seus campos, cujo salário vocês retiveram de modo fraudulento! Sim, os clamores dos que fizeram a colheita em seus campos chegaram aos ouvidos do Senhor dos Exércitos" (Tg 5.4).

Deus ouve o clamor dos pobres, escravizados, oprimidos e dos que têm seus direitos desrespeitados. Quem abusa dos pobres acaba na sarjeta.

Oportunismo

Não explore o pobre só porque tem oportunidade,
nem se aproveite do necessitado no tribunal.
PROVÉRBIOS 22.22

Qual é o limite entre o oportunismo e o bom negócio?

As regras gerais do mercado dizem que "é bom comprar quando todos querem vender, e vender quando todos querem comprar", "é esperteza deixar o negociante sangrar até que ele não tenha opção senão vender barato ou comprar caro", e práticas semelhantes. Por trás desses princípios de negociação está a ideia de que o melhor negócio é aquele feito com alguém em condição de vulnerabilidade. Talvez isso seja aceitável em transações entre ricos. Mas é absolutamente inaceitável quando os pobres estão no jogo.

A Bíblia recomenda que não se explore o pobre. Aproveitar-se do momento de dificuldade de um negociante pobre é ato perverso. Não há geração de riqueza quando a negociação aprofunda estados de pobreza. As pessoas orientadas pela sabedoria bíblica sabem que a riqueza é coletiva, e que toda negociação que gera prejuízos a uma das partes descompensa o fluxo de riquezas, que deve ser potencializado em benefício de todos.

Tiago, irmão de Jesus e líder da igreja em Jerusalém, critica enfaticamente quem despreza os pobres e bajula os ricos, principalmente os ricos que arrastam os pobres aos tribunais para cobrar dívidas contraídas em tempos de necessidade (Tg 2.6).

As pessoas verdadeiramente prósperas não são oportunistas. Jamais exploram os pobres e vulneráveis. As pessoas verdadeiramente prósperas fazem negócios de um jeito que amplia o fluxo de riquezas para o bem comum.

Não faça amizade com os briguentos, nem ande com quem se ira facilmente, pois aprenderá a ser igual a eles e colocará a si mesmo em perigo.
PROVÉRBIOS 22.24-25

Esse provérbio fala de dois tipos de pessoas: a temperamental e a colérica.

A pessoa temperamental é também chamada de briguenta, e caracterizada como alguém que vive de mau humor e encrenca com tudo e todos. Ela está de mal consigo e com a vida, com o mundo e com Deus. Carrega em si algo mal resolvido e por isso vive procurando pretextos para extravasar sua raiva e bodes expiatórios para culpar por sua infelicidade. O sábio recomenda que você não faça amizade com pessoas assim.

A pessoa colérica é chamada também de pavio curto, cabeça quente e se caracteriza por se irritar facilmente. Elas não estão o tempo todo brigando e arrumando encrenca, mas explodem de uma hora pra outra, surtam com facilidade e quando você menos espera estão metidas em alguma confusão. O sábio recomenda que você fique longe de pessoas assim.

Tanto as pessoas temperamentais quanto as coléricas são perigosas. Estão muitas vezes envolvidas em problemas de relacionamentos e nos arrastam para dentro de suas mágoas e seus ressentimentos, e nos influenciam com seu coração irritadiço e vingativo.

O apóstolo Paulo recomenda a fazer todo o possível para viver em paz com todos. Diz ele que "enquanto depender de nós" devemos viver em paz (Rm 12.18). Mas há pessoas com quem é quase impossível viver em paz. São briguentas e se iram facilmente. O melhor a fazer é ficar longe delas. Do contrário, esteja sempre preparado para a guerra.

Não mude de lugar os antigos marcadores de divisa estabelecidos pelas gerações anteriores.
PROVÉRBIOS 22.28

Honrar as tradições e honrar as palavras dos nossos antepassados são os dois possíveis significados desse conselho da sabedoria.

Não remover as marcações das divisas pode significar honrar os acordos, os contratos e as negociações feitas pelos pais. Essa é uma forma não apenas de nos portarmos de modo ético em relação aos terceiros que fizeram negócios com nossos pais, como também uma forma de honrarmos a vontade dos nossos pais, que empenharam sua palavra enquanto estavam vivos. Honrar a palavra dos nossos pais é uma forma de mantermos viva a palavra deles.

Não remover as marcações das divisas pode significar também manter vivas as tradições dos nossos antepassados. Respeitar os limites que nossos pais nos legaram como valores e orientações para uma vida digna.

É próprio de cada geração revisar compromissos, acordos, crenças e valores das gerações anteriores. Isso é imprescindível. Somente os animais são os mesmos de geração em geração. A sabedoria, entretanto, recomenda que cada geração deve cuidar para que, ao jogar fora a água suja da bacia, não jogue também o bebê.

Você já viu alguém muito competente no que faz? Ele servirá reis em vez de trabalhar para gente comum.
PROVÉRBIOS 22.29

Medíocre é uma palavra composta, do latim, *medio + ocre*, que poderia ser traduzida como "meio da pedra". O significado sugere a escalada de uma montanha até a metade, onde a maioria se contenta em chegar. A partir daí, o ar vai ficando rarefeito, a subida mais íngreme, o perigo mais intenso e a exigência de esforço e sacrifício redobrada. No meio da montanha, o escalador olha para baixo e vê um montão de gente. Olha para cima e vê apenas alguns. Então pensa: "Já subi o bastante, mais do que muitos". Assim, ele se instala na mediocridade, o meio da pedra.

Apesar da conotação pejorativa, ser medíocre não é de todo mal. Dois pesquisadores europeus identificaram em algumas culturas o fenômeno que denominaram *kakonomia*, a busca do menor resultado aceitável, isto é, a arte de ser medíocre. O fenômeno é uma resposta à tirania da excelência e sugere que a maioria das pessoas não se preocupa em atingir os padrões mais elevados, e em troca ganham uma vida mais simples e tranquila.

O provérbio diz que as pessoas competentes e dedicadas a entregar um trabalho excelente serão chamadas a servir os reis, em vez de trabalhar para gente comum, isto é, gente medíocre. Trabalhar para os reis exige níveis de compromissos mais elevados, disciplina, dedicação, qualidade e sacrifícios acima da média.

Ser extraordinário não é para todos. Ser medíocre não é demérito. Viver acima da mediocridade dá trabalho: nos dois sentidos.

Quando se sentar para comer com uma autoridade, preste atenção a quem está diante de você. Se você costuma comer demais, controle o apetite; não deseje as iguarias que ele lhe oferece, pois talvez queira enganá-lo.
PROVÉRBIOS 23.1-3

Era costume, e um grande privilégio, que os participantes da corte comessem à mesa dos reis. O sábio recomenda que os convidados sejam prudentes e evitem as armadilhas do deslumbramento.

Há pelo menos três cuidados que devemos ter à mesa do rei. O primeiro é lembrar que não somos iguais ao rei e não fazemos parte de seu mundo. Somos apenas convidados para um momento em sua presença. Por isso, devemos ter também o cuidado de respeitar os limites que nos separam dele. Muitas coisas permitidas ao rei são absolutamente inadequadas aos convivas.

O segundo cuidado se refere ao foco da atenção. Quem está à mesa do rei deve lembrar que o rei é o mais importante na ocasião. Os convivas não devem se deixar encantar pelo *glamour* do banquete, ou permitir que seu coração se encha de vaidade, como se a participação no banquete fosse evidência de sua própria importância. Dar atenção ao rei é o que se espera dos convivas.

Finalmente, os convivas jamais devem negligenciar o ditado que diz que quando a esmola é grande o santo desconfia. Os convivas não são amigos do rei. O banquete se justifica por uma agenda, o que implica propósitos e finalidades.

A razão para participar do banquete do rei nunca é o banquete.

As pessoas sábias e prudentes sabem discernir as agendas ocultas dos reis.

Não se desgaste tentando ficar rico; tenha discernimento para saber quando parar.
Provérbios 23.4

O primeiro capítulo do livro de Gênesis registra a obra criativa de Deus dividindo seu trabalho em sete períodos que chamamos dias. Ao final de cada dia Deus contemplava sua obra e o texto encerra dizendo: "E Deus viu que era bom".

Deus, por definição, não pode fazer algo sem qualidade. Por isso, bom significa suficiente, bastante. Como quando estamos sendo servidos e dizemos "está bom", ou seja, "é suficiente". Com "está bom" não nos referimos à qualidade do que foi servido, pois ainda nem mesmo provamos. Estamos nos referindo à quantidade.

Deus contemplou o resultado dos seus ciclos criativos e "viu que era bom". Isso quer dizer que Deus escolheu parar de criar em determinado momento. Viu que havia criado o suficiente, o bastante. Certamente, não havia criado tudo que podia criar, pois sua capacidade e criatividade não têm limites. Mas ele se contentou com uma quantidade. Isto é, Deus criou passarinhos, de todos os tamanhos, formas e cores, aos milhões, até que resolveu parar de criar passarinhos e começou a criar cães e gatos.

Em sua obra criativa, Deus nos ensina a arte do contentamento com as justas medidas. Existe um momento em que devemos dizer "chega, é o suficiente". Além desse limite, entraremos na desmedida, no excesso, no exagero, e nos perderemos não apenas das coisas que temos, mas principalmente de nós mesmos, pois não somos capazes de conviver com o que não tem limite.

Quem não sabe dizer chega vai conviver com o fato de que tudo não é bastante.

Não coma com pessoas mesquinhas, nem deseje suas iguarias.
Elas pensam sempre no custo daquilo que oferecem; insistem:
"Coma e beba", mas não falam com sinceridade. Você
vomitará o pouco que comeu e desperdiçará seus elogios.
PROVÉRBIOS 23.6-8

A pessoa mesquinha tem natureza invejosa. Ela convida por educação, esperando que o convidado recuse o convite. Ou, quando convida, não está movida pelo espírito de hospitalidade, mas por egoísmo. Não convida para partilhar com seu convidado a riqueza que possui, mas para extrair dele algo de seu interesse.

A pessoa mesquinha cria ao seu redor um ambiente de usura e escassez. Se você aceitar o convite, logo perceberá que não é tão bem-vindo quanto imaginava, que a proposta de comensalidade era falsa ou motivada por interesses escusos. A pessoa mesquinha tem sempre segundas intenções.

Por isso você comerá constrangido e perceberá, nos olhos da pessoa mesquinha, uma certa crítica pelo fato de você estar se satisfazendo com o que lhe é oferecido. Aos poucos começará a sentir que está fazendo algo errado, como quem está abusando da generosidade e hospitalidade. A experiência que deveria ser uma fonte de prazer acabará sendo uma aventura desastrosa.

Evite favores, convites e ofertas de pessoas mesquinhas.

O que é oferecido com pesar adoece o corpo e a alma de quem doa e de quem recebe.

E jamais seja mesquinho em partilhar suas riquezas.

A hospitalidade generosa multiplica a riqueza e a alegria, tanto para quem recebe quanto para quem partilha.

Não mude de lugar os antigos marcadores de divisa; não tome as terras dos órfãos. Pois o Resgatador deles é forte; ele próprio apresentará as acusações contra você.
PROVÉRBIOS 23.10-11

O provérbio sugere que dois vizinhos celebram acordos a respeito da fronteira de terras. Mas um deles morre e deixa os filhos órfãos. O outro imagina poder se aproveitar dos órfãos e se apressa em mudar as demarcações das fronteiras, apropriando-se de terras que não lhe pertenciam.

O sábio adverte de maneira contundente: Deus defenderá a causa dos órfãos, estará no tribunal contra o vizinho usurpador e agirá com poder e força. Os órfãos representam os desamparados. Na tradição judaica, esse papel é também das viúvas e dos estrangeiros, que hoje chamamos de refugiados. Nos tempos bíblicos, os órfãos seriam defendidos pelos seus familiares mais próximos e cossanguíneos. O provérbio se refere a quem não possui defensor. Não têm pai, mãe, família ou tutores.

Aqueles que julgamos desamparados têm alguém que vela por eles, o Deus Altíssimo. Nenhum ser humano está desamparado no mundo. O mal que é feito contra eles será vindicado por Deus. Nenhum inocente tomba sem que seu sangue clame da terra por justiça. E Deus não deixará sem resposta o clamor da justiça.

Deus é o Redentor, Resgatador, aquele que ocupa o lugar dos pais e se apressa em cuidar dos órfãos.

Não se atreva a usurpar o direito dos órfãos. Você estará arrumando uma enorme confusão com Deus.

Jamais se esqueça de que, como escreveu J. I. Packer, "o nome cristão de Deus é Pai".

Não tenha inveja dos pecadores, mas tema sempre o SENHOR. *Você será recompensado por isso; sua esperança não será frustrada.*
PROVÉRBIOS 23.17-18

Coisas ruins acontecem a pessoas boas. O sofrimento dos que a nossos olhos não merecem sofrer nos faz desacreditar na justiça do mundo e da vida. Mas o oposto causa angústia ainda maior. Coisas boas acontecem a pessoas ruins. A vida boa daqueles que a nossos olhos merecem sofrer nos deixa ainda mais inconformados.

A percepção de que pessoas ruins se dão bem enquanto quem vive honestamente padece todo tipo de dificuldade gera até uma certa revolta contra Deus: Será que Deus não está vendo? Por que Deus não age?

Asafe escreveu, no salmo 73 (A Mensagem):

> Sem dúvida, Deus é bom — bom para os bons, bom para os de bom coração. Mas quase o deixei escapar: quase deixei de ver sua bondade. Porque eu estava olhando para o outro lado, observando as pessoas que alcançaram o topo, invejando os ímpios que tinham sucesso, que não têm com que se preocupar e nenhum problema para resolver [...] O que está acontecendo? Deus saiu para o almoço? [...] Quando tentei compreender, tudo que consegui foi uma dor de cabeça. Até que entrei no santuário de Deus e, então, compreendi o destino deles: A estrada escorregadia em que os puseste, que termina com a colisão contra o muro das desilusões. Num piscar de olhos, o desastre! [...] Não há nada para eles. Nunca houve.

Não tenha inveja dos pecadores. O fim deles é o nada, no dia seguinte de uma trombada no muro das desilusões.

Quem se sente angustiado e triste? Quem vive brigando e se queixando? Quem sofre ferimentos desnecessários? Quem tem os olhos sempre vermelhos? Aquele que passa horas tomando vinho e experimentando bebidas fortes. Não olhe demoradamente para o vinho, observando quanto ele é vermelho, como brilha no copo e desce suavemente. Pois, no fim, ele morde como cobra venenosa; pica como víbora. Você terá alucinações e dirá coisas sem sentido. Ficará tonto como marinheiro em alto-mar, agarrado ao mastro em meio à tempestade. Dirá: "Bateram em mim, mas não senti; nem percebi quando levei uma surra. Quando acordarei para beber de novo?".
PROVÉRBIOS 23.29-35

O vinho representa qualquer tipo de droga.

As drogas produzem estados alterados de consciência caracterizados por alucinações e perda de senso de realidade. As drogas geram condições para brigas e violência. As drogas se transformam em veneno letal. As drogas matam. E fazem matar. As drogas causam a perda da consciência.

Mas as drogas trazem consigo promessas de prazer. E entregam o que prometem. O problema é que o prazer causado pelas drogas dura pouco. E tudo que as drogas entregam com uma mão tiram com a outra.

Por isso, o critério de avaliação do uso não deve ser o que as drogas entregam, mas o que levam embora quando seu efeito se dissipa.

E o estado em que nos deixam quando estamos sóbrios.

Portanto, não saia para guerrear sem boa orientação;
com muitos conselheiros se obtém a vitória.
PROVÉRBIOS 24.6

Dizem que solicitamos conselhos quando já sabemos a resposta. Só procuramos alguém que concorde conosco.

Mas isso não se refere às pessoas sábias. As pessoas sábias realmente buscam conselheiros e apreciam conselhos. Na verdade, as pessoas sábias apreciam os conselheiros discordantes, aqueles que falam o que não gostamos de ouvir, aqueles que nos fazem perguntas que preferiríamos não ter que responder.

A Bíblia conta a história de um profeta inconveniente, que viveu no tempo de Acabe, um rei perverso e teimoso. Certo dia, quando Acabe planejava ir à guerra, mandou chamar seus conselheiros. Todos o aprovaram e incentivaram. Josafá, um rei temente a Deus, que avaliava a possibilidade de uma aliança com Acabe, perguntou: "Acaso não há aqui um profeta do SENHOR? Devemos consultá-lo também". Então Acabe respondeu a Josafá: "Há mais um homem que pode consultar o SENHOR para nós, mas eu o odeio, pois nunca profetiza nada de bom a meu respeito, só coisas ruins! Chama-se Micaías" (2Cr 18.6-7).

As pessoas sábias respeitam os profetas como Micaías. Honram os que são fiéis à consciência e oferecem conselhos conforme seu discernimento espiritual não contaminado por interesses escusos e expectativas de aprovação. As pessoas sábias não apreciam conselheiros que dizem o que elas querem ouvir. Elas respeitam os profetas que lhes dizem não quando querem ouvir sim, e sim quando querem ouvir não.

Se você vacilar no momento de dificuldade,
sua força será pequena.
Provérbios 24.10

A Bíblia conta a história de Ester, uma mulher judia que se tornou rainha da Pérsia ao ser esposada pelo rei Xerxes. Certo dia, um dos oficiais do rei resolveu perseguir os judeus que viviam no império de Xerxes. Entre os oficiais do rei havia um judeu chamado Mardoqueu, que era também primo da rainha Ester. Quando ficou sabendo do plano de perseguição contra os judeus, procurou a rainha e insistiu que ela intercedesse junto ao rei em favor do seu povo. As palavras de Mardoqueu para a rainha Ester foram as seguintes:

> Não pense que por estar no palácio você escapará quando todos os outros judeus forem mortos. Se ficar calada num momento como este, alívio e livramento virão de outra parte para os judeus, mas você e seus parentes morrerão. Quem sabe não foi justamente para uma ocasião como esta que você chegou à posição de rainha?
>
> Ester 4.13-14

A omissão no dia da angústia é um ato de covardia. A recusa em ajudar o amigo isola o omisso, que cedo ou tarde também precisará de ajuda, mas não terá quem o socorra. É nos dias de dificuldade e adversidade, quando nossos privilégios são colocados em risco, que sabemos se de fato somos fortes ou fracos.

Pessoas grandes se arriscam em defesa da justiça e em socorro dos injustiçados e necessitados.

Ainda que o justo tropece sete vezes, voltará a se levantar,
mas uma só calamidade é suficiente para derrubar o perverso.
PROVÉRBIOS 24.16

A diferença entre justos e perversos não tem a ver com exposição ao sofrimento e com possibilidade de dias difíceis e de dificuldades.

Tanto as pessoas justas quanto as perversas estão sujeitas às mesmas contingências da vida. Jesus disse que as tempestades e os ventos impetuosos assolam a casa de bons e maus (Mt 5.45).

Os justos não estão blindados por Deus de modo a ficarem isentos dos dias maus, nem possuem seguro contra sofrimento ou cláusula especial de proteção por viverem segundo a vontade de Deus.

A diferença entre justos e perversos está no momento mesmo das dificuldades e também no dia seguinte das tragédias. Como os perversos, os justos também atravessam os vales de sombra da morte. A diferença é que os justos podem dizer: "Não temerei mal algum, porque tu estás comigo". Os justos enfrentam chuvas e tempestades acompanhados por Deus. Os justos recebem de Deus a provisão de que precisam para permanecer em pé e, em caso eventual de um tombo ou outro, a força necessária para que se coloquem em pé novamente.

As pessoas que andam com Deus, e que Deus anda com elas, são como os sábios que construíram sua casa sobre a rocha: têm alicerce seguro para enfrentar os ônus que o direito de viver impõe. Deus jamais as deixa sós. Jesus prometeu aos seus: "estou sempre com vocês" (Mt 28.20).

A presença do Bom Pastor faz toda a diferença.

Não se alegre quando seu inimigo cair; não exulte quando ele tropeçar. Pois o SENHOR se desagradará disso e dele desviará sua ira.
PROVÉRBIOS 24.17-18

O profeta Obadias é praticamente desconhecido entre os profetas de Israel. Mas sua profecia é muito interessante. Ele leva ao povo de Edom um recado de Deus:

> Por causa da violência que cometeu contra seus parentes, os israelitas, você será coberto de vergonha e destruído para sempre. Quando eles foram invadidos, você se manteve afastado e não quis ajudá-los. Estrangeiros levaram a riqueza da nação e tiraram sortes para dividir Jerusalém, e você agiu como se fosse um deles. Não deveria ter ficado satisfeito quando exilaram seus parentes em terras distantes. Não deveria ter se alegrado quando o povo de Judá sofreu tamanha desgraça. Não deveria ter falado com arrogância naquele tempo de aflição. Não deveria ter saqueado a terra de Israel naquele dia de calamidade. Não deveria ter ficado satisfeito com sua destruição naquele dia de calamidade. Não deveria ter roubado a riqueza deles naquele dia de calamidade. Não deveria ter ficado nas encruzilhadas para matar os que tentavam escapar. Não deveria ter capturado e entregado os sobreviventes naquele tempo de aflição. Está próximo o dia em que eu, o SENHOR, julgarei todas as nações! Como você fez a Israel, assim lhe será feito. Toda a sua maldade cairá sobre sua cabeça.
>
> Obadias 1.10-15

A omissão de socorro é covardia.
A alegria pela desgraça do próximo é perversidade.
Mas Deus é justo Juiz.

Estes são mais alguns ditados dos sábios: É errado tomar partido quando se julga um caso. O juiz que diz ao perverso: "Você é inocente", será amaldiçoado pelo povo e odiado pelas nações. Mas as coisas irão bem para os que condenam o culpado; eles receberão grandes bênçãos.
PROVÉRBIOS 24.23-25

Isenção é o que se espera de um juiz. O juiz não deve tomar partido, favorecendo uma das partes, mas discernir a justiça na questão em disputa. No entanto, a isenção é uma condição difícil de alcançar e de nela permanecer.

Os problemas, as dificuldades e os conflitos humanos são muito semelhantes. Embora a dinâmica da vida seja imprevisível, sua estrutura não é. O que acontece com uma pessoa já aconteceu com muitas outras, e certamente voltará a ocorrer.

Por isso é difícil ser isento. Especialmente quando o juiz tem uma vivência anterior, uma experiência pessoal, uma memória afetiva envolvendo a questão que está em juízo. Quando a realidade exterior a ser julgada encontra conexão com o mundo interior do juiz, a isenção é praticamente impossível. Olhar os fatos objetivamente, sem nenhum preconceito e nenhuma tendência, é uma tarefa quase sobre-humana.

Sempre que julgamos uma causa, nos expomos também a um julgamento. Sacrificar a justiça em benefício próprio é um ato de perversidade que não será perdoado nem pelas pessoas prejudicadas nem pelo justo juiz. Em contrapartida, fazer justiça, ainda que com dano próprio, implica colocar-se à mercê de Deus, que tem prazer em abençoar os justos.

Uma resposta honesta é como um beijo de amizade.
Provérbios 24.26

Friedrich Nietzsche, o filósofo da morte de Deus, pergunta: "Quanta verdade uma pessoa pode suportar?".

A pergunta faz sentido, pois não raras vezes a verdade é cruel. A verdade dos fatos, das relações e das pessoas pode trazer muitas dores.

Muita gente prefere não saber ou fingir que não sabe, não enxergar ou fingir que não enxerga, pois a consciência da realidade pode exigir providências e decisões que envolveriam perdas e sofrimentos. É muito comum as pessoas dizerem: "Prefiro nem ficar sabendo, assim sofro menos".

Por essa razão, geralmente as pessoas que dizem a verdade são consideradas chatas e inconvenientes, e vivem com a sensação de que são portadoras de más notícias ou falam aquilo que precisa ser dito mas que ninguém tem coragem de dizer ou não quer passar pelo constrangimento de ser quem diz. Isso explica também por que de vez em quando alguém nos pergunta: "Quer mesmo ouvir a verdade?".

A resposta sincera pode ser comparada com um beijo. A verdade pode nos chegar como um carinho. O segredo está na motivação de quem nos conta a verdade ou nos dá uma opinião sincera.

Em resposta à pergunta de Nietzsche, podemos dizer: "Toda a verdade, desde que seja contada por amor e com amor".

301

É direito de Deus ocultar certas coisas,
e é direito do rei tentar descobri-las.
PROVÉRBIOS 25.2

A tradição de Israel sempre soube que existem dimensões da realidade que estão fora do alcance da mente humana. "O SENHOR, nosso Deus, tem segredos que ninguém conhece", diz a Torá (Dt 29.29).

O profeta Isaías escreve: "'Meus pensamentos são muito diferentes dos seus', diz o SENHOR, 'e meus caminhos vão muito além de seus caminhos. Pois, assim como os céus são mais altos que a terra, meus caminhos são mais altos que seus caminhos, e meus pensamentos, mais altos que seus pensamentos'" (Is 55.8-9).

"Ó profundidade da riqueza da sabedoria e do conhecimento de Deus! Quão insondáveis são os seus juízos, e inescrutáveis os seus caminhos! Quem conheceu a mente do Senhor? Ou quem foi seu conselheiro?", diz o hino que os cristãos do primeiro século cantavam (Rm 11.33-34, NVI).

Os mistérios de Deus, entretanto, não são coisas que jamais conheceremos ou que nos estão ocultas. Os mistérios de Deus são realidades que jamais conheceremos totalmente, pois nunca as exploraremos por completo. São como um livro cujas páginas se multiplicam à medida que avançamos na leitura.

Essa foi a maneira que Deus escolheu de se revelar: além da obviedade e muito além da racionalidade humana. Deus se revela aos que o buscam de todo o coração (Jr 29.13).

Remova as impurezas da prata, e o ourives poderá com ela criar um vaso. Remova os perversos da corte do rei, e seu reinado se firmará na justiça.
PROVÉRBIOS 25.4-5

O rei deve se cercar de conselheiros para que seu governo seja bem-sucedido. O segredo está na qualidade dos conselheiros.

O rei sábio escolhe os conselheiros utilizando critérios que vão além das competências e habilidades. O rei sábio tem em sua corte conselheiros justos e íntegros, homens que amam e praticam a justiça.

Conselheiros perversos colocam em risco o sucesso de todo o reino e expõem o rei a perigos ante seus inimigos, e ao juízo de Deus, que é ainda mais severo.

Os formadores de opinião são as pessoas mais estratégicas de uma corte, uma sociedade, uma comunidade ou um grupo menor, como até mesmo uma família. Quando as pessoas mais influentes em um grupo são perversas, a tendência é que contaminem todos com sua amargura, maldade e mesquinhez.

Nem sempre é possível conviver ou encontrar termos de convivência pacífica com pessoas de má índole ou com corações em desordem. Há situações em que a solução é banir as pessoas perversas.

Embora pessoas não sejam laranjas, tomates e batatas, é triste lembrar que apenas um fruto podre pode estragar todo o cesto.

Não chame atenção para si diante do rei, nem exija um lugar entre as pessoas importantes. É melhor esperar até ser convidado perante os nobres que ser mandado embora e humilhado em público.
PROVÉRBIOS 25.6-7

Jesus ensinou esse provérbio também a seus discípulos. Ele recomendou:

> Quando você for convidado para um banquete de casamento, não ocupe o lugar de honra. E se chegar um convidado mais importante que você? O anfitrião virá e dirá: "Dê o seu lugar a esta pessoa", e você, envergonhado, terá de sentar-se no último lugar da mesa. Em vez disso, ocupe o lugar menos importante à mesa. Assim, quando o anfitrião o vir, dirá: "Amigo, temos um lugar melhor para você!". Então você será honrado diante de todos os convidados.
>
> Lucas 14.8-10

Jesus interpretou esse provérbio dizendo que "os que se exaltam serão humilhados, e os que se humilham serão exaltados" (Lc 14.11)

Quando discutir com o próximo, não revele os segredos de outra pessoa. Do contrário, você ganhará má fama e nunca mais se livrará dela.
PROVÉRBIOS 25.9-10

"No calor do debate, não traia a confiança, porque a notícia se espalhará e ninguém mais confiará em você", diz a tradução bíblica A Mensagem.

Trair a confiança das pessoas revelando segredos implica duplo dano. Primeiro, os prejuízos causados às pessoas que tiveram seus segredos revelados. Mas também o prejuízo da pessoa indiscreta, ou seja, cair em descrédito e perder a confiança de todos.

Aqui se esconde uma sabedoria da vida. O que João pode fazer contra José também pode fazer contra Pedro, Joaquim e Manoel. O que alguém fez no passado pode fazer novamente no futuro. A tendência dos que testemunham suas indiscrições, traições e maldades é desconfiar que, cedo ou tarde, você repetirá o comportamento.

Apesar de ser verdadeiro que as pessoas podem mudar, se arrepender e corrigir seus caminhos maus, é verdade também que somos de certa maneira escravos da nossa reputação. Os rastros que deixamos pelo caminho são usados para descrever nosso caráter. A reputação é um bem valioso. Confiança e credibilidade estão entre as marcas de uma boa reputação.

Não traia a confiança dos seus, os danos são quase irreparáveis.

O conselho oferecido na hora certa é agradável
como maçãs de ouro numa bandeja de prata.
PROVÉRBIOS 25.11

As palavras podem ser classificadas em pelo menos quatro categorias:

- Palavras certas no tempo errado.
- Palavras erradas no tempo errado.
- Palavras erradas no tempo certo.
- Palavras certas no tempo certo.

As palavras certas no tempo errado são desperdiçadas, pois os ouvintes não serão capazes de ouvir ou não estarão prontos para isso.

As palavras erradas no tempo errado são uma tragédia, pois acarretam males ainda maiores que aqueles que pretendiam remediar.

As palavras erradas no tempo certo são constrangedoras, pois a intenção de ajudar acaba sendo comprometida pela falta de sabedoria.

As palavras certas no tempo certo são como "a joia feita por encomenda" (A Mensagem). São uma perfeita combinação: ouro e prata.

Saber o momento certo de falar implica a sabedoria de guardar silêncio.

O silêncio é o berço das palavras certas.

A pessoa que promete um presente, mas não o entrega,
é como nuvens e ventos que não trazem chuva.
PROVÉRBIOS 25.14

Palavras vazias.

Promessas que jamais serão cumpridas.

Promessas que não serão cumpridas porque não são possíveis de ser cumpridas. São promessas exageradas. São promessas baseadas na prepotência de quem promete, pois promete acreditando ser capaz de fazer o impossível.

Promessas vazias são promessas que jamais serão cumpridas. E não serão cumpridas porque quem prometeu jamais pretendeu cumpri-las. São promessas feitas com base em motivações duvidosas, interesses escusos. Promessas baseadas em caráter podre.

A prudência exige cuidado ao fazer promessas. E também exige cuidado em dar crédito às promessas que nos são feitas, e especial cuidado em dar crédito às pessoas que nos fazem promessas.

Fazer promessas exageradas, ou sem a intenção de cumprir o prometido, é coisa de gente vazia.

Acreditar em promessas exageradas e em pessoas indignas de crédito é coisa de gente desesperada ou carente demais. Ou boba demais.

A paciência pode convencer o príncipe,
e palavras suaves podem quebrar ossos.
Provérbios 25.15

A melhor coisa a fazer quando alguém explode contra você é ficar em silêncio. As pessoas tomadas pela cólera ficam momentaneamente cegas e surdas. As pessoas possuídas pela ira não são capazes de ouvir nem enxergar nada, mesmo as coisas mais óbvias que lhe são ditas ou as evidências mais claras. Ficar quieta e em silêncio até que o ataque de fúria passe é uma arte que a pessoa sábia domina.

Depois do ataque de fúria, quando as paixões voltam ao equilíbrio, chega a hora de falar a respeito dos ataques e de reagir aos danos sofridos. Nessa hora, a tendência de quem está no prejuízo, ou foi agredido ou ofendido, é buscar a revanche, iniciar o processo de restituição ou mesmo partir para a retaliação. Caso seja esta a escolha, o ciclo de violência, ira e cólera é retroalimentado e, não demora muito, alguém explode de novo.

A melhor resposta ao dano sofrido e às feridas causadas é a palavra gentil, a palavra branda e suave. Com isso, o prejuízo não aumenta, o relacionamento é apaziguado e o mal é vencido pelo bem.

A palavra branda é mais poderosa do que a força bruta.

A palavra suave pode quebrar ossos.

Se você encontrar mel, não coma demais,
para não enjoar e vomitar.
PROVÉRBIOS 25.16

A temperança é a capacidade de permanecer senhor do prazer, em vez de seu escravo.

O filósofo francês André Comte-Sponville comenta a respeito da temperança:

> Há coisa mais simples do que matar a sede? Mais fácil de satisfazer — salvo miséria extrema — do que um estômago ou um sexo? Não é o corpo que é insaciável. A ilimitação dos desejos, que nos condena à falta, à insatisfação ou à infelicidade, nada mais é do que uma doença da imaginação [...]. Quem sabe se contentar com o necessário? Quem sabe apreciar o supérfluo apenas quando este se apresenta? Somente o sábio, talvez.

Ao escrever sobre felicidade, Eduardo Giannetti diz:

> Tudo que dá prazer na vida é assim: a partir de um certo ponto satura, deixa de ser prazer e começa a se tornar desagradável. O ser humano foi constituído de tal maneira que ele só sente prazer e satisfação ao passar de uma condição para outra, ao experimentar algum tipo de contraste, e não ao permanecer indefinidamente na mesma situação, não importa quão agradável ela seja.

Pessoas sábias sabem limitar seus desejos. Sabem que o máximo de prazer exige pausas e abstinências.

Mentir a respeito de outra pessoa faz tanto mal quanto agredi-la com um pedaço de pau, feri-la com uma espada ou atingi-la com uma flecha afiada.
PROVÉRBIOS 25.18

A calúnia fere três pessoas de uma só vez: a que fala, a que ouve e acredita, e aquela a respeito de quem se fala. A calúnia causa três tipos de ferimentos: dores, cortes e morte. O pedaço de pau é usado para dar pancadas, a espada para cortar e a flecha para penetrar e matar. A calúnia alcança três distâncias: quem está imediatamente próximo, quem está ao redor e quem está distante. Para ferir com pau é preciso estar muito perto, com a espada se pode ferir a certa distância e com a flecha se pode chegar longe.

Calúnia é a mentira a respeito de uma pessoa, que pode estar aqui mesmo, na mesma casa, na mesma cama. Pode estar bem perto, na mesma família, no mesmo círculo de amizades, em grupos de convivência íntima. Mas pode estar bem distante, e nem mesmo ser conhecida de quem comete o pecado da calúnia.

A arma — pau, espada e flecha — é escolhida de acordo com quem se deseja ferir, ou com a profundidade da ferida que se pretende causar. A língua pode funcionar como um pedaço de pau, uma espada ou uma flecha afiada. Certamente, a maioria das pessoas feridas pela língua caluniosa preferiria ter sido atingida por um pau ou uma espada, e em alguns casos preferiria ter sido alvejada por uma flecha de verdade. A língua caluniosa causa mais do que ferimentos físicos. Machuca a alma. E assassina reputações.

Não é sem razão que a Bíblia considera perfeita a pessoa capaz de "controlar a língua" (Tg 3.2).

Confiar numa pessoa desleal em tempos de dificuldade é como mastigar com um dente quebrado ou caminhar com um pé aleijado.
PROVÉRBIOS 25.19

O dente quebrado e o pé aleijado são inúteis. A pessoa desleal ou hipócrita também. Os três têm em comum o fato de que falham quando mais precisamos deles.

O problema é que em tempos de necessidade e desespero somos inclinados ou tentados a confiar em pessoas que em outras circunstâncias não confiaríamos. Quase sempre sabemos quando estamos confiando em pessoas de credibilidade duvidosa, e sabemos dos riscos de confiar nelas, mas ainda assim optamos por confiar. Geralmente, o argumento que usamos para esse ato tresloucado é "eu não tinha escolha".

Mas isso não é verdade. Sempre temos escolha. O que fazemos, de fato, é escolher o que nos parece ser mais conveniente. Estamos a cada instante fazendo escolhas. Nos momentos de dificuldades e necessidades, as escolhas devem ser ainda mais ponderadas e cautelosas.

Alguém já disse que entre duas dores, sempre escolhemos a menor. É um bom critério para avaliar as razões que nos levam a fazer escolhas que nos colocam em risco: o que desejamos preservar? Qual é a dor que se pretende evitar com a escolha mais arriscada? Por que escolhemos mastigar com o dente quebrado ou caminhar com o pé aleijado? O que justifica nossas escolhas aparentemente irracionais?

É preciso ter mais coragem para responder essas perguntas do que para confiar em pessoas desleais e hipócritas. Na hora da dificuldade e da necessidade, faça a escolha que exige mais coragem.

311

Se seus inimigos tiverem fome, dê-lhes de comer; se tiverem sede, dê-lhes de beber. Você amontoará brasas vivas sobre a cabeça deles, e o SENHOR *o recompensará.*
PROVÉRBIOS 25.21-22

As brasas vivas eram usadas no processo de depuração dos metais. As brasas acesas, isto é, brasas vivas, eram colocadas embaixo e também por cima do minério, e assim o minério ficava livre das impurezas. Colocar brasas vivas sobre a cabeça dos inimigos é um gesto que visa a extrair o melhor das pessoas que nos fazem mal.

Ao pagar o mal com o bem, constrangemos nossos inimigos. Assim fez o profeta Eliseu, quando Deus colocou em suas mãos os soldados sírios. "Quando o rei de Israel os viu, perguntou a Eliseu: 'Devo matá-los, meu senhor? Devo matá-los?'. 'Claro que não!', respondeu Eliseu. 'Eles não são prisioneiros que você capturou na batalha. Dê-lhes comida e bebida e mande-os de volta para casa, para o senhor deles'".

O historiador bíblico conclui dizendo que, depois desse gesto do profeta Eliseu, "os invasores sírios não invadiram mais a terra de Israel" (2Rs 6.21-23).

Nossos inimigos não necessariamente se tornarão nossos amigos. Mas é verdade que, pagando o mal com o bem, não corremos o risco de nos tornar malvados, e assim venceremos o mal que nos assola. Além disso, é verdade também que, ao pagarmos o mal com bem, Deus nos recompensa, e a bênção de Deus é sempre infinitamente maior do que qualquer reparação que poderíamos conquistar pela vingança.

Tão certo como o vento do norte traz chuva,
a língua que espalha boatos provoca a ira.
PROVÉRBIOS 25.23

Boatos são "tagarelices maldosas ditas em segredo", define o rabino Malbin. Na definição de boato também encontramos ideias como "notícia sem fundamento", ou "dito maldoso que se espalha pelo boca a boca".

A origem dos boatos é desconhecida, se espalham por um sem-número de cúmplices e, quando chegam aos ouvidos da pessoa por eles prejudicada, suscitam a ira e o desejo de vingança e retaliação. O problema é que essa pessoa não tem onde buscar reparação, nem sabe onde descarregar seu furor ou o que fazer para desmentir os boatos. Sua reputação está comprometida, e a probabilidade de que os fatos sejam esclarecidos é perto de zero.

É como a história do homem que pediu perdão ao sábio por ter espalhado boatos a seu respeito. O sábio leva o homem ao alto de uma montanha. De lá, solta um saco de penas ao vento e pede ao homem que as recolha. "Mas isso é praticamente impossível!", diz o homem. "O mesmo ocorre com os boatos", responde o sábio. "Uma vez lançados ao vento, causarão danos e destruição de reputações que jamais serão corrigidos ou reparados."

A ira, entretanto, não é a melhor resposta. Primeiro porque ela não resolve o problema, e também porque acabará fazendo vítimas inocentes, uma vez que a origem dos boatos é quase sempre desconhecida.

A melhor resposta é seguir em frente, não perder tempo tentando administrar a reputação e acreditar que Deus mesmo se encarrega de cuidar da nossa honra.

O justo que cede à pressão do perverso é como
nascente poluída ou fonte cheia de lama.
PROVÉRBIOS 25.26

Certa vez ouvi uma explanação que comparava pessoas do tipo termômetro e pessoas do tipo termostato.

As pessoas do tipo termômetro capturam a temperatura ambiente e se ajustam a ela. As pessoas do tipo termostato alteram a temperatura ambiente. O termostato existe para controlar as variações de temperatura de um sistema com o fim de mantê-la constante.

Os ambientes em que circulamos são de diferentes graus de pressão. As pessoas do tipo termômetro são afetadas e controladas pelas pressões externas e refletem a média de comportamento de cada ambiente. Se todo mundo está focado no trabalho, ela também produz mais. Mas, se o pessoal estiver falando mal dos outros, ela também perde o dia na roda da fofoca.

As pessoas sábias e senhoras de si sabem manter a temperatura constante. Seu comportamento e sua atitude não são determinados pela média do ambiente, mas pelas próprias escolhas e pelo caráter. As pessoas maduras e razoavelmente bem resolvidas não são do tipo "maria vai com as outras", pois não têm necessidade de ser aceitas pelo grupo a qualquer custo, e por isso não negociam sua integridade para receber aprovação de terceiros.

As pessoas sábias não cedem às pressões dos ímpios. São corajosas o suficiente para permanecerem fieis aos seus valores e compromissos de consciência, ainda que recebam a rejeição do grupo e fiquem isoladas no ambiente.

As pessoas justas são uma fonte de águas cristalinas que não se deixa poluir.

Quem não tem domínio próprio é como uma cidade sem muros.
PROVÉRBIOS 25.28

Associamos a falta de domínio próprio às pessoas pavio curto e cabeça quente. Imaginamos que as pessoas que se irritam facilmente e têm constantes ataques de fúria são perigosas e ameaçam a segurança e até mesmo a integridade física de quem está por perto. Isso é verdadeiro, mas não é toda a verdade.

As pessoas que não têm domínio próprio, isto é, que são incapazes de controlar os impulsos, são na verdade uma ameaça a si mesmas. São como cidades sem muro, sem defesa, totalmente vulneráveis e suscetíveis aos ataques de salteadores e invasores.

A falta de domínio próprio não se restringe ao comportamento irascível e violento. Também diz respeito à incapacidade de resistir às tentações e de controlar os desejos. Quem não tem domínio próprio é facilmente seduzido, é presa fácil de todo tipo de influência e acaba sendo manipulado por espertalhões e falsos amigos. Na falta da força para dizer não ao ilícito, acaba dizendo sim para o que resulta em prejuízos e penalidades. Tem muita gente pagando dívidas que não eram suas e/ou poderiam ter sido evitadas com um simples "não".

Geralmente definimos liberdade como a possibilidade de fazer o que queremos. Livre é quem faz o que quer. O domínio próprio mostra outro lado da liberdade: a capacidade de não fazer o que não quer, ou o que não deve. Livre é quem é capaz de dizer sim para o que quer dizer sim, e dizer não para o que quer dizer não.

Como o pardal que alça voo e a andorinha que atravessa o céu,
a maldição imerecida não pousa sobre quem ela é dirigida.
PROVÉRBIOS 26.2

Esse provérbio pode significar duas coisas. A primeira é que maldição sem motivo não pega. Não adianta rogar praga em gente inocente. Isso aconteceu com Davi. Ele foi amaldiçoado por Simei sob a acusação de ter assassinado parentes do rei Saul. Davi não se deixou intimidar nem teve medo da maldição, pois sabia de sua inocência e confiava na justiça de Deus (2Sm 16.5-13)

O outro significado desse provérbio está baseado na comparação entre a maldição imerecida e o pardal e a andorinha. A tradução da Bíblia hebraica diz: "Assim como o errante pardal e a voejante andorinha, a maldição gratuita chegará ao lar". Isto é, assim como os pássaros retornam aos ninhos, a maldição indevida voltará para quem a proferiu.

Em ambos os casos, a lição é que os justos não precisam temer maldições. Devem confiar em Deus e descansar sem medo, pois as maldições indevidas não encontram pouso na vida de quem anda na luz. Na verdade, quem deve temer as maldições sem motivo são os amaldiçoadores, pois sua maldição procurará onde pousar, e o ninho mais próximo é a cabeça deles mesmos.

Não responda aos argumentos insensatos do tolo, para que não se torne tolo como ele. Responda aos argumentos insensatos do tolo, para que ele não se considere sábio.
PROVÉRBIOS 26.4-5

O perigo de discutir com quem apresenta argumentos tolos é cair na armadilha da tolice.

Existem assuntos e questões que estão além, ou aquém, dos argumentos da lógica racional. São de outra ordem de apropriação, nada têm a ver com inteligência ou burrice. Dizem que política, religião e futebol estão nessa categoria de temas. A disputa sobre esses temas logo degenera numa competição para ver quem é mais inteligente, e o debate se torna uma constrangedora guerra de vaidades. Determinadas crenças se fundamentam em bases distintas da inteligência. Como disse Blaise Pascal, "o coração tem razões que a própria razão desconhece". Evitar entrar em algumas discussões é uma forma de sabedoria.

Mas os debates servem para aperfeiçoar as razões das crenças e até mesmo para depurar as crenças que entram em discussão. A recusa em defender de maneira inteligente aquilo em que cremos pode demonstrar, aliás, falta de fundamento para as convicções, ou mesmo a fragilidade daquilo em que acreditamos. Em contrapartida, saber a hora de parar de discutir, discernir o momento em que os argumentos descambaram para a apelação, o exagero e a desonestidade intelectual é também uma expressão de sabedoria.

As pessoas sábias sabem escolher as discussões em que se metem, e também sabem a hora de deixar os tolos falando sozinhos.

Honrar o tolo é tão insensato quanto
amarrar a pedra à atiradeira.
PROVÉRBIOS 26.8

Jesus disse quase a mesma coisa, quando advertiu seus discípulos a não darem o que é sagrado aos cães, nem lançarem pérolas aos porcos (Mt 7.6).

Os rabinos interpretam dizendo que "honrar um tolo" equivale a ensinar a Torá a um aluno inadequado. A honra é a Torá, que não deve ser ensinada a pessoas despreparadas ou motivadas por interesses duvidosos.

As coisas sagradas devem ser ensinadas a todas as pessoas, sem distinção. Mas nem todas as pessoas serão capazes de assimilar os mistérios divinos, e muitas nem mesmo saberão o que fazer com a riqueza que lhes foi partilhada. Jesus disse que a palavra de Deus seria apropriada por aqueles cujos ouvidos estivessem prontos para ouvir. Os tolos não ouvem. Sua audição é seletiva, ou seja, ouvem conforme sua conveniência, interpretam e usam o que ouviram para tirar proveito indevido, e acabam pondo a perder o tesouro que lhes foi concedido.

Os mistérios de Deus são sagrados.

As pessoas tolas são incapazes de perceber o valor e a beleza da palavra de Deus.

Como o cão volta a seu vômito, assim o tolo repete sua insensatez.
PROVÉRBIOS 26.11

O cão não é capaz de perceber que vomita a comida que não lhe faz bem, e por isso a come de novo. Os animais não fazem a relação de causa e efeito. São movidos pelos impulsos e instintos e não têm condições de raciocínio para responder a perguntas como "Por que isso está acontecendo?", "Onde foi que me desviei do bom caminho?", "Quais são as causas desse embaraço, dessa confusão e desse prejuízo?".

Assim também as pessoas tolas não percebem os males causados pelos seus atos de insensatez, e por isso os repetem. Uma grande expressão de tolice é acreditar que os atos insensatos não trarão consequências. Acreditar que é possível semear vento sem colher tempestade. As pessoas tolas não têm visão perspectiva, enxergam apenas o aqui e agora. Não são capazes de antever as consequências de suas escolhas e ações.

As pessoas tolas são iludidas e simplórias, e desenvolvem uma espécie de pensamento mágico, acreditando estar isentas e blindadas dos males que acometem a todos. "Comigo vai ser diferente", pensam. As pessoas tolas são também prepotentes, acreditam que estão no controle da situação e que são capazes de administrar as possíveis consequências ruins de seus atos irresponsáveis.

Isso explica o comportamento inadequado repetitivo: não fazer a relação entre causa e efeito, imaginar estar isento das consequências ruins de uma vida irresponsável e acreditar ser capaz de administrá-las.

Pessoas tolas são como os animais: insensíveis ao próprio vômito.

Há mais esperança para o tolo que para aquele que se considera sábio.
PROVÉRBIOS 26.12

Os tolos têm mais chances de adquirir discernimento e chegar à sabedoria. Os que pensam que são sábios estão presos aos seus argumentos tolos e não conseguem nem mesmo ouvir a voz da sabedoria.

Tenho um amigo que diz que a desilusão é uma coisa ótima. Ruim é viver iludido a respeito dos outros e, principalmente, a respeito de si mesmo. A desilusão é uma libertação. A pessoa desiludida foi liberta da bolha do engano e do autoengano.

Para ajudar alguém em seu processo de libertação, a sabedoria recomenda poucas palavras. As discussões levam os tolos e os que pensam ser sábios a se recolherem em suas trincheiras e a repetirem à exaustão seus argumentos insensatos, como se quisessem convencer a si mesmos de suas próprias razões.

Na maioria das vezes, um palavra sábia, no tempo certo e do jeito certo, é suficiente para furar a bolha da ilusão.

Meter-se em discussão alheia é como
puxar um cachorro pelas orelhas.
PROVÉRBIOS 26.17

Tem gente que vive se metendo onde não foi chamada.

Quem se mete no que não é da sua conta é prepotente, pois tem certeza da imprescindibilidade de sua intervenção para solucionar o dilema em questão. Parte do princípio de que possui alguma qualidade ou prerrogativa que não pode ser desprezada. Pensa de si mais do que convém.

Quem se mete onde não é chamado é imprudente, pois parte do pressuposto de que tem domínio dos fatos, sabe o que se passa no íntimo das pessoas envolvidas e é capaz de controlar as circunstâncias. As pessoas intrometidas "caem de paraquedas" e acreditam saber o necessário para interferir positivamente na situação.

Quem se mete onde não é chamado é inconsequente, pois sendo impossível saber como os invadidos reagirão, além de ser uma ameaça às pessoas, coloca-se em risco. Você não sabe o que um cachorro desconhecido fará se você o pegar pelas orelhas. O mínimo que se espera de sua parte é cautela.

Mas, ainda que os intrometidos tivessem pleno domínio de tudo, desde o passado, o presente e o futuro, por dentro e por fora de tudo e todos, e pudessem mesmo contribuir para uma solução ou possibilitar ganhos imensuráveis aos envolvidos, existe uma razão para que não se intrometam onde não foram chamados: ninguém tem o direito de interferir na vida de uma pessoa sem o consentimento dela. Simples assim. Até mesmo Deus respeita essa lei.

Deus não tem o hábito de interferir sem ser convidado.

O louco que atira com arma mortal causa tanto estrago quanto quem mente para um amigo e depois diz: "Estava só brincando!".
PROVÉRBIOS 26.18-19

Armas mortais são flechas em chamas.

"Quem minimiza os resultados de suas palavras impensadas, dizendo: 'Eu não quis dizer isso. Estava só brincando', é pior que gente descuidada que põe fogo na mata", traduz a Bíblia A Mensagem.

Tiago, irmão de Jesus, disse :

> Uma simples palavra pode parecer nada, mas é capaz de construir ou destruir quase tudo! Basta uma faísca para incendiar uma floresta inteira. Uma palavra descuidada ou indevida pode fazer o mesmo. Com nossas palavras, podemos arruinar o mundo, criar confusões sem fim, jogar lama na reputação dos outros e encher o mundo inteiro de fumaça, uma fumaça que vem das profundezas do inferno.
>
> Tiago 3.5-6, A Mensagem

Palavras descuidadas causam tanto dano quanto armas mortais.
Palavras mentirosas causam mortes.
Mentira mata.
Com a verdade não se brinca.
Mentiras, nem de brincadeira.

Sem lenha, o fogo apaga; sem intrigas, as brigas cessam.
PROVÉRBIOS 26.20

Como o fogo precisa da madeira para queimar, brigas e contendas são alimentadas por pessoas que têm prazer em brigar.

Existem diferentes traduções para essas tais pessoas: fofoqueiras, caluniadoras, murmuradoras. Já a palavra "discórdia", ou contenda, na língua hebraica tem a mesma raiz da palavra "lei", indicando brigas que levam vizinhos aos tribunais e que implicam demandas judiciais. O rabino Malbin interpreta esse provérbio dizendo que, se não houvesse ódio, motivos fúteis e desprezíveis não levariam vizinhos aos tribunais. E salienta que o ódio é criado por alguém que faz questão de jogar os litigantes um contra o outro. Por isso, quando o fofoqueiro ou caluniador é desmascarado, as brigas cessam.

Jesus disse que seus seguidores deveriam ser pacificadores, sendo ele mesmo, Jesus, o Príncipe da Paz.

Quando você estiver muito irado ou irada, ou com muita raiva de alguém, verifique a origem desse sentimento. É fruto de suas próprias interações com a pessoa ou é alimentado pelos comentários de alguém? O seu coração reflete o relacionamento direto com a pessoa ou você está sob a influência de opiniões, informações e comentários que jogam lenha nessa fogueira?

Quando as pessoas ao redor de suas disputas não cooperam para a paz e a reconciliação, tenha certeza: você está em risco de ser manipulado ou manipulada por gente fofoqueira, caluniadora e que gosta de ver o circo pegar fogo. Quem não ajuda a pacificar, ajuda a brigar. Não há meio-termo.

323

Palavras suaves podem esconder um coração perverso,
como uma camada de esmalte cobre o vaso de barro.
PROVÉRBIOS 26.23

Mercadores sagazes costumavam cobrir as rachaduras dos vasos com cera e sobre ela aplicavam uma camada de verniz ou prata. Comerciantes experientes tinham o hábito de colocar os vasos contra a luz do sol para verificar se tinham rachaduras, se eram de fato íntegros. Daí vem o sentido de "sincero", ou sem cera. O vaso sem cera era aquele cujas rachaduras não estavam camufladas nem disfarçadas e, portanto, era vendido a preços mais baixos, porém mais justos.

Palavras doces na boca de pessoas maldosas são como vasos rachados cobertos de cera.

Pessoas sinceras são leais e francas, suas palavras não têm duplo sentido nem escondem segundas intenções, não mandam recados nem jogam indiretas, não são maliciosas nem dissimuladas. Pessoas sinceras são transparentes, você sabe onde está pisando quando se relaciona com elas. Não fazem uso de meias palavras e sustentam o que dizem, ainda que com prejuízo ou dano próprio. Pessoas sinceras são autênticas. E, por tudo isso, são confiáveis.

Discernimos as pessoas falsas das pessoas autênticas por suas palavras. Com o tempo, as palavras revelam o caráter de quem fala, pois, como Jesus ensinou, "a boca fala do que o coração está cheio" (Mt 12.34).

Não conte vantagem a respeito do futuro,
pois você não sabe o que o amanhã trará.
Provérbios 27.1

Esse provérbio pode dizer respeito aos planos que fazemos para o futuro. Tiago, irmão de Jesus, recomenda humildade na hora de planejar o dia de amanhã:

> Prestem atenção, vocês que dizem: "Hoje ou amanhã iremos a determinada cidade e ficaremos lá um ano. Negociaremos ali e teremos lucro". Como sabem o que será de sua vida amanhã? A vida é como névoa ao amanhecer: aparece por um pouco e logo se dissipa. O que devem dizer é: "Se o Senhor quiser, viveremos e faremos isso ou aquilo". Caso contrário, estarão se orgulhando de seus planos pretensiosos, e toda presunção como essa é maligna.
>
> Tiago 4.13-16

Mas existe outra aplicação para essa advertência contra a presunção quanto ao dia de amanhã. Lembra a sabedoria que nos ensina a evitar dizer "dessa água não beberei". As pessoas prepotentes vivem se gabando com palavras do tipo "eu nunca faria isso".

Lembro-me do dia em que um amigo, muito entristecido, comentava comigo os tropeços de um homem que admirávamos. Ele me disse: "Tenho certeza de que você jamais seria capaz de fazer o que ele fez". Agradeci e comentei: "Não diga isso. O máximo que você pode dizer é que o homem que você pensa que sou hoje provavelmente não faria o que ele fez, mas nada podemos dizer do homem que serei amanhã, pois não sabemos que homem será esse".

O apóstolo Paulo recomenda: "Portanto, se vocês pensam que estão em pé, cuidem para que não caiam" (1Co 10.12).

Deixe que outro o elogie, e não sua própria boca;
alguém desconhecido, e não seus próprios lábios.
PROVÉRBIOS 27.2

Falar bem de si mesmo é pecar contra a modéstia, essa capacidade de não se impressionar consigo, ser despido de vaidade a respeito das próprias conquistas e virtudes. A humildade é a virtude que enaltece todas as outras, enquanto a vaidade ofusca qualquer outra eventual virtude.

A autopromoção, hoje chamada de "*marketing* pessoal", consta dos manuais de gestão de carreira como sinônimo de autoconfiança, autoimagem positiva, segurança. Nada mais equivocado. Cresci ouvindo que "elogio em boca própria é vitupério". Vitupério é uma palavra forte, significa "ato vergonhoso, infame ou indigno".

Lembro-me de um conselheiro que me disse que a chuva não precisa de *marketing* para comunicar "estou chovendo", ela simplesmente chove. Feito o comentário, ele disse: "Vai chover, meu filho, vai chover".

O apóstolo Paulo pensava de modo semelhante. Disse ele: "Quando alguém elogia a si mesmo, esse elogio não tem valor algum. O importante mesmo é ser aprovado pelo Senhor" (2Co 10.18). Isso significa pelo menos duas coisas. A primeira é que quem tem a aprovação de Deus não precisa da aprovação de mais ninguém. A outra é que não faltará quem admire uma pessoa que tem a aprovação de Deus.

Então, seja simples: deixe que outros lábios falem bem de você. Principalmente os lábios de Deus.

A pedra é pesada, e a areia também, mas pesa ainda mais o ressentimento causado pelo insensato.
PROVÉRBIOS 27.3

É melhor atravessar o deserto carregando uma pedra, ou cruzar um campo carregando sacos de areia, do que viver sendo insultado por pessoas tolas. Os pesos que o corpo tem que suportar, ainda que exagerados e por períodos prolongados, são mais leves do que os pesos da alma, resultantes de palavras e atitudes de gente do mal.

O padecimento do corpo pode ser superado com descanso. Os pesos da alma, por sua vez, carecem de outra sorte de alívio. Pedras e sacos podem ser soltos no chão, ou simplesmente cair quando o esforço se torna insuportável. Mas os pesos da alma não podem ser descartados ou deixados de lado. Eles causam dores e sofrimentos 24 horas por dia, 7 dias por semana. A alma ferida e cansada jamais descansa.

Para os pesos da alma não há tréguas nem alívios momentâneos. Eles carecem de cura. Devem ser eliminados e desaparecer, não apenas deixados no chão. Ressentimentos, mágoas e feridas emocionais causadas por pessoas incapazes de nos amar minimamente carecem de cura.

Não conheço outro caminho de cura diferente do perdão. Ignorar as agressões dos insensatos é impossível. Fingir que nada aconteceu é só um truque que serve apenas para piorar a situação, pois logo a alma grita e deixa bem claro que sofre. Vingar o insulto é também uma viagem ruim. Serve apenas para realimentar o ciclo de ofensas e violência, gerando mais dores e sofrimentos.

O perdão é o caminho da cura da alma. Perdoar é um bem que fazemos a nós mesmos.

A repreensão franca é melhor que o amor escondido.
PROVÉRBIOS 27.5

Dar uma bronca em público é melhor do que amar em silêncio. Quem ama em silêncio deixa a pessoa amada num vazio muito semelhante ao desamor. O silêncio do amor pode ser confundido com indiferença.

A repreensão franca, entretanto, é uma das expressões de amor mais contundentes. Você deve dar graças a Deus por existir alguém que ama tanto você a ponto de arrumar confusão para interromper seu mau caminho.

Mas nós, humanos, somos esquisitos mesmo. Preferimos os amigos que permanecem calados, não nos confrontam e não entram em discussões a respeito das nossas inconsistências e incoerências àqueles que nos repreendem e mostram as nossas falhas e debilidades de caráter. Estranhamente somos capazes de viver em paz com pseudoamigos e amigos cínicos, e nos afastar dos amigos que nos dizem verdades e coisas que não queremos ouvir. Uma inversão de valores quase inexplicável.

Pelo fato de darmos as costas a quem nos repreende com franqueza, e porque queremos cultivar amizades, entramos nesse jogo nefasto de fazer vista grossa aos erros dos amigos. Entre perder o amigo e calar a boca, escolhemos o silêncio, pensando ser essa uma forma de amor.

Mas, não se iluda, amor calado não faz diferença.

As feridas feitas por um amigo sincero são
melhores que os beijos de um inimigo.
PROVÉRBIOS 27.6

Que estranho comportamento é esse que se agrada da bajulação de gente enrolada, eticamente comprometida e até hostil. Por que aceitamos elogios, beijos e presentes de quem não merece nossa confiança? Será apenas por mera educação, pelo cultivo da conduta politicamente correta, para manter as aparências? Ou existirão razões ocultas e mais profundas que nos levam a ter falsos amigos por perto?

Aceitamos agrados de pessoas de reputação duvidosa porque somos carentes de afeto, afirmação e validação. O desejo de ser vistos e aprovados como pessoas competentes e bem-sucedidas nos impele a fazer vista grossa aos bajuladores. O desejo de ser amados e desejados nos impede de filtrar beijos e abraços falsos e interesseiros. Brincamos de "me engana que eu gosto".

Além da carência afetiva emocional, há outra razão, ainda pior. Aceitamos os beijos de gente mau-caráter porque julgamos precisar delas para auferir alguns benefícios. Fingimos amizade com quem não presta porque temos negócios, interesses comuns que nos obrigam a manter as aparências.

Deixamos de lado pessoas que de fato merecem nossa confiança simplesmente porque elas não estão dispostas a fazer vista grossa a nossos desvios de caráter. Quando nos ferem, pela repreensão e exortação, tomamos como desamor e falta de compreensão, ou surto moralista.

Os beijos dos inimigos nos empurram cada vez mais para o abismo. As pessoas que nos chamam para a luz são as que demonstram amizade de fato verdadeira.

Quem está satisfeito recusa o mel, mas para o faminto até o alimento amargo é doce.
PROVÉRBIOS 27.7

Quanto maior a abundância, mais difícil a satisfação. Quem tem tudo que quer no momento mesmo do desejo não desfruta o prazer potencializado pela experiência da falta. É por isso que os que convivem com a falta têm mais prazer que os que têm sobrando.

A primeira colherada de leite condensado é deliciosa. Mas várias colheradas seguidas causam enjoo e náusea. O desejo imediatamente satisfeito traz satisfação e alívio. Mas a vida desacostumada à espera, aos processos e ao tempo necessário para que o desejo amadureça conduz ao tédio. Quem tem tudo o que quer na hora que quer acaba perdendo a capacidade de desejar. Seu desejo enfraquece, aos poucos sente que já não há mais graça em desejar. Com o tempo, a satisfação imediata esvazia o desejo.

A psicologia positiva faz a distinção entre prazer e gratificação. Considera gratificação o prazer que só se alcança com virtude. O carro que você comprou com as economias reunidas ao longo do tempo traz gratificação. O carro que você ganhou do papai traz prazer, prazer vazio, que dura apenas poucos instantes. O vestido que você comprou com o dinheirinho suado traz gratificação. O vestido que você ganhou da mamãe traz apenas prazer, prazer vazio, que se amarrota no fim da noite.

A virtude é componente essencial do prazer que realmente satisfaz.

Quem anda distante de casa é como pássaro longe do ninho.
PROVÉRBIOS 27.8

É costume comparar o casamento e a família com uma prisão, uma limitação à liberdade.

Mas o casamento não é uma gaiola, é um ninho.

Casar é ir morar em alguém.

O ninho de um homem é a mulher que ele ama e em quem ele mora.

O ninho de uma mulher é o homem que ela ama e em quem ela mora.

O ninho é a casa do passarinho.

O filósofo e poeta francês Gaston Bachelard diz:

> O passarinho é um operário desprovido de ferramentas. Ele não tem nem a mão do esquilo nem os dentes do castor. A ferramenta do passarinho é seu próprio peito, com o qual comprime os materiais até torná-los absolutamente dóceis, até misturá-los e sujeitá-los e amoldá-los. A casa do passarinho é construída pelo seu próprio corpo. Então o ninho veste o passarinho tal qual roupa sob medida. É ali no ninho que um passarinho sente que chegou ao seu lugar. Ali está vestido com uma roupa que não apenas lhe cabe, como também tem sua forma.

Nossa casa é um ninho no mundo.

A primeira casa é o ventre.

A última casa é o ninho.

Na sepultura, não estamos.

Já voamos.

Jamais abandone um amigo, nem o seu nem o de seu pai. Quando vier a calamidade, não peça ajuda a seu irmão; é melhor recorrer a um vizinho próximo que a um irmão distante.
PROVÉRBIOS 27.10

Os amigos são a família que escolhemos. Os amigos são os nossos irmãos que nasceram de outros pais. Os amigos são a teia que oferece suporte à nossa vida quando saltamos do ninho da família de origem. Em alguns momentos da vida encontraremos mais socorro nos amigos que estão perto do que na família que está longe. Por isso se diz que "há amigos mais chegados que irmãos".

A sabedoria manda que não esqueçamos os amigos. Nem os amigos dos nossos pais.

Uma das figuras mais belas da cultura brasileira é o costume de chamarmos os amigos dos nossos pais de "tios". Meus filhos cresceram chamando meus amigos mais chegados de "tios", e hoje tenho também muitos sobrinhos. O amor entre amigos, transferido dos pais para os filhos, faz surgir essa categoria de tios e tias. Esses sobrinhos e sobrinhas espalhados por aí crescem e se tornam homens e mulheres, e me alegro muito quando um barbudo me dá um beijo e me chama de tio, e quando uma jovem senhora chega, orgulhosa, com seu filho no colo, para apresentar o bebê ao tio. Esses sobrinhos e sobrinhas são como filhos. De igual modo, esses sobrinhos e sobrinhas nos retribuem semelhante afeto e amor.

Pelo visto, nós, brasileiros, também ouvimos esse provérbio e não nos esquecemos dos amigos, nem dos amigos dos nossos pais, que crescemos chamando de tios. Eles também são nossa família.

Como o ferro afia o ferro, assim um amigo afia o outro.
PROVÉRBIOS 27.17

Para o ferro afiar o ferro, três coisas são necessárias: atrito, calor e faísca.

O ferro afia o ferro quando a superfície de ambos se toca e são puxadas em sentido contrário, gerando o atrito, que nada mais é que a resistência oferecida pelos ferros enquanto pretendem seguir direções diferentes. Os amigos fazem isso de vez em quando: cada um quer ir para um lado, e então surge o atrito. Amigos que nunca entram em atrito estão se omitindo da responsabilidade mútua, traindo, assim, a amizade.

Divergências de opiniões, de prioridades e em alguns momentos até mesmo de valores e intenções gera certo desconforto na relação entre amigos. Às vezes, um amigo faz ou diz algo que afeta, magoa, fere o outro, e então as emoções afloram. Quando os amigos nunca saem do sério ou nunca se sentem afetados emocionalmente um pelo outro, estão começando a deixar de se importar, ou já colocaram a amizade num patamar em que não mais importa o que dizem ou fazem.

Mas, quando a amizade é verdadeira, os atritos são levados a sério, e às vezes um queima o outro com uma faísca.

É justamente nesse momento de atrito intenso que um ferro afia o outro. Isso vale para amigos, casais, pais e filhos. Quando tiver que discutir a relação, entre com tudo, pois é hora de um afiar o outro e de ambos saírem melhores e o relacionamento, mais fortalecido.

Mas lembre que discutir a relação toda hora indica que as facas estão perdendo o corte muito fácil. O ferro não suporta tanto atrito, tanto fogo e tanta faísca.

Como a água reflete o rosto, assim o
coração reflete quem a pessoa é.
PROVÉRBIOS 27.19

Na cultura bíblica o coração é a sede da verdadeira identidade.

O coração é o centro de integração e integridade do que realmente somos.

O que não fazemos de todo o coração não tem valor diante de Deus, é falso, é inútil.

O que fazemos com todo o coração é real, e Deus recebe com alegria.

O Shemá, resumo essencial do pacto celebrado entre Deus e Israel, diz: "Ame o SENHOR, seu Deus, de todo o seu coração" (Dt 6.5). Por isso Deus usa o profeta para julgar o povo dizendo: "Este povo [...] honra-me com os lábios, mas o coração está longe de mim" (Is 29.13), e manda um recado de reconciliação afirmando: "Se me buscarem de todo o coração, me encontrarão"(Jr 29.13). O sábio diz também: "Acima de todas as coisas, guarde seu coração, pois ele dirige o rumo de sua vida" (Pv 4.23).

Jesus também ensinou aos discípulos que o comportamento público e os atos de piedade não impressionam a Deus, pois o que conta mesmo é o que está no coração. Não basta não matar, é preciso guardar o coração de odiar; não basta não adulterar, é preciso guardar o coração da cobiça; não basta dar esmolas, orar nas esquinas ou praticar jejuns, é preciso guardar o coração da vaidade e do jogo interesseiro e mesquinho da religião.

Felizes as pessoas cujo estilo de vida está alinhado com a verdade do seu coração.

Como a Morte e a Destruição nunca se satisfazem,
assim os desejos do homem nunca são saciados.
PROVÉRBIOS 27.20

O mundo dos mortos e a sepultura, o Sheol e o Abadom, nunca se satisfazem.

A terra não cansa de engolir os mortos, jamais está satisfeita.

Assim também as pessoas que vivem para satisfazer desejos.

Aqui está revelada uma grande armadilha: a crença de que é possível satisfazer todos os desejos. Quem faz da satisfação dos desejos seu propósito de vida mergulha num poço sem fundo.

O rei Salomão fala de sua busca por um propósito para viver: "Tudo que desejei, busquei e consegui. Não me neguei prazer algum" (Ec 2.10).

Em outras traduções as palavras soam ainda mais contundentes: "Tudo que desejei eu tive — nunca me neguei nada. Fiz tudo que deu na telha, não estava nem aí" (A Mensagem). E também: "Não me neguei nada que os meus olhos desejaram; não me recusei a dar prazer algum ao meu coração" (NVI).

Após desfrutar de todo prazer, o rei Salomão chega frustrado ao fim de sua busca (1.2): "Que grande inutilidade!", diz o Mestre. "Que grande inutilidade! Nada faz sentido!" (NVI). Em outras traduções:

"Vazio, tudo é um grande vazio! Nada vale a pena! Nada faz sentido!" (A Mensagem).

"Névoa de nadas, disse O-que-Sabe. Névoa de nadas, tudo névoa de nada" (Haroldo de Campos).

Quem vive na casa desejo habita um país chamado frustração.

Tome conhecimento do estado de suas ovelhas e dedique-se a cuidar de seus rebanhos, pois a riqueza não dura para sempre, e pode ser que a coroa não passe para a geração seguinte.
PROVÉRBIOS 27.23-24

A cultura brasileira é rica em ditados populares.

Quem tem cuida.

O dinheiro não aceita desaforo.

O gado engorda debaixo do olho do dono.

Esses três, pelo menos, resumem a sabedoria desse provérbio.

A recomendação para saber do estado das ovelhas e cuidar dos rebanhos se justifica pelo fato de que nossas fontes de riqueza merecem não apenas nossa atenção, como também nosso trabalho diligente.

A riqueza não dura para sempre, diz a sabedoria. O dinheiro não se multiplica automaticamente e, assim como vem, pode bater asas e voar. É preciso um tempão para juntar um milhão, mas apenas um tempinho para gastar ou torrar um milhão.

Ninguém cuida melhor do gado que o próprio dono. Ninguém é tão zeloso de suas riquezas quanto você mesmo. Não terceirize a administração de suas riquezas, e muito menos das fontes de suas riquezas. Assuma o controle e a responsabilidade daquilo que está em suas mãos. Não apenas as riquezas financeiras, mas também todas as outras. O virtuoso deve ser também dedicado. O talentoso deve também treinar duro. O inteligente deve ser também estudioso.

Diz o ditado que quem é rei nunca perde a majestade. Mas pode perder a coroa.

Os perversos fogem mesmo quando ninguém os persegue, mas o justo é valente como o leão.
PROVÉRBIOS 28.1

Os perversos não precisam que alguém os persiga para que se coloquem em fuga. A culpa é suficiente para que vivam fugindo. A culpa faz que os perversos jamais se sintam seguros. Eles fogem o tempo todo. Basta o mínimo farfalhar de uma folha, e batem em retirada. Basta um pequeno barulho no portão, e saem rapidamente pela porta dos fundos.

Os justos, por sua vez, estão sempre seguros. Como diz o ditado, quem não deve não teme. Atravessam a floresta com a tranquilidade de um leão. Não precisam olhar sempre sobre os próprios ombros, nem andar se esgueirando pelas sombras. Os justos não precisam de chapéu e óculos escuros. Não têm o que esconder, e por isso não têm do que se envergonhar. E ninguém nas ruas anda em sua captura.

Os justos não queimam documentos, não subornam juízes, não fazem acordos de delação. Os justos não destroem provas, pois não estão envolvidos em crimes que precisam ser provados.

Justos não fogem.

Pela simples razão de não terem motivos para fugir.

A corrupção moral de uma nação faz cair seu governo,
mas o líder sábio e prudente traz estabilidade.
PROVÉRBIOS 28.2

O psicólogo e psicanalista Luiz Hanns diz que existem três níveis de corrupção: a sistêmica, a endêmica e a sindrômica.

A corrupção sistêmica é aquela praticada por muitas pessoas de mau caráter ou de caráter fraco envolvidas num sistema que favorece e até exige a corrupção. Essa é a corrupção do poder público, dos políticos e dos empresários gananciosos, por exemplo.

A corrupção endêmica é aquela esparramada em todos os ambientes da sociedade. Essa é a corrupção que está presente em pequena escala na vida privada. Colar na prova, ficar com o troco a mais, dar um jeitinho de escapar da multa.

Por último, existe a corrupção sindrômica. Síndrome é alguma coisa que tem vários fatores e várias causas. Além do sistema e da corrupção privada, existem também duas outras grandes causas da corrupção. Uma é o burocratismo presente na esfera privada e pública. Leis impossíveis de serem cumpridas ou leis contraditórias entre si são expressões desse burocratismo. A outra causa da corrupção é a má gestão ou a gestão não profissional da máquina pública, por exemplo.

Para dar conta dessa complexa teia de corrupção, nos três níveis — a corrupção sistêmica, endêmica e sindrômica—, é preciso mais do que discursos hipócritas e politicamente corretos. É preciso, no mínimo, mobilização popular, reeducação cultural, vontade política e um governo com vergonha na cara.

O pobre que oprime os pobres é como a chuva torrencial que destrói a plantação.
PROVÉRBIOS 28.3

Pense num brasileiro que vai morar nos Estados Unidos. Ele começa sua nova vida trabalhando com limpeza de casas. No início está disposto a se submeter às condições não muito justas oferecidas. Como tem tino para os negócios, rapidamente adquire experiência, faz sua rede de relacionamentos e logo está agenciando casas para outros brasileiros. Não demora muito se torna dono de uma pequena empresa e submete seus funcionários, quase todos imigrantes, às mesmas condições injustas que encontrou ao chegar. Isso é emancipação. Subir na escada social mantendo o injusto sistema de estratificação. Isso é ex-pobre explorando pobre.

Tendemos a reproduzir o modelo dentro do qual fomos criados e educados. Passamos adiante as experiências sem criticar, revisar e até mesmo reinventar a educação que recebemos ou o sistema sob o qual crescemos.

Uma sociedade próspera precisa ir além da emancipação. Precisa de libertação. Precisa de pessoas que superem as condições de pobreza e miséria, alcancem sucesso como empreendedoras e, ao chegar ao topo da escada, passem a trabalhar para reinventar os sistemas de exploração e opressão dos pobres.

Pobres que oprimem pobres são como chuvas torrenciais que destroem a plantação. O lavrador espera as chuvas para que a lavoura não mingue. Mas a chuva torrencial trai suas esperanças. O que era para ser bênção chega como maldição.

Assim são os pobres que, ao chegar ao poder, esquecem de onde vieram.

Quem despreza a lei exalta os perversos;
quem obedece à lei luta contra eles.
Provérbios 28.4

O historiador Niall Ferguson mostra algumas conclusões sobre uma pesquisa elaborada para descobrir por que o Ocidente tem preeminência no mundo moderno e foi capaz de se desenvolver tão rapidamente. Considerou várias hipóteses: o aparato militar, o sistema político democrático e também o sistema econômico, o capitalismo de mercado. Mas nos últimos anos acredita-se que a real causa do desenvolvimento do Ocidente é a sua tradição religiosa, e com isso referem-se ao judaísmo e ao cristianismo.

Embora haja, evidentemente, muita controvérsia se o Ocidente é melhor que o Oriente, e muitas críticas ao seu modelo de desenvolvimento, é inegável que a cultura religiosa judaico-cristã se fundamenta na ética e nos valores morais, e isso contribui muito para uma sociedade de justiça e paz. O judaísmo e o cristianismo afirmam a dignidade, a igualdade e a liberdade dos seres humanos, a sacralidade de todas as dimensões da vida e a espiritualidade como caminho ético.

A crítica do sábio aos que abandonaram a Torá serve também para os que adotaram uma religião ritualista e mágica e abandonaram a espiritualidade ética de Jesus. Quando a sociedade deixa de lado os valores espirituais que sustentam os direitos humanos e a justiça social, restam apenas a barbárie e a perversidade, a superstição e a magia.

O temor a Deus é uma expressão de resistência ao mal no mundo.

Os que praticam o mal não compreendem a justiça,
mas os que buscam o SENHOR *a entendem plenamente.*
PROVÉRBIOS 28.5

Associamos a compreensão e o entendimento ao estudo e às capacidades racionais. Achamos que a compreensão das pessoas se dá em razão de seu QI, e que as mais inteligentes possuem mais capacidade de entendimento.

Mas a sabedoria não é questão de inteligência. A compreensão e o entendimento relacionados à sabedoria dizem respeito à justiça. A sabedoria sabe o que é justiça. Não se trata de conhecer e entender as leis que governam o mundo natural, não diz respeito a teorias sobre as coisas. A sabedoria fala de justiça, ou seja, a qualidade das relações humanas e tudo que é necessário para sustentar com plena dignidade o que está relacionado com a vida, principalmente a vida humana.

A compreensão e o entendimento da justiça vão além do conhecimento dos mandamentos, ou das escolas filosóficas de ética, ou mesmo dos códigos religiosos. Uma pessoa pode saber de cor todos os textos sagrados e ainda assim ser injusta e mau-caráter.

O autor bíblico diz que existe uma dimensão de conhecimento e entendimento que somente é acessível aos que praticam a justiça. A sabedoria não se adquire pelo estudo, mas pela obediência. Justiça não tem a ver com o que você sabe. Justiça tem a ver com a maneira como você vive.

As orações de quem se recusa a ouvir a lei são detestáveis para Deus.
PROVÉRBIOS 28.9

Como entender uma pessoa que não está nem um pouco preocupada em fazer a vontade de Deus, mas ainda assim deseja que Deus faça sua vontade? A pessoa não respeita a Torá, o caminho de Deus, mas faz orações, isto é, suplica para que sua vontade seja realizada por Deus.

Existe uma lógica que explica a cara de pau de uma pessoa assim. Para essa pessoa é possível pedir que Deus realize sua vontade porque tanto a vida despreocupada com a vontade de Deus quanto a prática das orações estão baseadas no "princípio da cláusula de exceções".

A pessoa que não respeita a Torá acredita que está acima do critério ético e moral de Deus e, portanto, pode viver como bem entende, sem que isso implique nenhum julgamento contra si. Por essa mesma razão, ora para que Deus satisfaça seus desejos, acreditando usufruir de alguma prerrogativa especial que a diferencia das demais pessoas e lhe possibilita orar de maneira contrária àquela ensinada por Jesus: "Seja feita a tua vontade, assim na terra como no céu" (Mt 6.10).

A pessoa egocêntrica se vê como um deus: segue a própria legislação, nos mundos natural, social e espiritual. Para ela não existem regras e leis a serem respeitadas, ela vive num mundo de exceções, tanto em sua conduta quanto em suas orações.

Mas a sabedoria diz que Deus não se confia a esse tipo de gente.

O rico pode se considerar sábio, mas não
engana o pobre que tem discernimento.
PROVÉRBIOS 28.11

Temos a tendência de acreditar que os ricos são mais inteligentes, competentes e capazes. O sucesso financeiro parece ser um atestado de sabedoria e maturidade. Quando uma pessoa consegue fazer dinheiro num mundo tão competitivo, é sinal de que possui recursos mentais, psíquicos e emocionais diferenciados. As biografias e autobiografias de ricos geralmente exaltam virtudes como persistência, capacidade empreendedora, resiliência. A lógica por trás dessas narrativas é que os ricos são ricos porque são melhores que os pobres.

Mas a Bíblia Sagrada não enxerga ricos e pobres dessa maneira. Nada na Bíblia sugere que os ricos são ricos porque têm um algo a mais. E a Bíblia jamais considera o sucesso financeiro e a capacidade de fazer dinheiro um critério de aprovação para qualquer pessoa. Muito ao contrário. A Bíblia insiste em advertir que os sábios não são identificados por seu bolso, suas posses e sua conta bancária. Na Bíblia Sagrada, os sábios são aqueles comprometidos com a prática da justiça, e isso está absolutamente relacionado à defesa dos pobres e seus direitos. Os sábios são aqueles que defendem o órfão, a viúva e o estrangeiro.

Por essa razão, os ricos podem até se julgar sábios, espertos e diferenciados. Mas Deus não dá um centavo por um rico que engana os pobres.

Quem oculta seus pecados não prospera; quem os confessa e os abandona recebe misericórdia.
PROVÉRBIOS 28.13

Existem algumas razões por que as pessoas que não admitem seus pecados não conseguem prosperar.

A pessoa que se recusa a admitir seu pecado gasta toda a energia tentando administrar o passado, e por isso não consegue avançar para o futuro. A confissão liberta a pessoa da necessidade de manobras para esconder os esqueletos nos armários.

Quem não confessa seu pecado carrega uma culpa, consciente ou inconsciente, que a faz acreditar que merece ser castigada, e por isso desenvolve mecanismos de autossabotagem. A confissão desmonta a lógica que diz "eu preciso sofrer", "eu não mereço que coisas boas aconteçam comigo", ou "Deus pesará a mão sobre mim e destruirá meus castelos".

A pessoa que não confessa os pecados permanece escrava deles, pois tudo que está encoberto pelas trevas fica no território das forças espirituais opressivas e dominadoras. A confissão traz as coisas para a luz, onde as forças das trevas não têm acesso. Na luz, o poder das forças da maldade é quebrado, e a pessoa experimenta uma libertação que lhe dá forças e condições para seguir em frente.

A confissão implica o perdão, principalmente o perdão de Deus, que não apenas liberta das dívidas contraídas no passado, mas também confere um crédito para um novo começo.

Quem confessa fica livre.

O governante perverso é tão perigoso para os pobres quanto o leão que ruge ou o urso que ataca. O governante que não tem entendimento oprime seu povo, mas o que odeia a corrupção tem vida longa.
PROVÉRBIOS 28.15-16

O governante perverso é perigoso.

O governante perverso é como o leão que ruge. Mantém o povo assustado e sentindo-se ameaçado.

O governante perverso é como um urso que ataca, fere, machuca, mata.

O governante perverso oprime o povo.

O governante perverso ama a corrupção.

O governante perverso tem vida curta.

O governante justo mantém o povo seguro.

O governante justo não ameaça o povo.

O governante justo não faz mal ao povo, não maltrata, não mata o povo.

O governante justo promove libertação para o povo.

O governante justo odeia a corrupção.

O governante justo tem vida longa, é amado e admirado pelo povo.

Infeliz o povo que vive sob o governo de perversos.

Infelizes os perversos que governam um povo.

Feliz o povo que é governado por justos.

Felizes os justos que governam um povo.

A consciência atormentada do assassino o levará
à sepultura; ninguém tente detê-lo.
PROVÉRBIOS 28.17

A consciência é o verdadeiro tribunal em que ganhamos a liberdade ou a sentença de morte.

Os tribunais humanos podem cometer erros grosseiros, absolvendo culpados e condenando inocentes. Os erros cometidos nos tribunais humanos se explicam pela falibilidade de juízes e jurados, pela precariedade dos sistemas judiciais e pelas brechas e defasagens das leis, ou mesmo pela corrupção dos agentes de justiça. Independentemente das razões e explicações, é possível que um assassino saia livre de um julgamento num tribunal.

Mas o verdadeiro tribunal é a consciência. É na consciência que ouvimos os pronunciamentos do verdadeiro promotor e os argumentos do mais legítimo advogado de defesa. É na consciência que a voz de Deus é pronunciada afirmando a culpa, e a voz de Jesus é pronunciada clamando por misericórdia e perdão.

É possível que um criminoso escape da pena de morte, quer pelos erros dos tribunais, quer pela indulgência dos governantes. Mas é praticamente impossível livrar da morte uma pessoa que em sua consciência acredita que merece morrer. Para quem foi condenado no tribunal da consciência, resta apenas o milagre do amor e do perdão de Deus.

A pessoa fiel obterá grande recompensa, mas o que deseja enriquecer depressa se meterá em apuros. [...] O ganancioso tenta enriquecer depressa, mas não percebe que caminha para a pobreza.
PROVÉRBIOS 28.20,22

O ganancioso tenta enriquecer depressa. Quem tenta enriquecer depressa se mete em apuros.

Duas verdades inquestionáveis.

O apóstolo Paulo fez a Timóteo as mesmas recomendações, que valem para todos.

> Uma vida consagrada traz lucro, mas esse lucro é a rica simplicidade de ser você mesmo na presença de Deus. Considerando, então, que entramos no mundo sem um centavo e que sairemos dele sem nada, se temos pão na mesa e sapatos nos pés, é o bastante.
>
> Mas [aquele] que está apenas atrás de dinheiro se destruirá rapidamente. A cobiça por dinheiro traz problemas, apenas problemas. Depois de entrar por esse caminho, alguns se desviam inteiramente da fé e amargam seu arrependimento pelo resto da vida.
>
> Mas você, Timóteo, homem de Deus: fuja de tudo isso. Corra atrás de uma vida justa — uma vida de contemplação, fé, amor, perseverança, cortesia. Corra a toda velocidade na fé. Busque a vida eterna, pois fomos chamados para ela. [...]
>
> Diga aos ricos na riqueza deste mundo que deixem de lado a empáfia e a obsessão por dinheiro, que está aqui hoje e desaparece amanhã. Diga-lhes que busquem Deus, que ajunta muitas riquezas que jamais conseguiríamos administrar, e façam o bem, para que sejam ricos em ajudar os outros e sejam pra lá de generosos. Se agirem assim, irão ajuntar um tesouro que vai permanecer e ainda obterão a vida que é verdadeira vida.
>
> 1Timóteo 6.6-12,17-19, A Mensagem

Quem rouba de seu pai e de sua mãe e diz:
"Que mal há nisso?", não é melhor que o assassino.
PROVÉRBIOS 28.24

Esse provérbio reflete uma lógica presente também na conhecida parábola do filho pródigo, a história que Jesus contou sobre o homem que tinha dois filhos (Lc 15.11-32).

Os pais têm prazer em doar, presentear e compartilhar seus bens com os filhos. Os pais costumam dizer o que o homem dessa história disse ao filho mais velho: "Meu filho, tudo que eu tenho é seu". Mas enquanto os pais estão vivos, têm total prerrogativa sobre o que possuem, e só eles podem decidir como gastar seus recursos, inclusive em relação aos filhos. Apenas após a morte dos pais é que seus bens estarão totalmente disponíveis para os filhos, que os recebem como herança.

Na parábola que Jesus contou, o filho mais novo pede sua herança para usufruí-la mesmo antes da morte do pai. Era como se dissesse: "Pai, o senhor está demorando muito para morrer, e por isso não posso usar o dinheiro da família como eu gostaria. Que tal o senhor adiantar a minha parte da herança?".

Nem todos os filhos têm essa ousadia desrespeitosa e cruel. A maioria desenvolve outra lógica: "O dinheiro do meu pai será meu mesmo, então não tem nada de errado eu começar a desfrutar dele a partir de agora. Ele nem precisa saber que já comecei a usar o que é meu". Assim, roubam os pais, fazendo uso do que ainda não lhes pertence.

Por essa razão, quem rouba dos pais não é melhor que um assassino. Trata os pais como se já estivessem mortos. Na prática, mata os pais.

Quem ajuda os pobres não passará necessidade, mas quem fecha os olhos para a pobreza será amaldiçoado.
PROVÉRBIOS 28.27

Você pode interpretar esse provérbio pelo menos de três maneiras.

A primeira é segundo a lógica da retribuição e da recompensa do mérito: se você cuidar dos pobres, Deus cuidará de você. Como uma espécie de contrato entre você e Deus. Você cumpre a sua parte cuidando dos pobres e Deus faz a dele provendo o que você precisa. A provisão de Deus para você é o efeito cuja causa é sua generosidade.

A segunda é acreditar que, além do contrato entre você e Deus, existe também um contrato social, pelo qual a sociedade cuida das pessoas boas e generosas. Uma espécie de acordo tácito por uma corrente de solidariedade: quando você ajuda os outros, sempre haverá alguém para ajudar você.

Mas gosto de pensar que a chamada Lei de Lavoisier, que postula que "na natureza nada se cria, nada se perde, tudo se transforma", reflete também um princípio espiritual que revela o funcionamento do mundo conforme criado por Deus. A riqueza, qualquer que seja ela, é sempre circulante e se manifesta de diferentes formas.

A maneira de aplicar isso ao mundo da solidariedade é esta: quem ajuda os pobres não passará necessidade, pois está integrado no fluxo de vida e prosperidade do mundo material e do mundo do espiritual.

Quem sempre se recusa a aceitar a repreensão será destruído de repente, sem que possa se recuperar.
PROVÉRBIOS 29.1

Esse provérbio fala da pessoa que "endurece o pescoço", aquele tipo de gente que "não dá o braço a torcer". Em síntese, a pessoa teimosa. Aquela que está sempre com a razão, não ouve ninguém, não admite seus erros, mesmo quando estão evidentes, e insiste em continuar no mesmo caminho ainda que esteja claro para todo mundo que é o caminho errado, o caminho mau.

A pessoa que não aceita ser corrigida e não tem a coragem humilde, ou a humildade corajosa, para dar passos para trás e rever seus caminhos vai se enrolando cada vez mais com suas palavras e ações. Quem não aceita conselhos, reprimendas e advertências vai se embaraçando nas consequências do seu pecado: um abismo chama outro abismo.

À medida que o teimoso vai se enrolando e embaraçando, vai perdendo a consistência e sua vida vai ficando sem alicerce. Até que, de repente, a casa cai. Mas a verdade é que nenhuma casa cai "de repente". O teimoso é que não foi capaz de enxergar, ou não quis ver, os sinais do desabamento.

A sabedoria manda prestar atenção aos sinais de alerta.

Quando a luz amarela começa a piscar, já passou da hora de tomar providências.

Quem bajula os amigos prepara uma armadilha para os pés deles.
PROVÉRBIOS 29.5

As pessoas fracassadas ou que desfrutam de falso sucesso têm uma coisa em comum: são cercadas de gente que só sabe dizer "sim, senhor". Os fracassados ou candidatos ao fracasso consideram parceiros e amigos apenas aqueles que concordam com tudo que eles dizem, fazem tudo que eles solicitam e riem de todas as piadas que eles contam. Pessoas que só falam o que os reizinhos e rainhazinhas querem ouvir.

Os bajuladores não oferecem resistência quando os amigos começam a trilhar caminhos maus. Não fazem advertências de perigos e incoerências, não chamam a atenção para os sinais de alerta que demonstram a iminência de dificuldades e tropeços. Os bajuladores traem a essência da amizade, que é o enriquecimento mútuo.

Por sua vez, as pessoas que gostam de ser bajuladas caminharão rumo ao abismo e não haverá quem lhes mostre o perigo. Errarão e não serão questionadas, cometerão pequenos atos ilícitos e não serão confrontadas, até que se metam em confusões complexas e já não tenham como voltar atrás. Quando alguém despenca no abismo só consegue se recuperar ao tocar os pés no chão e tentar tomar impulso para subir, o que não acontece sem perdas, dores e sofrimentos.

O publicitário Júlio Ribeiro fala dos "homens branca de neve", que são grandes apenas porque são rodeados de anões. Não caia na conversa dos bajuladores, eles dão a você uma falsa percepção do seu tamanho. E você acaba dando um passo maior que a perna. E cai no abismo.

A pessoa má é pega no laço do próprio pecado,
mas o justo escapa e grita de alegria.
PROVÉRBIOS 29.6

O laço do próprio pecado é uma forca.

Os homens maus se enforcam com as próprias cordas.

Nosso imaginário moral gravita ao redor de Deus e do diabo.

As coisas boas são sempre atribuídas a Deus, e dele esperamos recompensas pelo bem que praticamos. Por essa razão, tememos o castigo de Deus para o mal que fazemos, e acreditamos que as coisas ruins que nos acometem foram causadas pela mão de Deus pesando contra nós.

O diabo também aparece nessa equação. Muita gente transfere para o diabo a responsabilidade pelo mal que praticou, ou atribui ao diabo o mal que lhe acometeu.

Esse imaginário moral sempre dá um jeito de justificar em nome de Deus ou do diabo tudo que acontece ou deixa de acontecer.

A sabedoria, entretanto, sugere que a maioria das coisas que acontecem no mundo e em nossa vida tem a ver com nossas ações e nosso jeito de viver. A espiritualidade judaica é ética, e por isso mesmo responsabiliza o ser humano pelo destino de sua vida.

A pessoa má é destruída pelo próprio pecado.

A pessoa justa se alegra com os frutos de sua vida decente.

A experiência religiosa de quem não assume responsabilidade, e vive se escondendo atrás de Deus ou do diabo, está longe do caminho da sabedoria. Está mais para superstição.

O tolo mostra toda a sua ira, mas o sábio
a controla em silêncio.
PROVÉRBIOS 29.11

Sofrer calado é diferente de controlar a ira em silêncio.

Quem sofre calado engole em seco, fica com aquele nó na garganta, impõe sobre si o controle de seus impulsos violentos, como se estivesse agonizando dentro de uma camisa de força emocional. Quem controla a ira percorre um caminho de reflexão, ponderação, elaboração da raiva e, ao longo do processo, a ira vai perdendo força, chegando mesmo a se dissipar.

As pessoas que sofrem caladas não elaboram a dor. O resultado disso se mostra em forma de crises de ansiedade, pânico, estresse, esgotamento emocional, além de comprometimento físico, como doenças e enfermidades.

As pessoas que elaboram as dores são capazes de admiti-las, dar-lhes o peso que lhes corresponde, e encontrar caminhos saudáveis de extravasar e dissipar sua ira ou raiva. As pessoas que elaboram as dores em silêncio podem não falar muito com quem está em volta, mas cultivam um diálogo interior intenso e profundo. Assumem a raiva e escolhem como reagir a ela.

"É melhor ter sabedoria que armas de guerra", diz o rei Salomão (Ec 9.18).

Quem elabora sua ira em silêncio sábio é e vence mais batalhas que o violento.

O pobre e o opressor têm isto em comum:
o Senhor *permite que ambos enxerguem.*
Provérbios 29.13

Uma tradução mais literal desse provérbio seria: "Um indigente e um homem de astúcias se encontram; o Senhor ilumina os olhos de ambos". Ilumina os olhos de ambos para que se vejam, para que se enxerguem, para que se encarem, para que se percebam um ao outro e um no outro.

Ninguém vive sozinho no mundo. O encontro com as pessoas nos expõe à contemplação de nossa própria condição e nos interpela a respeito da condição alheia. Obriga-nos ao autoexame e, consequentemente, à tomada de posição. Exige que façamos escolhas: o que faço comigo? O que faço de mim? O que faço do outro à minha frente? Como reajo a esse que vem em minha direção?

Mas o provérbio tem também outra conotação. Lembra as palavras de Jesus a respeito do amor de Deus, que "dá a luz do sol tanto a maus como a bons e faz chover tanto sobre justos como injustos", e por isso é perfeito (Mt 5.45-48).

As dádivas divinas alcançam oprimidos e opressores. O Senhor permite que o pobre e o opressor enxerguem, e nisso ambos são iguais. Os seres humanos nos diferenciamos e nos distinguimos em muitas coisas e por muitas razões. Mas todos temos algo em comum: todos vivemos do favor de Deus.

Para corrigir o servo é preciso mais que palavras;
ainda que ele as entenda, não obedecerá.
PROVÉRBIOS 29.19

O mal entendimento desse provérbio nos levará a pensar que escravos entendem apenas a linguagem da violência e da disciplina física. Esse equívoco sustentaria a cultura de ódio bem presente em nossa sociedade.

Interpretar a expressão "é preciso mais que palavras" como licença para pendurar pessoas no pau de arara ou amarrar escravos no tronco é uma distorção absurda da sensibilidade bíblica e implica uma contradição ao todo das recomendações da sabedoria, baseada no temor de Deus e no respeito à dignidade humana.

Dizer que os escravos não respondem a argumentos, pois entendem, mas não se submetem, segue a mesma lógica que permeia toda sabedoria dos provérbios: as pessoas aprendem não apenas ouvindo conselhos, mas também sendo expostas às consequências de seus caminhos maus e seu comportamento rebelde.

Você aconselha as pessoas a não colocar a mão no fogo. Algumas acatarão o conselho e serão poupadas da queimadura. Outras terão que experimentar o fogo para aprender. Discernir o que se aprende mediante argumentos e o que se aprende por meio das experiências pessoais é uma arte.

355

O orgulho termina em humilhação,
mas a humildade alcança a honra.
Provérbios 29.23

Lembro-me da história que ouvi a respeito de um jovem pastor que se considerava ótimo orador. Certa vez, subiu ao púlpito de peito empolado e olhar altivo, cheio de si. Ao descer, intuindo seu fracasso, estava de cabeça baixa e quebrantado. O velho pastor, que o aguardava na primeira fila do auditório, sussurrou-lhe assim que ele ocupou o assento ao lado: "Se você tivesse subido do jeito que desceu, teria descido do jeito que subiu".

A arrogância e a prepotência são ingredientes que invariavelmente conduzem qualquer pessoa ao fracasso. As pessoas que acham que sabem tudo, podem tudo e são melhores que todo mundo não se abrem para o aprendizado e o aperfeiçoamento e se tornam negligentes com os cuidados necessários para o êxito. Porque confiam exageradamente em si mesmas, passam a acreditar que o sucesso de seus empreendimentos será automático, quase natural. Não aceitam a cooperação dos pares, não fazem a lição de casa, não buscam novos aprendizados e vivem a ilusão da onipotência. A queda é certa. E quanto maior o ego, maior o tombo.

O apóstolo Pedro nos lembra que "Deus é contra os orgulhosos, mas tem prazer em pessoas simples", por isso, "não empinem o nariz. A mão de Deus é forte e está sobre vocês. Ele os exaltará no tempo certo" (1Pe 5.5-6, A Mensagem).

O justo despreza o injusto; o perverso despreza o íntegro.
PROVÉRBIOS 29.27

O conflito entre o bem e o mal é inconciliável.

Por definição, luz e trevas não convivem. Não podem conviver.

Esse é o conceito de "jugo desigual", desenvolvido pelo apóstolo Paulo:

> Não se tornem parceiros dos que rejeitam Deus. Não há como fazer parceria entre o certo e o errado. Não é parceria: é guerra. A luz é amiga das trevas? Cristo passeia com o Diabo? A verdade e a mentira andam de mãos dadas? Quem pensaria em pôr ídolos pagãos no templo santo de Deus? Pois é exatamente o que somos, cada um de nós é um templo, e Deus vive em nós. Ele mesmo disse: "Vou viver neles e neles vou me mover; vou ser o Deus deles, e eles serão o meu povo. Então, deixem de lado a corrupção e as parcerias, deixem tudo, de uma vez por todas, diz Deus. Não se associem com os que irão mergulhá-los na sujeira. Quero todos vocês para mim. Serei um Pai para vocês, e vocês serão filhos e filhas para mim. Palavra do Senhor Deus".
>
> 2Coríntios 6.14-18, A Mensagem

Ó Deus, eu te peço dois favores; concede-os antes que eu morra. Primeiro, ajuda-me a ficar longe da falsidade e da mentira. Segundo, não me dês nem pobreza nem riqueza; dá-me apenas o que for necessário. Pois, se eu ficar rico, pode ser que te negue e diga: "Quem é o Senhor*?".*
Provérbios 30.7-9

Essa oração tem dois pedidos em duas dimensões que se afetam mutuamente. Mentira e mentirosos, e abundância e escassez. O que uma tem a ver com a outra?

O rabino Malbin diz que a riqueza e a pobreza são do intelecto, como se o suplicante estivesse dizendo: "Não me deixe na ignorância, para que eu não me torne presa fácil de mentiras e mentirosos, isto é, superstições e idolatria", e também: "Não me revele muita coisa, para que eu não me torne arrogante e acabe me desviando, caindo na armadilha de abandonar a Torá e passar a acreditar em mentiras e heresias".

Tanto as pessoas que têm em abundância quanto as que vivem na escassez correm o risco de abandonar a Deus. As primeiras porque se tornam orgulhosas e prepotentes, e passam a não acreditar em Deus e a achar que não precisam dele. As outras, porque se tornam amargas e passam a pensar que Deus não acredita nelas e que há algum poder capaz de substituir o poder dele para sustentar a vida.

A oração reflete a consciência das sombras que habitam o coração humano, que sabe de sua tendência de se afastar de Deus. Orando encontramos o equilíbrio, senão para o mundo, no mínimo para o coração.

O parasita tem filhas gêmeas chamadas
Me Dá e Quero Mais.
PROVÉRBIOS 30.15, A MENSAGEM

Há coisas que nunca se fartam, nunca dizem chega, e o sábio enumera pelo menos quatro: a sepultura, pois a morte é realidade perene; a mulher estéril, pois nada é suficiente para suprir sua falta de filhos; a terra, que absorve toda a água; e o fogo, que consome tudo que está pela frente.

Oscar Wilde, escritor e poeta, disse que existem duas tragédias no mundo: uma é não conseguir realizar um desejo, a outra é conseguir. O problema não está no objeto do desejo, no êxito ou no fracasso de sua conquista. O problema é o próprio desejo.

O filósofo Schopenhauer diz que a vida é um pêndulo que vai da frustração ao tédio. Quem não conquista seu objeto de desejo vive a tragédia da frustração. Quem conquista vive a tragédia do tédio.

É próprio do desejo o não se satisfazer. O desejo é essa coisa que nunca se farta, nunca se satisfaz. Usando a expressão do rabino Harold Kushner, para o desejo "tudo não é o bastante".

O desejo vive gritando me dá e quero mais.

Há três coisas que me deixam maravilhado, ou melhor, quatro coisas que não entendo: como a águia plana no céu, como a serpente rasteja sobre a rocha, como a embarcação navega no mar, e como o homem ama a mulher.
PROVÉRBIOS 30.18-19

A sabedoria compara o caminho de um homem e uma mulher com o caminho da águia no céu, da serpente na rocha e do navio cruzando o mar.

Á águia tem apenas um ninho em toda a sua vida. Um homem e uma mulher quando se fazem uma só carne devem cultivar a exclusividade e a fidelidade para que seu caminho seja bem-sucedido.

A serpente segue seu caminho sem deixar rastros. Um homem e uma mulher devem conviver sem deixar para trás os resíduos que comprometam a jornada comum, e por isso devem praticar o perdão, pois nenhum relacionamento sobrevive ao acúmulo de lixo emocional e espiritual.

O navio ao cruzar os mares se guia pelas estrelas. Um homem e uma mulher devem seguir sua jornada com os olhos fixos no céu, recebendo a sabedoria que vem do alto, pois a longevidade do relacionamento se baseia na submissão de ambos a uma luz comum.

O caminho de um homem e uma mulher será sempre mistério. Mas o compromisso de exclusividade e fidelidade, a disposição de começar de novo a cada manhã e a dependência de Deus podem ser pistas que nos ajudam a discernir os casais que nos encantam com a beleza de sua conjugalidade.

Há três coisas que fazem a terra estremecer, ou melhor, quatro que ela não pode suportar: o servo que se torna rei, o tolo arrogante que prospera, a mulher amargurada que enfim arranja um marido e a serva que toma o lugar de sua senhora.
PROVÉRBIOS 30.21-23

A sabedoria revela alguns exemplos que demonstram a irracionalidade e a realidade caótica do mundo e a inversão de valores.

O que existe em comum entre as quatro coisas mencionadas no provérbio é que todos eram coadjuvantes e se tornaram protagonistas. A princípio, isso não deveria ser uma tragédia. Mas o problema está em quando os coadjuvantes se tornam protagonistas sem passar pela experiência de ressignificação da situação anterior. O problema não é o servo reinar, desde que reine promovendo a justiça para todos os escravizados. Nem alguém deixar de ser pobre e se tornar rico, desde que não seja insensato no trato da riqueza. Nada errado a mulher rejeitada encontrar um novo amor, desde que não projete nele as mágoas e os ressentimentos do marido anterior. Nada errado que uma serva se torne senhora, desde que ocupe o lugar de autoridade em favor das que permanecem servas.

A mera substituição de pessoas não resolve os conflitos de uma sociedade. A mudança deve ocorrer no nível da cultura e da mentalidade coletiva, sob pena de o segundo estágio ser até pior que o primeiro.

Para que seja real agente de justiça, o injustiçado deve primeiro cuidar das dores e conflitos interiores e fazer as pazes com o passado. Caso contrário, sua intenção de justiça se transforma em cruel justiçamento.

BONZINHO

361

Fale em favor daqueles que não podem se defender; garanta justiça para os que estão aflitos. Sim, fale em favor dos pobres e desamparados, e providencie que recebam justiça.
PROVÉRBIOS 31.8-9

Somente pessoas perversas se levantam contra a prática da generosidade e da solidariedade. A maioria das pessoas minimamente educadas se dedica de alguma maneira a fazer o bem e colaborar com ações humanitárias. Fazem parte da cidadania responsável a doação financeira e o trabalho voluntário para ajudar os pobres e os que vivem em condições de vulnerabilidade.

Mas nem todas as pessoas encaram a prática da justiça de maneira tão natural. Convocar para a generosidade e a solidariedade não causa problemas. Mas a convocação para a justiça é uma ameaça.

Hélder Câmara, arcebispo emérito de Olinda e Recife, defensor dos direitos humanos, certa vez declarou: "Quando eu falo da pobreza todos me chamam de cristão, mas quando eu falo das causas da pobreza me chamam de comunista. Quando eu falo que os ricos devem ajudar os pobres, me chamam de santo. Mas, quando eu falo que os pobres têm que lutar pelos seus direitos, me chamam de subversivo".

Levantar a voz em favor dos que não têm voz é um ato de justiça.

Agir em favor do pobre significa muito mais do que suprir suas necessidades imediatas. Implica lutar para que tenham reconhecidos seus direitos e se tornem protagonistas de sua história.

Fazer justiça é mais que ser bonzinho.

Quem encontrará uma mulher virtuosa?
Ela é mais preciosa que rubis.
PROVÉRBIOS 31.10

O livro dos Provérbios contém muitas referências à mulher. A maioria delas em tom de advertência. Desde Eva, que induziu Adão a fazer a vontade da serpente, a mulher é vista como sedutora e tentadora, e muitas vezes descrita como prostituta e adúltera. Na tradição judaico-cristã a mulher é considerada uma ameaça ao homem. A solução para esse dilema foi submeter a mulher ao homem. No mundo antigo, ela era vista sob dois estereótipos: a sedutora e a serva. A mulher como objeto de prazer, ou como objeto a serviço do homem.

Provérbios 31 oferece outra lente através da qual se pode ver a mulher e, principalmente, a mulher pode ver a si mesma. A descrição da mulher virtuosa é um espelho onde a mulher é refletida para além dos estereótipos culturais e sociais. A fé cristã celebra uma nova identidade tanto para homens como para mulheres, ambos criados à imagem e semelhança de Deus.

O apóstolo Paulo diz que não importa que o homem tenha sido criado primeiro, e depois a mulher, da costela do homem, pois o homem nasce do ventre da mulher (1Co 11.11-12). Também diz que não importa que a mulher tenha pecado primeiro, pois foi do ventre da mulher que nasceu aquele que esmagou a cabeça da serpente (1Tm 2.8-15).

A conclusão é que, por causa da obra de Cristo, não existe diferenciação entre homem e mulher, e ambos são um em Cristo, que é tudo em todos (Gl 3.28; Cl 3.11).

Há muitas mulheres virtuosas neste mundo,
mas você supera todas elas.
PROVÉRBIOS 31.29

A mulher virtuosa de Provérbios 31 é considerada também uma personificação da sabedoria. Assim como a sabedoria, ela tem mais valor que os rubis (3.15; 8.11), e aquele que a encontra recebeu uma dádiva do Senhor (8.35; 18.22). Descrita em termos de habilidades e capacidades, a mulher é sabedoria em ação. A mulher sábia:

- Faz o bem.
- Trabalha com as mãos e produz para vender.
- Administra a família e as servas da casa.
- Empreende seu próprio negócio.
- Compra e vende, e multiplica o dinheiro.
- Faz negócios lucrativos.
- Trabalha inclusive no turno da noite.
- Ajuda os pobres e necessitados.
- É prudente e previdente.
- Cuida da aparência e beleza.
- Fala com sabedoria e gentileza.
- Nunca dá lugar para a preguiça.
- Desfruta da admiração do marido, dos filhos e da sociedade.

A mulher virtuosa "veste-se de força e dignidade e ri sem medo do futuro" (31.25). Isto é, anda de cabeça erguida, caminha livre sem dever nada a ninguém e é cheia de entusiasmo e fé.

Não é sem razão que dela se diz que supera todas as mulheres.

Estes são os provérbios de Salomão [...]. Sua finalidade é ensinar-lhes uma vida disciplinada e bem-sucedida.
PROVÉRBIOS 1.1,3

Ao longo da história o ser humano dedicou-se a descobrir os segredos da vida.

Os tempos modernos e pós-modernos parecem ter oferecido a busca da felicidade pessoal e particular, em termos de máximo prazer e satisfação de desejos, e mínimo sofrimento, como o mais elevado propósito da existência humana. Não duvido que passaremos para a história como a geração mais fútil e vazia da saga humana.

Acreditamos na supremacia da razão, na potência da ciência e da tecnologia, na racionalidade das ideologias políticas e na utopia do Estado promotor da justiça e da equidade. Mas, no anoitecer, caímos nas mãos do obscurantismo dos fundamentalismos religiosos, nas ridículas pseudoverdades da autoajuda, e construímos uma sociedade mercado, em que tudo se compra e vende, inclusive almas e vidas humanas.

A tradição espiritual judaico-cristã oferece um suplemento de alma para o mundo. Aponta um caminho de sentido no chão da vida: a sublimidade da convivência familiar, a singeleza da amizade, a dignidade do trabalho, a prática da justiça e da generosidade, a celebração da existência, mesmo com todas as suas contradições e seus paradoxos, como dádiva de Deus.

A sabedoria espiritual ensina que você não se torna feliz ao buscar a felicidade, mas ao encontrar um sentido na vida, para a vida, e o sentido da vida.

A sabedoria ensina a viver.

365

O cético afirma: "Não há Deus! Não há Deus! Posso fazer o que quiser. Sou mais animal que humano; a inteligência humana me escapa. Reprovei em 'sabedoria'. Não vejo nenhuma evidência de um Deus santo. Quem já viu alguém subir ao céu e assumir o controle, capturar os ventos e controlá-los, reunir as chuvas num balde ou demarcar os limites da terra? Apenas me diga o nome dele ou o nome dos seus filhos. Vamos, diga-me!". O fiel responde: "Todas as promessas de Deus dão prova disso; ele protege todos os que lhe pedem socorro. Então, não o critique; ele bem pode testar você e desmascarar suas mentiras".

PROVÉRBIOS 30.1-6, A MENSAGEM

O diálogo entre o crente e o cético revela duas posturas na vida. A primeira é a negação de Deus, que leva à prepotência de tentar viver sem Deus, o que na verdade é assumir o papel de Deus, a pretensão de ser Deus: eu posso fazer o que quiser.

A segunda é a humildade e a dependência de Deus. A consciência de que tudo que existe vive do favor daquele único que afirma a respeito de si mesmo: Eu Sou!

O caminho da sabedoria implica a consciência de que a vida é dádiva, e que tudo, absolutamente tudo, está em Deus: "Pois dele, por ele e para ele são todas as coisas. A ele seja a glória para sempre! Amém" (Rm 11.36, NVI).

SOBRE O AUTOR

Ed René Kivitz é teólogo, escritor e conferencista. Desde 1989 desenvolve seu ministério pastoral na Igreja Batista de Água Branca (IBAB). Casado com Silvia Regina, vive atualmente em São Paulo.

Conheça outras obras de

Ed René Kivitz

- O livro mais mal-humorado da Bíblia
- Outra espiritualidade
- Talmidim
- Talmidim52
- Vivendo com propósitos

Compartilhe suas impressões de leitura escrevendo para:
opiniao-do-leitor@mundocristao.com.br
Acesse nosso *site*: www.mundocristao.com.br

Equipe MC: Daniel Faria
Heda Lopes
Natália Custódio
Diagramação: Luciana Di Iorio
Fonte: Minion Pro

9 786586 027686